내려가는 계단을 올라가며

내려가는 계단을 올라가며

벨 카우프먼 지음

이진아 옮김

이 책을 테아와 조너선에게 바친다.

데이원

일러두기

본문의 학생들이 남긴 쪽지글들에는 틀린 맞춤법으로 쓰인 문장들과 비문이 섞여 있습니다. 서툰 작문의 원문을 반영하여 번역한 것이니 이 점 참고 부탁드립니다(편집자 주).

감사의 글

유능한 출판 편집자인 존 캠벨이 곁에서 끊임없이 문제를 해결해주고 도와주어 요즘 출판시장에 대해서는 문외한인 내가 이 책을 다시 출간하게 되었다. 그 없이는 전자책을 비롯한 새로운 시도 같은 것이 빛을 보지 못했을 것이다. 그의 확고한 의지, 다양한 교육, 문학적 경험이 많은 도움이 되었다. 이 모든 것은 그가 나의 좋은 친구이기 때문에 가능한 일이다. 존 캠벨과 그의 에이전시 모두에게 고마움을 표하고 싶다.

2014년 뉴욕에서

벨 카우프먼

목차

추천하는 글

〈내려가는 계단을 올라가며〉는 1964년에 출간된 이후, 미국뿐만 아니라 전 세계에서 수백만 부가 팔린 베스트셀러다. 이 책은 1967년에는 영화로도 제작되어 작가인 벨 카우프먼을 유명인사로 만들어 주기도 했다.

전 세계 독자로부터 사랑을 받은 이 작품은 학교를 다룬 소설 중 가장 유명하며, '고전'의 반열에 올랐다.

나는 이러한 질문을 던지고 싶다.

무엇이 고전인가?

그리고 무엇이 특정한 작품을 고전으로 만드는가?

대다수의 작가는 자신의 작품이 고전의 반열에 오르기를 원하지만, 이러한 사례는 매우 드물다.

그렇다면 이 작품은 어떻게 고전이 되었을까?

일단 읽기 쉽다는 면에서 대성공을 거두었다. 형식 또한 독특한데 내용을 쭉 서술하지 않는다. 대도시에 있는 한 고등학교의 쓰레기통에 버려진 종잇조각을 모아 서술한다. 이러한 방법은 1964년 출간 당시 독자들에게 낯설고 놀라웠지만, 카우프먼은 이것을 매우 효과적으로 보여주었다.

이 외에도 이 소설은 뒤죽박죽이 된 노트, 낙서, 쪽지, 학생의 항의, 회의록, 수업 계획, 수업 시간표, 통행증, 허가서, 게시판 공지, 사소한 잡담 등이 때로는 짜임새 있게 매혹적이며, 신랄하면서 재미있으며, 긴장감이 살아 있는 서술 방식으로 독자를 흥미진진하게 만든다. 작가는 불합리한 관료주의를 고차원적으로 풍자한다. 더불어 독자들이 빠져들 만큼 등장인물을 생생하게 묘사한다.

하지만 이러한 서술 방식의 개성만으로 이 작품이 고전이 된 것은 아니다. 문학적 수준을 넘어선 그 속에 담긴 주제가 고전의 반열에 오른 주요한 이유다. 21세기에 이 작품을 읽으면 뉴욕 학교의 묘사가 고리타분하게 여겨질 수도 있겠지만, 작품을 읽는 동안 그러한 선입견은 사라질 것이다.

현재 교사로 일하는 사람은 책에서 가장 먼저 등장하는 실비아 배릿이라는 인물을 친숙하게 느낄 것이다. 그녀는 신입 교사로, 영문학의 아버지로 불리는 제프리 초서(Geoffrey Chaucer)[01]를 고등학생들에게 가르치겠다는 높은 이상을 품

---

01 제프리 초서(1343년 출생)는 영국의 작가이자 시인, 관료, 법관이다. 그의 작품 중 〈캔터베리 이야기〉가 가장 잘 알려져 있다. 이 작품은 캔터베리 성당으로 가는 순례자들을 다룬 설화집으로, 프랑스어나 라틴어가 아닌 영어로 쓰였다. 그래서 그를 '영국 문학의 아버지'라고 부른다.

은 채 일을 시작한다.

실비아 배럿은 자신이 마지못해 학교에 다니는 학생들을 설득하기 위해 고군분투해야 하는 전쟁터에 있다는 사실을 부임 첫날 깨닫는다. 몇몇 학생은 수업을 원하지만, 일부 학생은 글을 읽고 쓰는 것조차 힘들어하며, 심지어 몇몇은 반항적인 태도를 보이기도 한다. 가르치는 일이 쉽지 않으며 때로는 모욕적이기도 하지만 그녀는 끊임없이 노력한다.

게다가 학생들의 주의를 끌려고 분투하는 순간, 무의미한 관료주의가 몰아닥친다. 그녀의 시간과 관심을 빼앗는 관리자의 지시 등이 그것이다.

때때로 실비아는 교사로서의 일을 포기하려 하지만, 교육에 대한 열정으로 결국 제자리로 돌아온다. 일부 학생이 그녀를 몹시 괴롭히지만, 그녀가 지닌 불굴의 정신을 꺾지는 못한다. 교사보다 더 편한 직업을 찾으려는 생각을 버리게 만드는 것은 바로 학생들이다.

〈내려가는 계단을 올라가며〉는 누구나 공감할 수 있는 교사의 딜레마를 제대로 포착한 명작이다.

교사들은 때때로 이렇게 생각할 것이다.

내가 학생을 차별하나?

내가 학생에게 정말 도움이 되나?

학생들을 잘 보살피고 있나?

내가 가르친 만큼 잘 이해할까?

계속 노력할 가치가 있을까?

문제가 있는 건 나일까, 아니면 학생들일까?

나는 좋은 교사일까? 아니면 나쁜 교사일까?

내가 있어도 될까, 아니면 떠나야 할까?

소설 초반에 실비아 배릿은 동료와 학교의 방식에 의지한다. 하지만 시간이 흐르면서 그 속에서 점차 변화하며 믿음직한 인물로 성장한다. 그녀는 아무리 많은 어려움에 직면해도 동료들과 우정을 키워나가고, 학생들과 강한 유대를 맺으며 자신의 길을 걷는다. 다른 교사들의 공감을 얻는다는 점에서 그녀가 올바른 길로 나아가고 있음을 우리는 알 수 있다. 다른 식의 삶이 훨씬 쉬울 테지만 그녀가 교실에 남은 이유는 자신이 사랑하는 학생들 덕분이다. 아이러니하게도 자신을 가장 힘들게 하는 이들도 학생들이지만 말이다.

이 책이 처음 출간되었을 때, 1940년대와 50년대에 성년이 된 독자들은 책 속의 학생들이 무례하고, 버릇없고, 배움에 무관심한 것을 보고 충격을 받았다. 또한, 교사의 눈을 통해 교사의 역할을 보는 것이 새롭고 다소 충격적이었다. 하지만 21세기에 이 책을 읽은 교사는 자신과 비교하여 실비아가 편하다고 생각할 것이다. 벨 카우프먼도 아마 그러한 사실에 동의할 것이다.

벨 카우프먼과 그녀가 만든 허구의 인물 실비아 배릿은 1967년 개봉한 영화 〈내려가는 계단을 올라가며〉의 배경이 된 뉴욕의 캘빈 쿨리지 고등학교가 그 이후에 어떻게 변모했는지 알면 놀랄 것이다. 1970년대 캘빈 쿨리지는 각각 별개의 교장과 교육 과정을 지닌 대여섯 개의 분리파 교회 학교로 나뉘어 운영되었다. 강당, 도서관, 운동장 및 기타 공간을 공동으로 사용했다. 민간 자금을 유치하기 위해 공용 공간은 민간에서 관리하는 차터 스쿨과 공유하기도 했다.

실비아의 반에는 흑인도 있고, 푸에르토리코인 학생도 있지만 정작 그녀를 힘들게 하는 학생 대부분은 백인이다. 카우프먼은 실비아의 이야기에서 인종차별 이슈를 부각하지는 않았다. 하지만 실비아가 50년 뒤에 캘빈 쿨리지에서 교사를 한다면 학생 대부분은 흑인이나 히스패닉일 것이다. 또 그들 중 대부분은 빈곤한 가정 출신일 것이고, 상당수는 집이 없거나 쉼터에 살 수도 있다. 몇몇은 학교에서 먹은 급식이 그들이 하루 중 가장 든든하게 먹은 식사일 수도 있다. 영어를 전혀 모르는 학생도 전학을 올 것이며, 장애 학생도 학교에 다닐 것이다(1964년에는 장애 학생들은 공립학교에 다닐 수 있는, 연방정부가 부여한 권리가 없었다). 50년 후의 실비아 배릿 반에는 청각 장애인이나 시각 장애인, 낭포성 섬유증 혹은 척수성 근육위축증 때문에 휠체어에 탄 학생, 정서적이나 인지적 문제가 있는 학생이 있을 수 있다.

그녀의 행동은 소설에서처럼 교장의 명령이 아닌, 주와 연방정부의 명령에 좌우될 것이다. 또 빈번한 워크숍에 참석하여 교사로서의 의무사항과 변경사항에 대해 배워야 하고, 이 모든 것들이 교사 등급에 영향을 미치게 되었을 것이다.

실비아는 그녀가 맡은 모든 학생이 리젠트 시험(Regent Examination)[02]에 통과해야 하므로 시험 일정을 관리해야만 했다(1960년대에는 대학 입시를 치르는 학생만 리젠트 시험을 보았다). 시험을 통과한 학생 숫자를 바탕으로 해당 교사의 자질을 평가했기에, 책 속의 실비아는 학생들이 제대로 시험을 준비하도록 매일 고군분투했다. 21세기 초의 실비아 역시 비슷한 상황에 부닥쳤을 것이다. 공부를 열심히 하지 않는 학생마저도 이 엄격한 시험을 통과하도록 노력해야만 했을 테니까.

21세기 실비아 배릿은 그전과는 다른 문제에 직면하게 된다. 새로운 위험 요소는 바로 자신과 학생들의 안전과 보안이다. 21세기 학교 입구에는 칼과 총을 검사하기 위해 금속탐지기가 설치되어 있을 것이다. 학교 총기 사고를 예방하기 위한 정기적인 훈련도 해야 한다. 그녀와 학생들은 교실

---

02 뉴욕주에서 실시하는 고등학생 커리큘럼 평가 시험.

문을 잠그고 위험 요소가 사라질 때까지 수납장에 숨어 있어야만 한다. 총기 규제에 관해서도 토론해야 할 것이다. 이 도시에는 이미 총기 규제에 관한 엄격한 법률이 마련되어 있지만 다른 주에서는 갱들에게 불법 총기를 쉽게 구할 수 있기 때문이다.

실비아는 거리의 갱도 걱정해야만 한다. 그녀의 학생 중 갱단에 들어간 사람이 있는지도 살펴야 한다. 심지어 학생이 갱에 들어가는 이유도 알아내야만 한다. 보통 학생들은 소속감을 느끼기 위해서나 다른 갱의 위협에서 벗어나려는 목적으로 갱단에 들어간다고 한다.

그녀는 일주일간 학교 폭력 예방 및 소심한 학생 대응 방법 등을 알려주는 교육을 받아야 한다. 학교 폭력의 대상이 될 만한 학생을 찾고, 그들을 지켜보는 법을 배우는 것이다.

그녀는 시험 점수를 올리는 법, 공통핵심학업기준(Common Core State Standards, CCSS)[03]에 맞게 가르치는 법(학생들이 좋아하든 아니든), 사회 및 정서 문제를 다스리는 법, 충격적인 사건이 일어난 뒤에 대처하는 법, 새로운 기술을 사용하는 법 등을 배우기 위한 연수에 참석하게 될 것이다.

---

03 공공교육이 제공되는 초등, 중등, 고등의 12학년 동안 학생들이 학습 표준을 충족했는지를 평가하는 시험. 주(州)와 학교마다 평가 기준이 달라 학생 평가를 제대로 하기 어려웠던 상황을 해소하기 위해 마련된 제도.

이러한 일을 겪게 된다면, 실비아 배릿은 1960년 당시 자신에게 주어진 가장 큰 과제가 학생의 수업 참여이던 시절을 그리워하게 될 것이다. 또 후원 요청 편지를 보내 달라고 요청했던 교직원을 그리워할지도 모른다. 현재라면 실비아에게 끝없이 나서서 조언했을 전문가들이 있었겠지만 그녀는 혼자서 문제를 해결했고, 결국에는 동료의 지지를 받으면서 살아남았다.

지난 20년 동안 교사는 새로운 교육 시스템을 만들려는 공무원과 자선사업가(절대 가르쳐본 적이 없는 사람들)의 희생양이 되었다. 학생들의 시험 성적이 좋지 못하면 그 결과를 두고 교사들을 탓했다. 사실 학생의 좋지 않은 성적은 교사보다는 빈곤이나 인종차별이 더 많은 영향을 미친다.

국공립학교 학생의 절반이 연방정부에 의해 무료 급식 대상으로 분류되었다. 수백만 명의 아이들은 경제적으로 위태로운 상황에 직면해 있고, 가족 중 누군가는 감옥에 투옥되어 있다. 아이들이 속한 사회나 부모에게 심각한 문제가 많지만, 아이들은 성장해서 자신이 실패한 원인을 교사에게 돌리기 일쑤다.

이 모든 우려에도 불구하고, 우리가 여전히 〈내려가는 계단을 올라가며〉에서 배울 수 있는 것은 교사가 숭고한 직업이라는 점이다. 오늘날의 학교는, 캘빈 쿨리지 고등학교처럼 재정이 부족하고 저평가되고 있다. 교육과 동시에 정서 및 사회 문제에 대처할 수 있는 청년으로 학생을 키워내야 한다는 임무가 실비아 배릿 같은 교사에게 주어져있다. 교사의 일은 민주주의 사회를 유지하는 데 매우 중요하지만, 우리는 좀처럼 교사를 전문가나 영웅으로 대접하지 않는다.

하지만 교사들은 그렇게 칭송받아야 마땅하다. 벨 카우프 먼의 위대한 점은 우리에게 이처럼 간난한 사실을 상기시킨다는 것이다. 그리고, 이것이 이 작품이 고전으로 대접받는 특별한 이유다.

다이앤 래비치[04]

---

04 다이앤 래비치(Diane Ravitch)는 뉴욕대학의 교육학 연구교수이자 교육 역사가로 알려져 있다. 워싱턴시 브루킹 연구소의 비상임 연구원이기도 하다. NPE(Network for Public Education)의 창립자이자 회장으로 공교육 발전에 이바지한 바가 크다. 〈레프트백, 학교 개혁에 대한 세기의 전투〉와 〈오류의 지배, 민영화 운동의 거짓말과 미국 공립학교의 위험〉 등 교육에 관한 여덟 권의 책을 낸 작가이기도 하다.

1장

쌤, 안녕하세요!

"쌤, 안녕하세요!"

"누구야? 선생님이야?"

"저 사람이 누군데?"

"여기가 304호인가요, 베링거 선생님?"

"아니요, 전 배럿이라고 해요."

"여긴 베링거 선생님 반일 텐데요."

"제 이름은 배럿입니다."

"선생님 맞아요? 너무 젊은데요."

"와, 진짜 예쁘다! 쌤, 저도 이 반 해도 돼요?"

"제발 문을 막지 말고 들어와 줘요."

"안녕하세요, 바넷 선생님."

"배럿이에요. 제 이름을 칠판에 적었어요. 반가워요."

"아, 뭐야! 저 여자가 담임이야?"

"쌤, 저 자식 때려줄까요?"

"지금 HR 시간이야?"

"네, 모두 자리에 앉으세요."

"전 이 반이 아닌데요."

"쭉 이 반을 맡는 건가요? 담임이에요, 아니면 부담임이에요?"

"의자가 모자라요!"

"아무 자리에 앉아요."

"우린 어디에 앉아요?"

"여기가 309호 교실이에요?"

"누가 제 통행증 훔쳐 갔어요. 새로 받을 수 있나요?"

"이름이 뭐예요?"

"제 이름은 칠판에 쓰여 있어요."

"뭐라고 썼는지 모르겠어요."

"전 양호실에 가야 해요. 죽을 거 같아요."

"쟤 말 믿지 마세요. 걔 하나도 안 아파요!"

"교무실에서 연필 깎아도 돼요?"

"이 자식들아, 선생님 좀 내버려 둬!"

"라디에이터 위에 앉아도 돼요? 전엔 그랬는데요."

"안녕하세요! 쌤이 우리 담임이에요?"

"조용히 해, 이 바보들아! 선생님이 말하고 있잖아."

"제발 앉으세요. 저는···."

"앗, 종 쳤다!"

"왜 싱어 선생님이 안 오셨어요? 저번 학기에는 그 선생님이 했는데요."

"집에 언제 가요?"

"개학 첫날부터 집에 가고 싶대!"

"저 종소리는 자리에 앉으라는 뜻이에요. 그러니까···."

"물 마시러 가도 돼요?"

"이름순으로 하나요?"

"여기 무슨 교실이지?"

"여기는 304호 교실이에요. 제 이름을 칠판에 배릿이라고 썼고요. 이번 학기엔 제가 담임을 맡을 거고, 여러분이 제 영어 수업에 오기를 바라요. 누군가 첫인상에 대해 말하기를···."

"영어! 그럴 거 같더라!"

"누가 그런 걸 들어?"

"숙제 내실 거예요?"

"첫인상이 끝까지 간다고 하더군요. 일단 먼저··· 어머? 이 반 학생이에요?"

"아니요. 맥헤이브 선생님이 바로 페론을 데려오라고 하셔서요."

"누구?"

"맥헤이브 선생님이요."

"그 선생님이 누굴 데려오라고?"

"조 페론이요."

"조 페론이 누구니?"

"조 페론이요?"

"조는 자기가 학교에 오고 싶을 때만 와요."

"거기 창문 닫아요. 우리가 알다시피 첫인상이란⋯ 네?"

"여기가 304호입니까?"

"네. 지각했네요."

"전 지각이 아니에요. 결석이죠."

"결석이라고요?"

"전 지난 학기 내내 결석했거든요."

"알겠어요. 자리에 앉아요."

"선생님. 저 자퇴하려고요. 저번 학기에 대출한 책 좀 확인해주세요."

"책을 얼마나 빌렸는데?"

"블랙리스트에 오를 정도는 아니에요! 그럼 노란 딱지를 받거든요. 제 건 초록색이에요."

"통행증 아직 안 왔나?"

"밀지 마!"

"쟤가 먼저 그랬어요, 쌤!"

"선생님이 들어오라고 했잖아요. 처음 예정했던 첫인상에 대해 같이 이야기할 시간이 없을 것 같네요. 기가 막히지만…."

"야, 기가 막히는데!"

"어서 뚫어줘!"

"델라니 카드를 나눠줄게요. 여러분은 제가 출석을 부르는 동안 이 카드를 쓰세요. 서 있는 사람은 교실 뒤로 가서 벽에 대고 쓰면 될 거예요. 여기다 펜으로 자기 이름과 성, 부모님 이름, 생년월일, 주소, 칠판에 쓰여 있는 제 이름을 쓰고, 또 뒤집어서 똑같이 쓰면 됩니다. 자리표도 따로 만들게요. 질문 있나요?"

"펜이나 연필로 쓰나요?"

"저는 펜 없는데, 연필로 써도 돼요? 누구 연필 빌려줄 사람?"

"전 생일 까먹었는데요."

"글씨 잘 써야 해요?"

"점심 언제 먹어요?"

"뒤집어서 쓰는 거 못하는데요!"

"하하. 웃겨 죽겠네!"

"주소는 왜 쓰라는 거예요? 저희 아빠는 올 수 없는데요."

"누가 제 볼펜을 훔쳐 갔어요!"

"저 안경을 잃어버려서 이거 못 쓰는데요!"

"저희 이 라디에이터에 계속 앉아야 하는 건가요?"

"전 이사 갈 거라 주소를 몰라요."

"어디로 이사 가는데요?"

"모르겠어요."

"지금은 어디 사는데?"

"전 집이 없어요."

"그럴 리가. 아, 거기 학생, 학생은 왜 늦었죠?"

"전 이 반 학생이 아니에요. 저는 루미스 선생님네 반이 거든요. 저희 삼촌이 도시락을 놓고 가서 왔어요. 아, 토니— 받아!"

"물건을 던지면 안 돼요. 네, 뭐죠?"

"여기가 싱어 선생님 반인가요?"

"전에는 그랬지만 지금은 아니에요."

"누구 여기 두고 간 내 운동화 본 사람?"

"쌤, 연필로 써도 돼요?"

"지금 이걸 다 채워야 하나요?"

"누가 내 자리에 껌 뱉어놨어!"

"이름을 먼저 써요, 성을 먼저 써요?"

"남자 화장실에 가기 위해 통행증을 받아야겠어요. 전 민 주주의 사회에서 누릴 저의 권리를 알거든요. 안 그래요?"

"'안 그래요'예요. 또 무슨 일이죠?"

"창문이 깨져서 책상이 유리 조각 때문에 난리예요."

"그러면 안 돼요. 깨진 유리를 건드리지 말아요. 관리인에게 말해둘게요. 누구―."

"제가 갈게요!"

"저요! 제가 갈래요! 그레이슨 선생님이 어디에 있는지 알거는요!"

"좋아요. 가서 급한 일이라고 해요. 그리고 학생은 누구죠?"

"지각해서 죄송합니다. 잡혀 있었거든요."

"어디에?"

"학생부실에. 지각하면 벌을 받는 곳이에요."

"알겠으니 자리에 앉아요. 아니, 벽 쪽에 가서 서 있어요."

"부모님 이름 쓰는 곳에 숙모 이름을 써도 돼요?"

"어머니 이름을 적으세요."

"전 엄마가 없는데요."

"그럼 숙모 이름 적으세요. 네, 거기 무슨 일이죠?"

"교무실에서 보냈는데요. 이거 학생들에게 읽어주고 사인해 달래요."

"여러분, 주목하세요. 여러분! 오늘 조회 일정이 바뀌었대요. 잘 들으세요."

3차 공지의 5번과 6번 문항을 삭제하고 아래와 같이 수정합니다.

─────────────── 아 래 ───────────────

오늘 HR 시간은 평상시보다 연장하여 2교시 중반까지 실시됩니다. HR 시간 이후 X2 구획 학생은 모두 조회에 참석해야 합니다. 1교시 수업 과목을 4교시로, 2교시 수업을 5교시로, 3교시 수업을 6교시로 변경하여 진행합니다. 점심시간을 제외한 모든 수업은 23분으로 단축되어 시행된다는 점 참고하시기 바랍니다.

"저 못 들었어요. 뭐라고 하셨어요?"

"길에서 공사 중이라 시끄러워요!"

"창문을 닫으세요."

"그럼 갑갑하잖아요!"

"지금이 연장된 HR 시간인가?"

"오늘 며칠이지?"

"9월이잖아, 이 바보야!"

"조용히 하세요. 아직 안 끝났어요."

의자가 모자라 조회시간 내에 모든 학생이 착석할 수 없으므로, 의자에 앉지 못한 학생은 '국기에 대한 경례'와 국가 제창이 끝날 때까지 통로에 서 있어야 합니다. 소방법에 따라 국가 제창 이후에는 통로를 비워야 합니다. 클라크 박사님이 신입생을 환영하는 의미로 '우리의 문화유산'이라는 주제로 연설할 예정입니다. 조회시간에 떠들거나 도시락을 먹지 마세요.

"물! 물 마시고 싶어요! 목말라요!"
"저러면 웃긴 줄 아나 봐!"
"조용히 좀 해요!"
"싫은데요!"

내일 Y2 구획의 모든 학생은 오늘 X2 구획 학생의 시간표를 따라 주십시오. 그리고 X2 구획 학생들은 내일 Y2 구획 시간표에 따라 수업에 참가해 주십시오.

"저희는 어디로 가요?"
"지금 무슨 시간이에요?"
"뒤에 남학생 둘, 칠판지우개 그만 던져. 아직 더 남았어요."
"오늘 조회 한다고?"

자기 줄을 잘 지켜야 합니다. 자리를 바꾸면 안 됩니다.

"실례합니다, 생활지도부에서 나왔는데요. 프리덴버그 선생님이 조 페론을 당장 데리고 오라는데요."

"조 페론은 여기 없어요. 여러분이 델라니 카드를 채우는 동안 저는…."

"저 아직 시작도 못 했어요! 펜 쓸 차례를 기다리는 중이에요."

"선생님 이름 어떻게 써요?"

"얘가 창밖으로 칠판지우개 던졌어요!"

"여러분…."

"어슬렁거리지 말고 여기로 들어가라는데요."

"누가?"

"맥헤이브가요."

"맥헤이브 선생님이라고 말해야죠."

"그게 그거잖아요."

"여러분 제가 출석을 부르는 동안 카드 기입을 마치세요."

"아직 못 끝냈는데요!"

"전 카드 안 받았어요!"

"못 받았겠지. 무슨 일이에요?"

"옆 반 맨하임 선생님이 칠판지우개 좀 빌려오래요."

"여기도 없어요. 여러분, 제발 조용히 해주세요!"

"잘 쓰면 추가 점수 있나요?"

"저희 오늘 강당에서 조회 있어요?"

"배릿 선생님, 제가 선생님 우편함에 든 거 있나 확인하러 갔다 올까요?"

"괜찮아요. 이제 우리가 할 일은…."

"저 못 썼어요. 글씨를 잘 못 쓴단 말이에요."

"선생님이 우리 가르치는 거예요?"

"제가 출석을 부르는 동안은 제발 조용히 하세요. 그리고 혹시 제가 이름을 잘못 부르면 말해주세요. 잘못 부르면 싫잖아요. 제가 여러분을 빨리 파악할 수 있도록 도와주세요. 해리 에이브럼스?"

"네."

"조용히 해야 들리죠. 프랭크 앨런?"

"결석이요."

"결석?"

"걘 여기 업서요."

"없겠죠. 재닛 앰더?"

"네."

"그레이슨 선생님이 지하에 아무도 없대요."

"그분이 거기 있었다면서 어떻게 그런 말을 하죠?"

"그렇게 말하던데요. 또 전하실 말이 있나요?"

"없어요. 재닛 앰더?"

"아까 대답했어요."

"빈센트 아르부치? 네. 제가 또 어디다 사인하면 되죠?"

"아닙니다. 화장실 갔다 온 거예요."

"저도 통행증을 받을 수 있나요?"

"다음엔 저요!"

"내가 먼저 말했어!"

"앨리스 블레이크?"

"여기 있어요, 배릿 선생님."

"카멜리타 블랑카?"

"캐럴이에요. 이름을 바꿨어요."

"캐럴 블랑카?"

"네."

"보든… 네?"

"핀치 선생님이 이걸 당장 해달라고 하시는데요."

"전 지금 출석 부르는 중인데요. 보든…."

"급하대요."

"여러분, 잠시 실례할게요."

다음 날짜 사이에 태어난 학생의 수를 성별에 따라 분류하여 표기하시오.

"거기, 의자를 뒤로 젖히지 말아요…. 뒤에 남학생, 학생 말이에요. 앗!"

"넘어졌네요. 별건 아니에요. 이 자식아, 웃지 마! 머리통 깨버린다!"

"다친 데는 없어요?"

"머리만 좀 부딪혔어요."

"배릿 선생님, 사고경위서를 3부 작성하고 저 학생은 보건실로 보내세요."

"보건 선생님은 진통제도 안 주는데요. 차만 줘요."

"발 좀 치워!"

"이게 의자야?"

"교육위원회를 모두 고소할 수 있어!"

"학생은 보건실로 가보는 게 좋겠어요. 그리고 거기 선생님에게 사고경위서를 받을 수 있나 물어봐요. 네, 무슨 일이죠?"

"프리덴버그 선생님이 지난 학기 업무기록표를 달라고 하시는데요."

"전 지난 학기에 여기 없었어요. 무슨 일로 오신 거죠?"

"핀치 선생님이 출석부와 결석자 명단을 받아오라고 하세요."

"지금 부르는 중… 네?"

"교무실에서 교통카드가 준비되었는지 알려달라고 하시

는데요?"

"무슨 카드요?"

　"버스랑 지하철이요."

"아니요. 네, 무슨 일이에요?"

　"학생들에게 이걸 읽어주세요. 도서관에서 보냈어요."

"도서관이라. 여러분, 잘 들으세요."

학교 도서관은 여러분의 것입니다.

누구나 언제든지 이용 가능합니다. 단, 책을 분실하거나 훼손하여 도서관 블랙리스트에 오른 학생은 책값을 지불하지 않으면 도서관 출입증을 받을 수 없습니다.

교사들이 도서관을 PRC 입력을 위한 작업실로 사용하는 기간에는 추후 통지가 있을 때까지 학생 출입을 금지합니다.

"네, 무슨 일로 오신 거죠?"

　"선생님 우편함에서 가져온 우편물요. 어디다 놓을까요?"

"그게 다 저한테 온 거라고요?"

　"저기요, 보건 선생님이 사고경위서 용지가 다 떨어졌대요. 그리고 치과가 없으니 가져오래요."

"뭐가 없다고요?"

　"치과 기록이요."

"알겠어요. 그리고 거긴 무슨 용건이에요?"

"조회시간이 바뀌었잖아요. 선생님 반은 다른 곳으로 가야 해요. X2 시간표대로요."

"알겠어요. 그리고 그쪽은요?"

"맥헤이브 선생님이 교실에 붙일 다른 포스터가 필요하냐고 물으시는데요."

"맥헤이브 선생님에게 제가 진짜 필요한 것은… 네?"

"교무실에서 학생들이 쓰는 사물함 번호 목록을 받아오래요."

"전 아직… 또 뭐죠?"

"급한 일이에요. 이걸 읽고 사인해주세요."

선생님들께: 몇몇 학생이 학교 앞에 주차된 파란색 폰티악을 뒤집어 놓았습니다. 혹시 다음 면허가 선생님의 것이라면….

"맥헤이브 선생님께 저는 차가 없다고 말씀드려요. 자, 여러분!"

"만세! 종 쳤다!"

"잠깐만요. 실수로 종을 15분 일찍 친 것 같아요. 우리는 아직 할 일이 많으니 여러분…."

"방금 종 친 거 들으셨잖아요!"

"다른 선생님들은 수업을 마치고 있잖아요!"

"하지만 우리는 아직…."

"종이 쳤으니 나가야 해요!"

"우리 어디로 가요? 조회?"

"자리에 앉아요. 저는 아직… 우리가 못 끝낸 게…. 좋아요. 보아하니 교실에 우리 둘만 남은 것 같네. 이름이 뭐지?"

"앨리스 블레이크요. 선생님 시간은 정말 재미있네요."

"고마워요. 하지만 그건 정말… 네, 누구시죠?"

"교무실에서 왔는데요. 선생님 반에 바로 전하라고 해서요."

종소리를 무시하시기 바랍니다. 예령이 울릴 때까지 학생들이 교실에 있도록 지도해주시기 바랍니다.

"학생들이 다 나가버렸는데요."

"배릿 선생님, 저도 가보겠어요. 전 선생님 수업을 듣고 싶지만, 제 시간표에는 베링거 선생님이라고 되어 있네요."

"그분도 좋은 선생님이셔. 앨리스, 넌 잘할 수 있을 거야."

"배릿 선생님인가요?"

"무슨 일이죠, 학생?"

"지각 확인서요."

"예의 바르게 건네줘야죠. 책상에 던지지 말고…."

"잘못 던졌네요."

"자세 똑바로 하세요. 선생님과 말할 때는 입에서 사탕을 빼고, 주머니에서 손도 빼고."

"뭐부터 뺄까요?"

"학생 이름을 알려주세요."

"학생부에 보내려고요?"

"이름이 뭐냐고요?"

"저를 혼내시려고요?"

"난 그냥 학생 이름이 궁금한 건데요?"

"조."

"이름이 조. 성은?"

"페론이요. 집으로 편지를 보내시게요? 제 사탕을 뺏고? 설교라도 하시게요? 절 때리시려고요?"

"나는 그저 질문을…."

"네. 그러시겠죠."

"선생님에게 그런 식으로 말하면 안 되죠."

"그쪽이 선생인 걸 다행으로 여기시죠!"

도전으로 여기다

교내 우편

발신: 베아트리체 샥터, 508호

수신: 실비아 배럿, 304호

실비아!

우리 학교에 온 걸 환영해요! 부임 첫날을 잘 보내고 있는지 궁금합니다. 혹시 도움이 필요하면 언제든 불러요. 저는 508호에 있어요.

시간표는 어때요? 같이 점심 먹을 수 있을까요?

마음을 담아,

베아

교내 우편

발신: 실비아 배릿, 304호

수신: 베아트리체 샥터, 508호

베아에게

도와줘요!

서류 작업은 해도 해도 끝이 안 나는데, 무슨 말인지도 이해가 안 가요. 그리고 아이들이 저를 '쌤'이라고 부르면 어떻게 대해야 하죠?

실

교내 우편

발신: 508호

수신: 304호

없어요. 학생이 '쌤'이라고 부르는 건, 아마 선생님을 좋아해서 그럴 거예요. 그냥 편하게 생각하는 게 어때요?

서류 업무는 우리 일 중 빼놓을 수 없는 일이죠. '파일을 순서대로 정리하시오!'는 쓰레기통에 버리라는 뜻이기도 해요. 선생님도 곧 이해하게 되겠죠. '도전으로 여겨라!'는 그일을 감당하라는 말이에요. '인간관계'란 애들 사이의 싸움이고, '훈육을 돕는 보조적인 시민 단체'는 경찰을 지칭하는 말이죠. '어학과'는 영어과 사무실, '아동 독서 수준과 경험적 배경을 바탕으로 한 문학'은 교재실에 있는 책이 전부라는 뜻이고요. '비교육적인 생각'이란 문제아를 말한다고 생각하시면 됩니다. 그리고 '내 눈에 띈다'라는 표현은 그 학생에게 문제가 있다는 거예요.

오늘 HR 시간에 뭐라도 했나요?

베아

교내 우편

발신: 304호

수신: 508호

베아에게

스무 가지 할 일 중에서 두 개는 했고, 하나는 절반만 처리했어요.

조회시간에 남학생이 의자에 앉은 채로 뒤로 넘어가는 사고가 발생했답니다. 앵글로색슨 문학이나 교육학 수업, 석사 논문으로 쓴 제프리 초서 등은 나에게 이런 일을 어떻게 대응할지에 대해 전혀 가르쳐주지 않았다고요.

저는 학생과 서로 존중하는 분위기를 만들려 노력했어요.

정확한 발음과 문법, 유려한 표현을 써서 단정한 외모, 행동 양식의 중요성을 학생들에게 가르쳐주려고 했어요. 그것이 무한한 창의성을 펼치기 위한 첫걸음이 될 테니까요.

제 의도는 그랬어요.

그런데 사고가 생겨서 출석 체크도 몇 사람밖에 하지 못했어요. 게다가 학생들에게 국기에 대한 경례를 시키는 것도 잊어버려서 마치 나쁜 짓을 저지른 듯한 기분이에요.

실

교내 우편

발신: 508호

수신: 304호

괜찮아요. 학생들은 조회시간에 국기에 대한 경례를 하니까요. 지금 문제가 되는 건 성경 낭독이죠.

베아

교내 우편

발신: 304호

수신: 508호

베아에게

SS는 무엇의 약자예요? 비밀 서비스(Secret Service)? 사회 보장(Social Security)? 참깨(Sesame Seeds)? 너무 느리다는 거예요(Super Slow)?

실

교내 우편

발신: 508호

수신: 304호

'너무 느리다(Super Slow)'에 가까워요. 열등반을 지칭하는 말이죠. 새로 부임한 선생님이 가장 힘든 일을 떠맡게 된 거죠. 제 나이쯤 되면 마음에 드는 졸업반을 맡을 수 있을 테니 너무 절망하지는 마세요.

제가 선생님 시간표를 봤는데 교실마다 돌아다녀야 하는 '떠돌이' 신세더군요. 교실마다 선생님이 물건을 놔둘 자리를 만들어 달라고 요청하세요. 안 되면 힘이 센 학생에게 선생님의 짐을 옮기라고 시키든가요.

그리고 복도 점검도 다녀야 해요. 보조직원이 도와줄 테니 어려운 일은 아닐 겁니다. 통행증 없이 복도를 오가는 아이들을 막으면 돼요. 카페테리아 근무보다야 낫지만, 교재실이나 계단 점검보다는 위신이 떨어지죠.

우리는 모두 하루에 이런 건물 관리 업무와 다섯 시간의 수업에, 담임 업무까지 처리해야 합니다. 일부 선생님들에게는 '정해지지 않은' 시간이 있어요. 이 시간을 절대 '자유 시간'이라고 부르면 안 돼요. 능력이 좋은 선생님은 담임을 맡지 않거나 심지어 수업도 안 하고 지각생 관리나 시간표 조정, 직업상담사 같은 일만 해요. 이런 것을 '자유 시간'이라고 부르죠.

선생님은 3교시가 끝나면 점심시간이니, 우리는 수요일마다 같이 먹을 수 있어요. 10시 17분이면 벌써 배가 고프기 시작하겠네요. 잘 참아봐요.

베아

배릿의 우편함

오늘 HR 일정

(오늘 나가기 전에 각 항목을 확인하시기 바랍니다.)

1/2 학생 인적사항 카드와 자리표 작성
출석부 가져가기
출석부 작성
결석자 명단 제출
전학생 성적 증명서 작성
학생 시간표 3부(노란색), 종합 시간표(파란색)를 작성하여
정리한 뒤
201호로 보내기
교사 시간표 5부(흰색) 작성하여 211호로 보내기
교통카드 사인

✓ 사용하는 사물함의 이름과 숫자를 201호로 보내기
　　연령별 보고서 작성

✓ 화재 시 대피소 위치와 대피 훈련 규정 알리기
　　지난 학기 책과 치과 블랙리스트 확인
　　도서관 블랙리스트 확인
　　교실 상태 보고서 작성
　　학급 반장 선출
　　학생회에 가입하고 후원금 모금 시작을 촉구
　　학급 미화 담당 선정 후 학급 미화 시작
　　국기에 대한 경례(조회시간 외, 혹은 Y2 구획)
　　학급의 기능과 의미 설명: 집 같은 곳처럼 학생들이 친숙한
　　분위기를 느끼며 수업을 받을 수 있도록.

　　시간이 남는 교사는 주의를 요하는 활동을 돕기 위해 교무실에 보고하여 주십시오.

──────── **캘빈 쿨리지 고등학교** ────────

교장 맥스웰 E. 클라크
교감 제임스 J. 맥헤이브

전체 공지사항 No. 1A

제목: 공지사항 관리 관련

　　모든 공지사항은 파일에 보관하십시오. 정확하고 신속하게 처리해야 절차에 관한 모든 지시를 수행하는 데 도움이 됩니다.

9월 7일 월요일 일정

긴 HR 시간(공지 No. H16 참조)

짧은 교과 수업 시간(공지 No. 7C 참조, 4구획)

조회 종소리 일정(조회 공지 No. 3D 5번, 6번 단락 참조)

학생들은 자신의 반에서 2시 56분에 울리는 종소리를 무시하고, 3시 5분에 정확히 울리는 종소리에 따릅니다. 단, 종소리를 울리는 시간은 변경될 수 있습니다.

수신: 영어 선생님

각 반에 공평하게 최소 33명의 학생을 등록한다는 목표 아래 학생들이 영어 수업을 신청하도록 해주십시오. 한 반에 너무 많은 인원이 몰리지 않도록 조정 부탁드립니다. 오늘 오후 3시까지, 영어과 사무실로 신청 학생 명단을 제출하여 주십시오.

어학과 과장, 새뮤얼 베스터

발신: 교감 제임스 J. 맥헤이브

수신: 모든 교사

답장: 물품 요청

필요한 물품은 예측한 수량만큼만 요청하여 주십시오. 너무 많이 요청하시면 안 됩니다.

조작된 서명을 방지하기 위해 물품 요청서에 선생님의 이름을 잉크로 써 주시기 바랍니다.

교실에 붙일 포스터가 필요하시다면 다음과 같은 것이 있습니다.

흰색 바탕에 파란색 볼드체로 "지식은 힘이다."
녹색 바탕에 노란색으로 "진리는 아름답다."

또한, 스위스 알프스 사진이 들어가고 갈색과 황갈색을 쓴 몇 가지 여행 포스터도 약간 찢어지기는 했지만 쓸 만합니다.

JJ 맥헤이브

수신: 모든 교사

잠재적 문제아는 학교에서 해서는 안 될 행동을 보이며 자신의 정체를 드러낼 때가 있습니다. 학교에서 많은 시간을 보내는 만큼, 학교생활은 청소년의 발달에 지대한 영향을 미칩니다.

민주주의 사회에서 성인이 지녀야 할 책임감을 올바르게

심어주기 위해 모든 신입생과 개인 면담을 진행해 주십시오. 그리고 격주 화요일마다 저에게 면담 내용을 정리하여 보내주십시오.

학생들은 면담이 있는 날에는 수업에 들어가지 않아도 됩니다. 그동안 선생님은 면담하는 학생의 불만 사항을 숙지해야 하며, 혹여 문제의 소지가 있다고 여겨지는 학생은 맥헤이브 선생님에게 보내주시기를 부탁드립니다.

생활 지도 교사, 엘라 프리덴버그

수신: 모든 교사

사물함과 수납장을 노리는 도난 사건이 빈번하게 일어나고 있습니다. 사물함과 수납장은 사용할 때를 제외하고 항상 잠가놓도록 학생들에게 주의를 시키십시오.

JJ 맥헤이브 교감

발신: 교감 제임스 J. 맥헤이브
수신: 모든 교사

이번 학기의 첫 번째 교사 회의가 9월 28일 월요일 3시에 도서관에서 개최될 예정입니다.

선생님들은 모두 참석하셔야 합니다. 만일 피치 못할 사유로 회의 참석이 불가한 선생님들은 회의 개최 이틀 전까지 학과장에게 서면 요청을 하거나, 교장 혹은 교감의 승인을 받으셔야 합니다.

회의 주제는 '민주주의의 발달에 따른 교육'이며, 다음 안건을 함께 준비하십시오: PRC의 파란색 선의 왼쪽과 오른쪽 중 어디에 표시해야 하는가?

JJ 맥헤이브 교감

수신: 모든 교사

체육복을 훔친 문제 학생들은 모두 저에게 보내주십시오.

'그날'을 이유로 체육 수업을 쉬는 여학생은 관련 자료와 함께 저에게 보내주십시오.

지나친 다이어트는 건강에 이롭지 않다고 학생들에게 조언해주시면 좋겠습니다.

보건 교사, 프랜시스 이건

공지 No. 5B

제목: 교사의 복지

교사들은 모든 공지를 파일로 정리하고, 관련 지시사항의 결과를 교장에게 보고해야 합니다. 또한, 교장은 고용과 관련하여 교사가 겪는 모든 문제 사례를 부교육감 및 법률 비서에게 알려야 합니다.

수신: 모든 교사

우리 캘빈 쿨리지 고등학교는 학생들이 지각하지 않도록 훈육하며, 화장실에서의 흡연을 금지하는 캠페인을 벌이기로 했습니다.

타당한 지각 사유가 있는 학생은 201호에 있는 학생주임에게 보내십시오. 근거 없는 핑계를 대거나 거짓말이 의심스러운 학생은 211호에 있는 저에게 보내십시오.

시민으로서의 책임감과 시간 엄수의 중요성의 체득을 위해 위반과 처벌에 관한 규정을 학생들에게 읽어주시기 바랍니다.

교실 내 눈에 잘 띄는 곳에 아래 문구를 게시하시오.

지각하는 학생은 졸업하지 못할 수도 있다.

제임스 J. 맥헤이브 교감

수신: 모든 교사

교사들이 도서관에서 기록 작업을 하는 동안 학생은 어떠한 이유가 있더라도 들어가지 못합니다.

도서 카드 정리가 끝날 때까지 학생이나 교사는 도서관 책꽂이에서 어떤 책도 치우면 안 됩니다.

사서, 샬롯 울프

수신: 영어 교사

교과과정통합위원회가 선정한 아래의 책을 교재실로 보내주시기 바랍니다.

영어 3 – 〈고전과 현대 에세이〉 또는 〈신화의 의미〉

영어 5 – 〈플로스 강변의 물방앗간〉 또는 〈두 도시 이야기〉

학생들이 셰익스피어나 다른 작가의 도서를 구매해서는 안 됩니다. 수정하거나 삭제하지 않은 원본 내용을 학생들이 읽도록 해서는 안 된다는 외부 압력이 있기 때문입니다.

어학과 과장, 새뮤얼 베스터

발신: 교감 제임스 J. 맥헤이브

수신: 모든 교사

회신: 책 배부

책은 흥미진진한 모험을 떠나게 해줄 뿐만 아니라 지식도 얻게 하는 보물과 같습니다. 배부된 모든 책의 수령증을 파일에 철해서 보관해 주시기를 부탁드립니다. 모든 책에는 커버를 씌우고, 학생들에게 책을 훼손하지 않도록 주의를 주십시오. 라벨이 제대로 작성되어 있는지를 확인한 후 서명을 해주십시오. 책의 페이지 수가 많다면 책의 속표지와 43페이지에 각각 숫자가 표시되어 있는지 또한, 확인해주세요.

책의 간지에 있는 숫자는 무시하십시오.

독서에 대한 사랑은 평생 이어집니다.

JJ 맥헤이브

동료 여러분께

새 학기가 기대되시나요?

제가 당신의 금융 문제를 해결할 수 있는 빠르고 은밀한 대출 회사를 소개해드리겠습니다. 동봉된 책자를 확인하세요.

배릿 선생님께

저는 일해서 돈을 벌어야 먹고살 수 있기에 자퇴를 할 수밖에 없는 상황입니다. 이제 성년이 되었고, 가족을 위해 돈을 벌어야 하거든요. 학교 수업은 제 인생에 쓸모가 없습니다. 사실 대수학, 프랑스어, 환경, 영어 같은 과목을 번갈아가며 배우는 것이 이해도 안 되고, 너무 복잡해서 뭐가 좋은지 모르겠어요. 각 과목 선생님들도 서로 다른 말만 하잖아요.

전 학교를 그만두는 게 낫겠어요.

선생님의 제자
빈스 아르부치

(저는 오늘 아침 교무실에서 생활기록부를 찾지 못해서 HR 시간에 없었습니다.)

발신: 교감 제임스 J. 맥헤이브

수신: 모든 교사

우리 학교는 자퇴생 비율이 높으므로 선생님께서 자기 반의 학생에게 교육의 가치를 알려주어 학교에 남도록 애써주시기 바랍니다.

JJ 맥헤이브

📢
공지 No. 4

제목: 윤리 규범

모든 공지는 파일에 보관하여 주십시오.

학생들을 유혹으로부터 보호하고, 모든 기록이 사실인지 확인하기 위해 다음과 같은 예방책을 실시하여 주십시오.

1. 교과 교사는 학생이 수업에 참여했다는 증거로 학생의 시간표에 학생의 이름을 쓴 후 잉크로 서명하십시오. 연필로 학생 이름의 철자만 쓰거나 도장만 찍으면 인정되지 않습니다.

2. 위의 사항은 교사의 서명이 필요한 모든 통행증에도 적용됩니다.

3. 무단결석생 관리자의 작업을 원활하게 처리하기 위해 출석부에 있는 학생의 주소와 부모 혹은 보호자의 이름이 정확한지 확인하십시오.

4. 생활기록부에 기재된 내용은 지우거나 훼손해서는 안 됩니다. 정정할 내용이 있다면 교장이나 교감의 승인 후에 처리하십시오.

5. 화재가 발생한 경우나 대피 훈련을 할 때 학생들에게 귀중품을 챙기도록 주의를 기울여주십시오. 책과 노트는 그대로 두고, 지갑을 챙기도록 합니다. 전에도 불행

한 사건이 연달아 발생한 적이 있습니다.

위 사항을 사전에 교사들이 인지한 후 주의를 기울여야 학생들이 높은 수준의 윤리 규범에 도달할 수 있습니다.

고감 제임스 J. 맥헤이브

모든 교사와 교직원을 진심으로 환영합니다. 여러분이 여름방학을 보내고 건강하게 돌아와 다행입니다. 다시 여러분 앞에 놓인 여러 중요한 업무에 활기차게 임해주시기를 부탁드립니다. 지금까지 보여주신 노고에, 그리고 앞으로 펼쳐주실 노력과 도움에 늘 감사하고 있다는 말씀 전합니다.

고장 맥스웰 E. 클라크

교내 우편

교내 우편

발신: 508

수신: 304

304호에게

얼마 전에 보낸 구조 요청을 받았어요. 애들이 선생님을 얕보지 못하게 하세요. 아이들은 선생님을 시험하는 거예요. 선생님이 윗사람이라는 걸 처음부터 인지할 수 있도록 강하게 나가셔야 해요. 선생님이 사실은 괜찮은 사람이라는 건 나중에 알려줘도 돼요. 조퇴증이라든가 식수대 통행증 같은 건 없어요.

베아

교내 우편

발신: 508

수신: 304

실에게!

당연하죠! 칠판에 글씨를 쓸 때는 절대 학생 쪽으로 등을 돌리지 마세요. 앞을 바라보면서 손만 뒤로 돌려 써야 해요. 수업 중엔 '눕다'와 '눕히다' 같은 말도 하면 안 돼요. 큰 소리로 말하지도 마세요. 선생님의 목소리를 듣기 위해 학생들 스스로가 떠드는 것을 멈추도록 해야 해요. 절대 포기하지 마세요. 흔들리시면 안 돼요. 자신에게 떳떳하게 행동해야 해요.

(친목을 다질 시간 같은 건 없어요!)

베아

교내 우편

발신: 304

수신: 508

베아에게

PRC가 뭐예요?

실

교내 우편

발신: 508

수신: 304

실에게

답장이 늦어서 미안해요. 시간표가 잘못된 아이가 있어서 바빴어요.

'PRC'는 영구 기록 카드(Permanent Record Card)예요. CC(Capsule Characterization)는 담임이 학기 말에 학생 개개인을 평가한 내용이고요. PRC에는 PPP(마치 노래 같지 않아요?)도 있어요. 그건 '학생의 성격 프로필(Pupil Personality Profile)'인데 생활 지도 교사인 엘라 프리덴버그가 만든 거예요.

그 여자는 자기를 프로이트라고 생각하지만, 저는 그렇지 않다고 생각해요. 단지 다른 사람의 일면을 엿보는 걸 좋아할 뿐이죠. 아이들과 면담한 내용을 PPP로 작성하는데, 예를 들어 부모님을 미워하는 학생이나, 성적인 문제가 있는 학생 등을 소재로 삼아요. 엘라와 친해지려고 노력하지는 마세요.

훈육과 물품 관리를 담당하고 있는 맥헤이브 교감 선생님도 피하시는 게 좋습니다. 그분은 종이 클립 하나도 아까워하고 빨간 색연필 하나에도 안색이 달라지거든요.

클라크 박사는 오히려 선생님을 멀리할 거예요. 사실 그 분은 박사 학위를 가지고 있지 않아요. 하지만 남들이 박사라고 불러주는 걸 좋아해요. 허영심이 있다고나 할까요.

우리는 그분을 공지 안에서의 이름으로만 접하지만, 가끔 조회시간에 '삶을 위한 교육'에 대해 연설하는 모습을 볼 수 있답니다. 때때로 그분이 학교의 중요한 손님을 안내하는 모습을 목격하기도 하죠. 아이들은 그레이슨 씨를 교장이라고 착각하지만, 그 사람은 '관리인'에 불과한 백발의 고상한 신사일 뿐이에요. 만약 천장이 무너지거나 하면 지하로 쪽지를 보내시면 됩니다. 그는 아마 자기가 거기에 없다고 하겠지만 적어도 시도는 해야죠.

이 쪽지는 꽉 뭉쳐서 삼켜버려요!

베아로부터

교내 우편

발신: 304

수신: 508

베아에게─ 종이는 삼켰어요. 폴 베링거는 누구죠?

실

교내 우편

발신: 508

수신: 304

영어과의 멋진 남자예요. 책을 출간하진 못했지만 작가라고 알려져 있죠. 술을 너무 많이 마시는데, 그런 남자는 위험해요. 시를 읊으며 선생님을 따라다닐걸요. 그러니 잘 처신해야 해요.

베아

교내 우편

발신: 304

수신: 508

베아에게―

쉬는 시간에 교사 휴게실에서 커피 한잔하실래요? 전 어른하고 대화하고 싶어요.

실

교내 우편

발신: 508

수신: 304

순진한 사람에게—

교사의 유일한 쉼터는 지하 비품실이에요. 그곳엔 낡아빠진 벤치에 싱크대와 의자가 있을 뿐이지만… 6교시 후에 기기서 만나요. 지금 당장 가지 못해 미안해요. 학교를 그만두려는 구제 가능한 청소년을 타이르는 중이거든요.

베아로부터

교내 우편

발신: 304

수신: 508

베아에게

필요한 농구공의 개수를 제가 파악해야 하나요?

실

교내 우편

발신: 508

수신: 304

아니요. 공지가 선생님 우편함에 잘못 들어간 듯해요. 선생님 우편함 바로 아래가 체육 선생님 거예요.

베아

교내 우편

발신: 304

수신: 508

베아에게—

저는 베스터에게 명단을 보내려고 해요. 근데 담임을 맡은 46명을 제외하고 무단결석한 학생, 수업을 등록하지 않은 학생, 문제가 있는 학생, 수업을 듣지 않고 노는 학생 등을 포함해서 제가 가르치는 학생이 총 223명이나 되거든요. 내일 자퇴할 학생이 있을까요? 아니면 제가 그만둬야 할까요?

실

교내 우편

발신: 508

수신: 304

그러지 말아요! 선생님이 없으면 우린 어떡하라고요! 이제 겨우 하루가 지났잖아요. 곧 익숙해질 거예요. 그 속 썩이는 아이들과 생각지도 못한 사람이 나중에 선생님을 진심으로 아끼게 될 거예요.

베아

그리고 기꺼이 가르치다 (1)

엘렌에게

이 학교는 우리가 다닌 대학 라이온스홀에 ―불과 4년 전의 일이지만― 있던 기숙사와는 전혀 달라. 걱정할 거라곤 없던 대학 도서관과도 거리가 멀고, 또 제프리 초서와도 달라. 교육학 114와 윈터즈 교수님의 청소년 심리학 수업과도 완전히 동떨어져 있어. 내가 배운 지식과 현장은 완전히 다르다는 것을 학생들을 마주하고서야 비로소 깨달았는데, 윈터즈 교수님은 이런 경험을 한 번도 안 하셨을 거 같아.

교육적인 면에서는 네가 나보다 나은 것 같더라. 네가 아기를 유모차에 태우고 슈퍼를 돌아다닌 후 샤워를 하는 동안 나는 칠판에 쓰인 '재수 없는 선생'이라는 말을 기계적으로 지워야 해.

학생들에게 조금이나마 가르치고 싶은 게 있어. '그리고 그는 기꺼이 배우고, 기꺼이 가르치니'라는 초서의 시(詩)에 나오는 옥스퍼드대학교 학생처럼 내가 아는 것과 느끼는 바를 나누고 싶어. 아이들이 올바른 언어를 사용하도록 가르치고, 그들이 배우는 문학에 사랑을 채워주고, 또 영감을 불러일으켜 주고 싶어. 하지만 현실은 전혀 다르더라. 내가 한 남학생에게 영어를 배우는 이유를 물었더니, 그 아이가 "실생활에 도움이 되길 바라거든요."라고 대답하지 뭐야. 넌 내가 과장해서 말한다고 생각하겠지만, 이 모든 게 사실이야.

오전과 오후에 출석을 부르고 중요한 통계를 보고하는 HR 시간에 학생들은 다양한 방법으로 나를 괴롭혔어. 휘파람을 불고, 소리치고, 책상을 두드리고, 잉크 뚜껑을 딸깍거리고, 칠판지우개를 던지면서 놀고, 의자에 삐딱하게 앉아 지나가는 다른 학생의 발을 걸고…. 마치 맹수 조련사나 된 것처럼 46명을 한 번에 보면서 조용히 하라고 애원하는 동안, 아이들은 아무 생각 없는 듯한 순수한 얼굴로 그런 짓을 저지른다니까.

수업을 시작할 때까지 난 종이 더미—유인물, 지시사항, 공지, 편지, 안내문, 서식, 작성해야만 하는 문서나 보고서—에 휘청거렸어. 전용 교실이 없어 여기저기 떠돌아다녀야 하는 신세라 서류가 많으면 힘들어. 또 배워야 할 용어도 너무 많아. 내가 세 번째로 배운 말은 '특히 뒤처지는'이고, 다섯 번째로 배운 건 '조금 부족함'과 '완전한 평균 수준'이야. 지금까지는 내가 누구인지, 뭐가 뭔지 모르겠어.

그래도 다행인 것은 베아 샥터라는 친구를 한 명 사귀었다는 것, 불행인 것은 JJ 맥헤이브라고 서명하는 교감을 적으로 만들었다는 것이야. 참, 내가 선생이라는 이유만으로 나를 증오하고 경멸하는 눈빛으로 쳐다보는 남학생도 한 명 있지.

건물이 너무 낡았어. 회반죽은 갈라졌고, 창문은 깨졌고, 문은 부서졌고, 책상은 쪼개졌고, 복도는 어두침침해. 카페테리아를 대신하는 우중충한 철 계단에서 20분씩 교대로 앉아서 점심을 먹어야 해.

심지어 강당에는 창문이 하나도 없어. 대신 벽화가 있는데 조용히 일하는 건장한 일꾼들을 그린 그림이야. 색깔이 다 바랜 그림이지.

오늘 아침에 거기서 조회를 했거든. 상상해 봐. 몇백 명이 모여 있어 공기는 탁하고, 교탁 너머로는 교장의 흐릿한 얼굴이 하얀 풍선처럼 떠 있고….

갑자기 이런 말이 잡음처럼 나와.

"…새사람이 되니, 캘빈 쿨리지에서 우리는 모두 자유롭고 평등하며, 귀중한 기회를 받아…."

학생들은 조용히 자리를 지키고 있어. 하지만 그들의 침묵은 교장의 훈화를 경청하느라 지켜지는 게 아니야. 언제든 깨질 수 있지. 내 옆자리 여학생은 손거울을 꺼내 자기 치아만 쳐다보더라. 나는 이미 어른이 되었거나, 죽었거나, 혹은 어딘가에서 살아가고 있을 학생들이 거쳐가 반지르르해진 나무 의자에 꼿꼿하게 앉았는데, 내 앞에 놓인 의자 등받이에는 뾰족한 도구로 정성껏 새겼을 법한 단어가 쓰여있어. 그 단어는 바로 '페니스(Pennis)'.

"…기회는 한 번뿐입니다. 그리고 여러분의 학업에… 관한 태도와 물심양면을 다해 교육에 임하시는 선생님들…." 하는 소리가 마이크를 통해 증폭되어 나오는 것은 참기 힘들어.

선생님들은 통로 여기저기에 흩어져 있어. 걱정스러운 표정을 한 암탉같이 생긴 왜소한 여자, 눈썹이 우스꽝스럽고 키가 큰 젊은 남자, 희끗희끗한 머리를 뒤로 넘긴 통통한 여자, 그리고 누군지도 모르는 사람들.

"…루비보다 귀중합니다. 교육이란…."

이제 곧 교장의 훈화가 끝나겠구나 싶으면, "학문의 기초를 잘 닦으면 시민의식과 삶에 보탬이 됩니다. 여러분의 담임 선생님께 시간표에 사인을 받는 것을 잊지 말고, 혹시 고민이 있다면 언제든지 저에게 찾아오십시오."라고 이어졌고, "교육이 중요하다는 걸 염두에 두고, 우리 학교에 대한 애교심을 갖고 생활해 주시기를 부탁드립니다."라는 말로 드디어 교장의 훈화가 끝났지.

마침내 해방된 학생들은 접이식 의자를 접어 들고 쿵쾅거리면서 우르르 움직이고, 금지됐던 목소리를 파도처럼 쏟아냈어.

내가 복도로 나가자 "통행증이 있냐?"고 엘리베이터 관리인이 음산하게 물었어.

"엘리베이터 통행증 있냐니까?"라고 다시 묻기에, "전 선생이에요."라고 마치 거짓말을 하다 들킨 학생처럼 위축되어 대답했어.

이 학교에서는 교사와 중증 장애가 있는 학생만 엘리베이터를 탈 수 있거든. 어려 보이면 학생으로 생각하기 때문에, 만일 내가 남자였다면 콧수염을 기르는 것을 심각하게 고려했을 거야.

오늘 아침 출근길, 교문 앞에 무리 지어 서 있던 학생들이 나에게 길을 비켜줬어. 여자애들은 얼굴이 창백하거나 화장을 진하게 했고, 남자애들은 대놓고 나를 쳐다보더라. 심지어 한 학생은 "야, 저거 봐! 휘익!" 하고 소리 지르며 휘파람을 불었어. 나를 학생으로 착각한 것 같더라고.(콧수염이 아니라 턱수염을 기르는 게 낫겠어.)

학교에서 나는 냄새는 예전이나 지금이나 똑같아. 오늘 아침에는 분필, 나무, 칠판, 녹슨 철 계단 냄새 등을 맡으며 다른 선생님들과 함께 출근카드에 도장을 찍기 위해 줄을 섰어. 내 카드를 받으니 기분은 좋더라. 누군가가 내 카드에 No. 91이라고 번호를 써줬을 거 아냐. 난 카드에 시간을 찍고 그걸 출근한 교사를 구분하는 칸에 넣었어. 선생님이 될 시간이 다가왔다는 걸 느꼈지.

하지만 교실에서 내 이름을 칠판에 적었을 때 잠깐이지만 이상한 기분이 들었어. 분필로 이름을 적는 순간, 흰 글씨가 딱딱한 검은 바다에 빠진 하얀 선처럼 보여서 낯설게 느껴졌어….

점심시간에 이 편지를 쓰고 있어. 정상적인 바깥세상으로 나아가고 싶다는 마음이 커지고 있고, 처리해야 할 서류가 너무 많아서 어딘가로 도망가고 싶기 때문이야.

네가 잠에 빠져있는 내일 아침에도 난 출근을 준비해야 하겠지.

9월 7일
실비아로부터

여기엔 아무도 없다

교내 우편

발신: 교감 제임스 J. 맥헤이브

수신: 304호 배릿 선생님

선생님께서는 왜 그렇게 클립이 많이 필요한 겁니까? 전반적으로 물품이 많이 부족한 상황입니다. 압지, 고무줄, 지우개, 빨간 펜도 부족합니다. 분필은 1박스를 더 드릴 수 있지만, 그 이상은 드릴 수 없습니다. 분필을 낭비하지 마세요. 허락 없이 학생들이 사용하도록 하지 마세요.

JJ 맥헤이브

교내 우편

수신: 모든 교사

종소리를 무시해주세요.

고무실장, 새디 핀치

교내 우편

발신: 실비아 배릿

수신: 새뮤얼 베스터

베스터 선생님께

제가 영어 수업을 맡은 다섯 반의 학생 수를 정리하여 보내드립니다. 저는 하루에 223명의 학생을 가르치고 있습니다. 평균을 내면 한 개 반 목표인 33명을 넘어 44명하고도 5분의 3명을 가르치고 있더군요.

1반 39명

2반 46명

3반 46명

4반 51명

5반 41명

학생 수 223명/5반

학급당 평균 학생 수 44 3/5

그리고 교재실에 〈플로스 강변의 물방앗간〉은 없고, 〈줄리어스 시저〉만 있어요. 그것도 학생의 4분의 3만 쓸 수 있을 만큼만요.

배릿 올림

교내 우편

발신: 어학과 과장 새뮤얼 베스터 박사

수신: 배릿 선생님

배릿 선생님!

도전해보십시오.

베스터 드림

윤리 규범에 대한 추가 공지

학생들이 교통편 이용 요건을 충족하지 못하면 교통카드에 서명하지 마십시오. 위조된 카드를 사용하는 경우가 종종 목격되고 있습니다.

등하교 시 공공차량에서 올바른 행동을 하도록 학생들을 지도하여 주십시오. 학교 인근에서 보이는 예의 없는 행동이 곧 캘빈 쿨리지의 모습이 되므로, 우리 학교 대외 이미지가 손상됩니다.

학생들이 쉽게 복제할 수 있는 화장실 통행증은 써주지 마시기 바랍니다. 오직 나무로 만든 통행증만이 유효합니다.

제임스 J. 맥헤이브 고감

배릿 선생님!

제가 5교시에 수학을 가르치고 있는데 조셉 페론이 교실로 뛰어 들어와 방해하더군요. 그 학생은 선생님 반에서 영어 수업을 들어야 할 텐데 통행증도 없이 돌아다니고 있었습니다.

또, 오늘 아침 조회시간에 선생님 반 에드워드 윌리엄스가 떠들더군요.

꼭 적절히 조처하시기 바랍니다.

프레드릭 루미스

배릿 선생님께

오늘 조회시간에 떠든 것을 서면으로 사과하라고 했지만, 전 오늘 떠들지 않았습니다. 제가 유색인종이라 그러는 걸 거예요. 또 제가 지난 학기에 그 선생님 수학 수업도 들었는데 절 낙제시키고 차별했어요. 제 역사 점수도 낙제시켰다고요. 그건 그 선생님 과목도 아니잖아요. 루미스 선생님 과목은 평판이 나빠요. 편견 때문에 트집 잡는 거예요.

에드워드 윌리엄스 올림

교내 우편

발신: 교감 제임스 J. 맥헤이브

수신: 모든 교사

HR 시간이 끝나면, 중간에 학교를 이탈해서 오늘 출석을 확인하지 못한 학생들을 저에게 보내주십시오.

JJ 맥헤이브

베아, 위의 글 말이에요, 저도 교감 선생님을 돕고 싶긴 한데 없는 애를 어떻게 보내죠?

어리둥절한 사람이

교내 우편

발신: 508

수신: 304

어리둥절한 사람에게
한번 도전해보세요.

베아

발신: 제임스 J. 맥헤이브 교감

수신: 모든 교사

제목: 3시까지

오늘 오후 3시까지 교실 점검을 하신 후 동봉한 서류를 작성하여 211호로 보내주십시오. 모든 학생의 안전을 보장하기 위해 한 달에 한 번 교실 점검을 시행합니다. 교실 내 파손된 곳을 확인하시고, 특히 문제가 있거나 위험한 곳이 발견되면 서류에 그 내용을 기재해 제출해 주시기를 부탁드립니다.

JJ 맥헤이브

일시: 9월 9일

교실명: 304

담임: 실비아 배릿

경첩이 떨어져 문이 덜컹거립니다 – 위험!

수납장 미닫이가 제대로 닫히지 않고, 보조 칠판이 그 위에 있어서

사용할 수 없습니다 – 파손

교실 뒤의 책장은 문이 닫히지 않고, 또 선반도 갈라졌습니다 – 파손 및 위험

교사용 책상에 서랍 두 개가 없습니다 – 파손

교실 뒷창문이 깨져 유리가 깔렸습니다 – 위험

S. 배릿

수신: 모든 교사

종소리를 무시해주세요.

교무실장 새디 핀치

발신: 교감 제임스 J. 맥헤이브

수신: 모든 교사

담임을 맡은 선생님들께 알려드립니다. 교사용 책상 가운데 서랍용 열쇠를 드릴 테니, 서랍은 교사나 허락받은 사람이 이용할 때를 제외하고는 항상 잠가두십시오.

다음에 안내하는 물품만 넣어두시기 바랍니다.

: 출석부, 학급연락망, 결석생 통지서, 좌석표, 비상연락망, 허가증, 성적표, 시간표(알파벳순), 동의서, 무단결석생 기

록장(파란색), 학부모 연락 우편 No. 1(노란색), 학부모 연락 우편 No. 2(분홍색), 과외활동기록서, 점심 허가증.

JJ 맥헤이브

맥헤이브 선생님께

문제가 있습니다. 말씀해 주신 물품과 열쇠는 갖고 있는데, 제 책상에는 가운데 서랍이 없습니다. 서랍이 총 두 개나 망가졌습니다. 어떻게 하면 좋을지 알려주십시오.

S. 배릿

추가 공지 No. 108 대피 훈련

종소리가 울린 후(종은 세 번씩, 세 차례 반복하여 울립니다), 비상구로 이동하세요. 집합 장소는 지하 체육관 평행봉 안쪽자리입니다. 최대한 안전을 확보하면서 이동하십시오. 중요한 훈련이므로 마치는 시간까지 침묵해야 합니다. 체육관에서 뜀틀 등에 기대게 해서는 안 됩니다.

제임스 J. 맥헤이브 교감

발신: 304호 S. 배릿

수신: 지하 관리인 그레이슨

그레이슨 선생님

304호에 의자 11개가 더 필요해요. 그리고 창문이 깨져서 위험하니 깨진 유리를 치우고, 창문 유리를 다시 설치해주실 분이 오셨으면 좋겠어요.

S. 배릿

여기에는 아무도 없습니다.

교내 우편

발신: 304

수신: 508

베아에게

캘빈 쿨리지는 참 별난 곳이에요. 왜 종을 치고는 '아무 의미도 없으니 무시해도 된다'고 공지하는지, 아이들이 뜀틀에 기대는 것과 핵무기 위협이 무슨 상관관계가 있는지, 그리고 왜 대다수의 사람이 다른 이의 말에는 귀 기울여주지 않는지, 그 이유를 모르겠어요. 여긴 아무도 없는 건가요?

실

수신: 실비아 배릿

참조: 클라크 박사, 베스터, 이건

배릿 선생님께

선생님 반 학생이 의자에 걸려 넘어지는 사고가 일어난 것을 알고 계시리라 믿습니다. 이렇게 편지를 보내는 이유는 선생님께서 해당 사고에 대한 경위서를 작성하지 않았기 때문입니다. 이러한 업무 태만은 심각한 결과를 초래할 수 있습니다. 우리는 학생의 안전을 최우선으로 생각해야 합니다. 오늘 퇴근하기 전까지 해당 서류를 3통 작성하신 후, 당시 상황을 목격한 사람의 서명을 받아오십시오.

제임스 J. 맥헤이브 고감

(사고 경위에 대한 목격자의 증언은 비밀리에 보관할 것이고, 의자가 망가진 것에 대한 책임을 물을 의도는 없습니다.)

JJ 맥헤이브

배릿 선생님

오늘 5교시 수업 시간 중 잠겨 있지 않은 한 사물함에서 지갑이 도난당한 사건이 발생했다는 보고를 받았습니다. 선생님 반 학생 한 명이 통행증 없이 돌아다닌 게 목격되었고, 그 학생이 유력한 용의자로 지목받고 있습니다.

오후 HR 시간이 끝나면 저를 찾아오십시오.

JJ 맥헤이브 교감

수신: 모든 교사

지도하시는 학생 중 아침 식사를 거른 학생의 숫자를 파악해 오늘 오후 3시까지 저에게 보내주시기 바랍니다. 가정의 빈곤 수준을 학생의 영양 상태로 가늠해 볼 수 있기 때문입니다.

보건교사, 프랜시스 이건

그리고 기꺼이 가르치다 (2)

엘렌에게

오늘 아침 네게 편지를 쓰다가 중단했는데, 그 편지를 찾지 못하겠어. 책상 위에 서류가 너무 많아서 어디로 휩쓸려 갔는지 찾지 못하는 거 같아.

상관없지, 뭐! 어차피 이곳에서 무슨 일이 있었는지 제대로 설명하지 못했을 테니까. HR, 조회시간, 혼란스러운 사무 업무, 그리고 가르치려면 마음의 준비가 필요한 학생들까지.

여기 온 지 하루도 지나지 않았지만 벌써 문제가 생겼어. 한 남자애가 교실에서 의자에 걸려 넘어졌는데, 난 그 사건을 보고하지도 않았거든. 내가 복도 점검을 소홀히 해서 통행증 없이 교실을 나간 학생은 사물함에서 지갑을 훔쳤다는 의심도 받고 있어. 그 애는 전에 HR 시간에 나에게 대놓고 무례하게 굴었던 캘빈 쿨리지의 문제아, 조 페론이야.

오전에 너에게 쓰다 만 편지(그게 어디로 갔을까? 공지 속? 업무 지시문 사이? 교사 유인물? 부서 공지? 책상 오른쪽 서랍 속? 아니면 왼쪽? 혹시 내 쓰레기통에 들었나?)를 찾는 사이, 아마 점심시간인 것 같은데 '멍청한 제독'(본인은 교감 맥헤이브라고 사인하는)이 조 페론을 데리고 왔어.

그가 말했지. "이 학생은 근신 중인데 오늘 아침 교실에서 보셨습니까?"

난 그렇다고 대답했어.

"다른 문제는 없었습니까?"

우리 셋은 서로 눈치를 봤어. 페론은 나를 날카롭게 노려보았고.

"아니요. 아무 문제 없습니다."

내가 그렇게 대답했어.

나는 오늘 수업을 마친 후 이 편지를 내 자유… 앗! '정해지지 않은 시간'에 쓰고 있어. 내가 가르친 건 전혀 없지만, 대신 대단한 걸 배웠어. 너에게도 알려줄게.

우리는 규칙에 따라 출근카드에 구멍을 뚫어야 해.

학생들 역시 교실에서 나가거나 들어올 때 시간표에 서명해줘야 해.

열쇠는 있지만, 자물쇠는 없어(화장실을 제외하고). 칠판은 있지만, 분필은 없고. 학생은 있지만, 자리는 없고. 교사는 있지만, 가르칠 시간은 없어!

도서관은 학생들에게 열려 있지 않아.

하지만 꼭 캘빈 쿨리지만 이렇게 이상한 건 아니라고 들었어. 대도시 고등학교는 보통 이렇대. 많은 학교가 이곳보다 열악하고(공식적인 표현을 빌자면 '사회경제적 수준이 낮은 문제 구역의 학교들'), 몇몇 학교는 여기보다 낫다는 것 같아.

아이들은 공부가 아닌 기술 같은 것에 소질이 있으면 직업 학교에 갈 수 있어. 수학이나 과학, 연기나 춤, 음악 등 예술에 뛰어난 재능이 있다면 시험이나 오디션을 보고 관련된 전문학교에 들어갈 수 있어. 그리고 아이에게 정신적인 문제가 있거나 학교 수업을 따라가기 힘든 경우에는 특수 학교에 가면 돼. 하지만 대다수 평범한 아이들은 캘빈 쿨리지나 그와 비슷한 곳으로 가야 하지. 그건 선생님들도 마찬가지고.

졸업하기 전에 라이언스 홀을 떠난 로다 기억해? 걔는 내 월급의 세 배를 받으며 화장품 회사에서 광고 카피를 쓰고 있다고 하더라. 난 종종 그 애 생각을 해. 그리고 단풍나무 밑에서 제임스 조이스에 대한 세미나를 열고는 했던 매티도 생각나는데, 매티는 졸업한 후 윌로우데일 대학에서 일하고 있어. 저 먼 마을에서 월요일부터 금요일까지 따스한 햇볕을 쬐며 산책하고 있을 너도 자주 생각나. 여기 남아있는 난 내가 생각해도 미친 것 같아. 참, 우리끼리만 말하는 농담이 있어. '도전해보세요'라는.

종이 쳤네. 아니면 경고 신호일까? 이 학교 종소리는 너무 요란해. 난 이제 우리 반 학생들의 오후 출석을 확인하러 가야 해. '멍청한 제독'이 말하기를, 그래야 땡땡이를 막을 수 있다나.

9월 7일

사랑을 담아, 실

추신. 교육위원회가 추산하기를, 도시에서 학생 한 명에게 필요한 교실 크기를 줄이는 데 8백만 달러가 든다는 거 알아?

2장

캘빈 쿨리지 클라리온에서

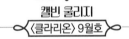

캘빈 쿨리지
〈클라리온〉 9월호

[재미있는 인터뷰]

우리 학교에 새로 오신 실비아 배릿 선생님은 캘빈 쿨리지의 '오드리 헵번'이자 우리가 매우 자랑스럽게 여기는 매력적인 여성이다. 인터뷰를 통해 알아낸 몇 가지 사실은 선생님의 키가 맨발로 쟀을 때 약 164센티미터라는 것과, 갈색 머리와 청회색 눈동자의 소유자이며, 대화하기에 편한 사람이라는 것이다. 선생님은 파이 베타 카파회에서도 수석으로 문학 학사 학위(무슨 말인지는 모르겠지만!)를 받았고, 역시 수석으로 M.A.(미스 아메리카?)를 받은 수재라고 한다.(세상에나!)

선생님은 독서와 초서의 시를 좋아한다고 한다.(역시 이해는 되지 않지만!) 그리고 한가한 시간에 그림을 그리고(그림의 모델이 되지는 말라고!) 자전거를 탄다고 한다(2인승일까?). 휘핑크림(헉, 칼로리가!)과 수영(와우!)도 즐긴다고 한다. 또 여느 사람들처럼 다양한 곳을 여행하기를 좋아하는데, 작년 여름에는 멕시코를 다녀왔다고(스페인어 할 줄 알아요?). 선생님은 여기서 가르치는 것을 진정한 도전으로 여기고 있다고도 말씀하셨다.

'오드리' 배릿 선생님, 우리 학교에 오신 것을 환영하고, 짧은 시간이더라도 잘 지내기를 바랍니다.

[교장 선생님 말씀]

여러분이 받는 교육은 미국과 같이 번영한 민주주의 사회가 시민에게 부여하는 책임과 의무를 짊어질 수 있는 성숙하고도 분별력 있는 사람이 될 수 있도록 계획되었습니다.

완벽하고 다양한 교육을 통해 성장한 여러분은 앞으로 민주주의의 발전에 이바지하게 되고, 이것은 위대한 업적과 승리로 이어질 것입니다.

우리는 '학교라는 작은 민주주의 사회'를 위해, 여러분이 세운 목표를 성취할 수 있도록 방향을 제시하고 아낌없이 지

원할 것입니다. 여러분 또한, 우리의 신뢰와 기대를 받을 만
한지 스스로 검증해보시기 바랍니다.

여러분을 진심으로 생각하는

교장 맥스웰 E. 클라크

어떻게 모면할 것인가-

1학년의 어리석음 -

2학년의 무기력증 -

3학년의 초조함 -

4학년의 슬픔 -

학생회(G.O.)에 가입해!!!
그들이 버티는 동안 학생회 배지를 받아!!! 고. 고. 고!

애교심을 보여줄 사람은 누구?
여러분의 팀을 응원하세요!

농구시합 일정표:

9월	캘빈 쿨리지	vs	맨해튼 시립
10월	캘빈 쿨리지	vs	미정
11월	캘빈 쿨리지	vs	미정
12월 (?)			

맥스웰 E. 클라크 박사

제임스 J. 맥헤이브

메리 루이스

실비아 배릿

엘라 프리덴버그

폴 베링거

베아트리체 샥터

샬롯 울프

프레드릭 루미스

헨리에타 패스터필드

마커스 맨하임

새디 핀치

프랜시스 이건

새뮤얼 베스터

[학생들이 뽑은 이달의 선생님]

· **여학생들이 무인도에 함께 가고 싶은 선생님:** 폴 베링거 선생님(별명 '시인')

· **친절하게 잘 도와주는 선생님:** 베아트리체 샥터 선생님(별명 '엄마')

· **수업을 재미있게 하는 선생님:** 헨리에타 패스터필드 선생님(별명 '친구')

· **제일 건망증이 심한 선생님:** 마커스 맨하임 선생님(별명 'H_2O')

· **제일 예쁜 선생님:** 실비아 배릿 선생님

캘빈 쿨리지 〈클라리온〉은 '여러분 학교의 목소리'입니다. 계속 발간할 수 있도록 구독하고 광고도 내주세요! 〈클라리온〉 제작에 아낌없는 도움을 주신 메리 루이스 선생님께 감사드립니다.

할 수 없는 사람들

내 친구 엘렌에게

일주일 동안 애타게 기다리던 금요일이 왔어. 아침 6시 반에 일어나기 위해 저녁에 알람을 맞추지 않아도 된다는 것만으로도 좋아. 오늘 저녁에는 블라우스를 빨 시간도, 사색할 시간도 가질 수 있어. 물론 이렇게 편지 쓸 시간도 있지.

아기에게 새로운 이가 났다니 축하해. 곧 있으면 또 다른 치아도 새로 나오겠지. 이러한 과정을 수차례 반복하면 어느새 어린 수지는 학교에 다닐 나이가 되어 있겠네.

수지가 학교에 들어가 마주할 여러 문제를 생각하면 지금부터 걱정이 된다. 수지가 공립 고등학교에 들어갈 즈음이면 교육 환경이 지금과는 많이 달라지기를 바라.

정치인들은 우리에게 교육 환경이 개선될 거라고 약속하

지만 현실은 다르지. 얼마 전만 해도 공공의 이익이란 기치 아래 교직원 노조가 파업을 선언했고, 그것을 계기로 교사들이 원하는 교육 환경을 조금이나마 마련할 수 있게 됐다고들 말해. 하지만 그들이 말하는 '개선된 환경'이 무엇인지 나는 잘 모르겠어. 이미 이곳에서 2주의 시간을 보냈는데도.

내가 뭘 가르치느냐고 물었지? 어려운 질문이야. 윈터스 교수님이 '교과서가 중심이 아닌, 아이들 수준에 맞춘 강의'가 중요하다고 말씀하셨지. 영어 교과 요강에서도 '차별성과 향상성'을 권장하는데, 요지는 학생 개개인에게 관심을 가지고 배운 것 이상의 능력을 발휘하도록 최고로 키워내라는 것이야. 베스터 선생님은 '학습에 대한 동기부여'를 하는 방법으로 학생들이 자발적으로 책을 읽게 가르치라는 거야.

이건 결코 쉬운 일이 아니야. 거의 불가능한 일이지.

꽤 많은 학생이 신체적으로는 성숙했어도, 그들의 읽기 능력은 4, 5학년 수준이야. 읽거나 알고 있는 책이라고는 만화책과 스릴러 소설 같은 게 전부야. 학교를 10년 이상 다녔으면서도 문장을 어떻게 써야 하는지 몰라.

사실 교과과정에 포함된 책들은 교사들이 습관적으로 가르쳐왔거나, 아니면 무슨무슨 위원회에서 선정했다는 사실 이외에는 내세울 점이 하나도 없어.

예를 들어 내가 '책을 **더디게** 읽지 않는 학생들'(질문: '책을

빠르게 읽지 않는 학생들'은 어떻게 읽는 거지?)로 구성된 5반 아이들에게는 셰익스피어의 〈줄리어스 시저〉를 나눠줘야 해. 이 책은 〈플로스 강변의 물방앗간〉 대신에 수업할 책이야. 나는 '조금 부족한' 반에서는 〈로미오와 줄리엣〉이나 〈두 도시 이야기〉(두 도서는 연관성이 있지![05])를 가르치고, '특히 뒤처지는' 반에는 〈고전과 현대 에세이〉를 가르치게 되어있어. 하지만 도둑맞은 책 영수증, 제대로 풀칠이 안 된 도서내어카드, 뭔지 알 수 없는 물품 목록, 혼잡한 계단 통행 등의 문제로 나는 아이들에게 어떤 책도 나눠주지 못했어.

　이 모든 정리되지 않은 어려움을 극복해 내는 것을 도전으로 여기기로 했어. 그래서 책 없이 가르치기로 했지. 한번은 내가 아이디어를 내서 아이들이 흥분한 사건이 있었어.

　영국 시인 브라우닝이 말한 '인간은 자신의 능력을 초월해야 한다. 아니면 천국이 무엇을 위해 있겠는가?'라는 문구를 칠판에 쓴 후, '열망 대(對) 현실'이라는 주제로 아이들과 토론을 벌였어. 그리고 자신의 능력에 비해 큰 목표를 갖는 것이 인생에 보탬이 되는 일이냐고 아이들에게 물었어. '누군가 그러한 목표를 갖는다면 결국 실패하지 않을까'라고. 한

---

05 〈로미오와 줄리엣〉에서 로미오가 사랑하는 줄리엣을 위해 목숨을 버리듯, 〈두 도시 이야기〉의 시드니 카튼(Sydney Carton) 역시 사랑하는 루시의 행복을 위해 자신의 목숨을 내놓는다.

학생이 '아니요, 그건 야망과 진보입니다!'라고 말하더라. 다른 학생이 '아니요, 그건 좌절과 패배입니다!'라고 외쳤고. 희망은 어떤 것인지, 절망은 또 어떤 것인지, 현실적인 삶과 꿈을 가진 삶에 대해서도 아이들은 자신의 방식대로 말했어. 너도 알고 있겠지만, 아이들은 상투적인 말조차도 신기하게 생각해.

우리의 토론이 끝나갈 무렵, '무시해도 되는' 종소리가 울렸어. 아이들은 탄성을 지르며 오늘 수업이 재미있다고 말했어. 아이들이 내가 뿌린 씨를 참새가 모이를 먹듯 재잘거리며 쪼아먹은 거지. 교실을 빠져나가려는 아이들 앞에 하필이면 그 '멍청한 제독'이 나타난 거만 빼고는 완벽했지.

"왜 이렇게 시끄러운 겁니까?"

"교감 선생님, 아이들은 자신의 의견을 말하는 중이에요."

그날 오후 내 우편함에 그가 보낸 쪽지가 있더라. 복사해서 교장에게도 보냈대. 알 게 뭐야? 아마도 그는 위원회에 고발장을 보낼지도 모르지. 아무튼, 내용은 이래.

"저는 선생님 반 학생들이 수다를 떠느라 교실 문을 가로막는 바람에 교실 간 이동하는 다른 학생들이 안으로 들어가지 못하는 모습을 보았습니다. 질서 있는 통행은 해당 교실에서 수업한 선생님의 책임입니다."

교실에서 수다를 떤다고 지적하는 선생님도 너무하지만,

그게 뭐 대역죄는 아니잖아? 그렇게 보면, 난 상당히 많은 죄를 저질렀다고 할 수 있어. 어제는 길구드[06]가 낭독하는 셰익스피어를 틀었거든. 난 내 축음기를 학교로 가져왔어(시청각 교재 신청 용지를 찾지 못해서야). 아이들은 이번에는 조용히 있었지. 하지만 하필 그 순간에 정장을 갖춰 입은 멍청한 제독이 분노에 몸을 떨면서 교실로 들어왔지 뭐야. 그는 손가락을 튕기면서 나에게 축음기를 끄게 하고는 이렇게 말하더라.

"대피 훈련을 위해 종이 세 번씩 세 차례 울릴 겁니다. 레코드를 틀어놓으면 질서 있게 대피할 수 없습니다."

내가 맥헤이브 이야기를 계속하는 건 그가 이미 나의 적이 되었기 때문이야.

전용 교실 없이 부유물처럼 교실을 떠다니는 교사들은 어려움이 많아. 책상 서랍에서 '델라니 카드(왜 이렇게 부르는지 모르겠어. 아마 델라니라는 사람이 만들었겠지. 이건 아이들의 이름이 쓰인 카드를 배치한 좌석표야)'를 찾아 뒤져보기도 해. 수업 중간에 "여러분 집에 고장난 콘센트가 있습니까?"라는 설문을 시키는 일도 있어. 또 출판이나 학생회, 직원을 위한다는 목적의 자발적인 성금이라는 명목으로 돈을 모으기도 하고.

---

06 Sir John Gielgud, 영국의 배우 겸 연극 연출가

농구장 입장표를 팔기도 해. 직원을 위한다는 명분의 자발적인 성금은 아마도 아마도 캘빈 쿨리지에서 유일하게 베일에 싸인 남자, 지하에 사는 그레이슨 씨를 위한 걸 거야.

밖에서 공사하는 소리 때문에 창문이 덜컹거리고, 복도에서는 오케스트라단이 연습하고, 선거운동원들은 교실로 뛰어 들어와 나의 하나뿐인 칠판에 노란색 분필로 다음과 같이 휘갈겨 쓰지.

'존경스러운 해리 케이건을 회장으로!'
혹은
'착하고 유능한 글로리아 에를리히를 부회장으로!'

수업이 한창 정점에 도달하는 순간, 종종 대피 훈련을 해야 하는 경우가 있어. 종이 미친 듯이 땡땡거리면 우리는 건물이 파괴되는 것을 피해 체육관으로 몰려가서 잠시 조용하게 서 있어야 해. 뜀틀에 기대지 않도록 조심하면서 평행봉사이에서 질서를 지키며….

학생들의 현실적인 문제 때문에 수업이 중단되는 때도 가끔 있어. 내가 문법을 가르치고 있는 도중, 한 여학생이 가스와 전기 요금을 낼 8달러 70센트를 잃어버렸다며 돈을 찾으러 교실 밖으로 뛰쳐나갔어. "우리 엄마가 분명 날 죽일 거야!"라고 말하며. 정말 그럴지도 모르지. 한 남학생은 결혼식 때문에 숙제를 못 했다며 사과했어. "제가 그 여자애에게 크게 잘못한 것 같아요. 저희 집안은 천주교 신자라서 결혼을 해야만 했어요. 다만 문제는 제가 걜 좋아하지 않는다는 거예요."

혼란, 낭비, 아무도 들어주지 않지만 도와달라고 하는 비명. 내가 이상적인 거라고 폴 베링거 선생님이 말하더라고.

그는 모든 일에 어깨를 으쓱하면서 주변 사람을 소재로 삼아 재미있는 시를 짓거든. 자신의 책이 출판되기만 기다리고 영어 수업을 열심히 하지는 않아. 그는 짧은 갈색 머리에, 한쪽 눈썹이 다른 쪽보다 올라가 있어. 흰 이가 드러나도록 환하게 웃는 매력적인 사람이라 모든 여학생이 잘 따라.

몇몇 괜찮은 선생님도 있어. 남편과는 사별했지만 참을성 있게 열심히 일하는 베아처럼 말이야. 대처하기 힘든 이상한 일에 맞서면서도 아이들을 훌륭하게 가르치고 있는 그 모습을 보고 '마더 샥터와 그녀의 천사들'이라고 말하더라. 또, 잘 알려지지 않았지만 수업에 천부적인 재능을 가진 선생님들도 있어. 그분들은 마치 마법을 부리는 것처럼 놀라운 수업을 하고 있어. 그리고 아이들을 진심으로 사랑하는 사람도 있지.

내가 보기엔 나머지 교사는 아이들을 가르치는 것을 포

기했거나, 수업을 통해 아이들에게 단순히 화풀이하는 수준 같아. '누구나 가르칠 수 있는 능력을 지닌 것은 아니다'라는 격언처럼 능력이 있는 사람은 가르치고, 능력이 없는 사람은 다른 길을 찾는 데 실패했기에 학교를 도피처로 삼은 것 같아.

등이 굽은 메리 루이스란 사람은 항상 주눅이 들어있는데, 마치 짐을 잔뜩 실은 노새처럼 물건을 들고 여기저기 지나다녀. 마치 순교자처럼 상사의 지시를 기꺼이 따르며 어려운 일을 도맡아 하고 말이야. 늘 피곤해 보이는 그녀는 문장을 문법적으로 분석하거나, 껌을 씹는 아이에게 빵점을 주는 구시대적 사람이지.

헨리에타 패스터필드는 '학교와 결혼했다'고 말하는 마음이 따뜻한 미혼 여성이야. 친구 같은 선생님이 되는 게 그녀의 목표야. 공부는 재미있다고 그럴싸하게 포장해서 아이들의 환심을 사려고 해.

프레드 루미스는 수학 교사인데, 영어 교육에 관한 자격증도 없으면서 억지로 영어 수업까지 떠맡았어. 그는 아이들을 무턱대고 증오해. 나에게 "열다섯 살이 된 학생들은 모두 학교에서 쫓아내고, 여자는 자기 같은 애들을 또 만들지 못하도록 불임 수술을 시켜야 합니다."라고 말하더라. 진짜 이렇게 말했다니까. 참고로 그는 하루에 약 2백 명의 아이들과 마주쳐.

보건 교사인 프랜시스 이건은 독특한 신발을 신고 있는데, 학생의 영양 상태에 집착해. 사서인 울프는 책꽂이에서 책을 꺼내는 걸 참지 못해. 그리고 생활 지도 교사로 승진한 야망 있는 타이핑 교사 엘라 프리덴버그는 아이들에게 자위행위에 대해 질문을 퍼부어댔어. 또, 각 학생에게 끼워 맞춰 작성한 학생의 성격 프로필(PPP)을 발전시켜서 거기에 가짜 프로이트 학설을 적용하곤 해. 그녀는 다른 선생님들에게 혼란을 일으키고 아이들도 겁에 질리게 했어.

책상 폭군, 칠판 남작, 교실 시저, 바인더 경 같은 사람들은 얼굴만 아는데 이건 폴이 붙인 별명이야. 그는 말재주가 있거든. 가사도 잘 쓰고. 우리 교장에 관한 재미있는 노래도 썼어.

"들어라, 들어라, 클라크! 천국의 문에서… 어쩌고저쩌고."

뭔지 잊어버렸네. 나에 대해서도 한 구절 썼어. '14캐럿'과 운율을 맞춘 거야. 정말 멋진 사람이지.

맥헤이브 교감은 학교나 군대, 아니면 전체주의 국가에서 잘 지낼 독재자 같은 사람이야. 난 그가 인간의 정신을 모멸하는 모든 묘사에 걸맞은 전형적인 인물이라 생각해. 무턱대고 도둑 취급을 했던 우리 반의 조 페론이라는 남학생 문제로 그와 나는 크게 부딪혔어. 또 그는 위협하는 말투로 학기 말 평가 때 내가 U(Unsatisfactory, 불만족)를 받게 될 것을 암시했어.

학교에서 가장 골치를 썩이는 문제아 페론을 내가 왜 옹호하는지 모르겠어. 나와 같은 반항심이 어렴풋이 느껴진다는 점이 있지만 말이야. 걘 학교에 오면 늘 버릇없이 행동하고, 교사나 학생을 업신여기는 태도를 보여. 주머니에 손을 넣고, 입에 이쑤시개를 물고, 다리를 덜덜 떨면서 나를 바라봐.

대부분의 시간에 나는 제대로 된 의사소통을 하려고 애를 쓰고 있어. 이런 어려운 일에 누구를 의지하면 좋을지 모르겠어. 클라크 박사? 그는 학교에서 무슨 일이 일어나는지도 관심이 없는 것 같아. 내가 그에 대해 가진 정보는 사무실에 카펫을 깔고, 4층에 개인 화장실을 가졌다는 것뿐이야. 그는 대부분의 시간을 혼자 보내는데, 밖으로 나올 때면 교육이란 라틴어 '에듀코(ēdúco, 끌어낸다는 의미)'라는 말에서 비롯되었다고 설명하는 것을 즐겨. 또 비슷한 의미를 지닌 다른 표현을 좋아해. 예를 들어 '목적과 목표', '인도와 격려', '도움과 장려' 그리고 '새로운 시야와 넓은 전망' 같은 말을 마치 대량으로 양식한 진주처럼 줄지어 뱉어내.

내 직속 상사인 영어과 과장 베스터는 어떤 사람인지 전혀 모르겠어. 그는 음침한 분위기의 말라빠진 작은 남자인데 쌀

쌀맞으면서 조용하기도 해. 다른 과장들과 마찬가지로 그는 졸업반 하나만 가르쳐. 제일 경험이 많은 교사들은 자꾸 승진해서 교실을 떠난다니까! 아이들은 그를 존경하지만, 선생님들은 싫어해. 아마 그가 선생님들을 주시하고 있다가 불쑥 나타나기 때문일 거야. '귀신이 나타났다'는 표현은 그가 온다는 비밀 암호야. 베아 말에 의하면 처음엔 훌륭한 교사였지만, 쓸데없는 것을 3부씩 작성해야 하는 행정 업무를 처리하는 동안 이상하게 변했다고 하더라. 내가 업무에 익숙해질 때까지는 나를 보러 오지 않았으면 좋겠어. 솔직히 말하면 난 아직 '마지못해 배우는 학생들(성적이 나쁜 학생, 학업에 뜻이 없는 학생, 느린 학생, 빈곤한 학생, 뒤처지는 학생, 대학 갈 마음이 없는 학생, 혜택받지 못하는 학생, 언어에 재능이 없는 학생, 지식이 부족한 학생 등)'이 있는 '특히 뒤처지는 반(SS)' 때문에 허둥대고 있거든.

사실 난 교실 밖에서 제일 바빠. 혹시 혹시 숙련된 전문가가 숫자를 기록하고, 카드를 정리하고, 우편함에 통지서를 넣고, 구내식당을 순찰하는 또 다른 직업이 있는지 안다면 말해줘.

편지가 제법 길어졌네, 너도 알다시피 이곳이 다른 사람들과 소통할 수 있는 분위기는 아니잖아. 종이 울리고, 학생들이 오가고, 내 쓰레기통이 넘치는 동안 난 여기 304호에 고립되어 있어.

편지 좀 써줘! 네가 사는 이야기를 들려줘. 여기 일이 너무 힘들면 너에게 와달라고 할지도 몰라.

9월 25일
사랑을 담아, 실

추신. 뉴욕의 고등학교 선생님들이 HR로 일 년에 거의 일백 시간을 보내는 거 아니? 모두 합하면 행정 업무에 오십만 시간 이상을 소비하고 있다는 뜻이야. 이건 공식적인 시간표에 불과해. 수업 계획을 짜고, 기록하고, 채점하는 데 들어간 시간은 어느 정도일지 가늠할 수도 없을 정도야.

S.

교무 회의 기록

교무 회의 기록 노트

· 일시: 9월 28일 월요일 오후 3시 6분
· 장소: 학교 도서관
· 참석자: 모든 교사

- 클라크 박사: 여름방학 후 인사 및 '노력하고 애쓰자'는 훈시	(1분 30초)
- 베아 샥터: 지난 학기에 해결하지 못한 긴급한 문제를 제시함. 수업과 행정 업무의 부담과 충분한 시설의 필요성에 대해 안건 제시	(1분)
- 의견: 베아 샥터가 제시한 문제에 대해 당분간 보류. - 사이가 나쁜 '부유물' 교사 두 명이 같은 교실을 이용하는 것에 대한 발언	

부유물(1): 교실에 들어갔을 때 '지우지 마시오'라 고 칠판에 쓰여 있다. 칠판을 쓸 공간이 충분하지 않아 불공평하게 느껴졌다. 부유물(2): 책상에서 사전을 찾으니 교실 뒤에 있 었다. 분명 학생이 가져간 거다! 사전 은 반드시 책상에 놓아야 한다!	
부유물(1): 왼쪽 책상 서랍에 자리가 없다. 부유물(2): 왼쪽 서랍은 (1)이 아니라 (2)의 자리다. - 의견: 고충처리위원회에서 자세히 검토하여 교사 가 이동수업을 할 때 교실 배치를 공정하게 받을 수 있도록 하겠다.	(6분)
- 베아 샥터: 자퇴하는 학생 문제를 제기함. - 맥헤이브: 정해진 절차대로 할 것을 고수하겠다.	(30초)
- 본격적인 토론 주제: PRC의 파란색 선의 왼쪽과 오른쪽 중 어디에 표시해야 하는가? 여러 장단점 이 있다. 시간을 절약하려면 어느 것이 최선인가? - 의견: 조사 위원회를 구성해야 한다.	(8분 30초)
- 베링거가 오후 HR 폐지를 제시하였으나, 맥헤이 브가 거부함	(30초)
- 보조교사 관련 토론: 보조교사는 선생님들이 수업 이외의 행정 업무를 덜어주기 위해 배정되었지만, 오히려 또 다른 행 정 업무가 추가되어 일이 많아졌다. 또한 보조교사 가 수업에 방해가 되기도 한다. 그들은 학급 담당 을 맡을 수 없으며, 기록 업무도 허용되지 않는다.	(10분 30초)

지각실이나 보건실도 이용할 수 없다. 또 카페테리아 근무자들은 보조교사들이 주변에 앉아 있기만 해도 화를 내고는 한다. - 결론: 보조교사에게 학교 출입구를 지키고 방문객을 확인하게 한다.	
- 학생들 사이에 마약 중독이 늘어나는 것과 학교 인근에서 활동하는 밀매자에 대한 문제가 제기되었으나 회의 시간 부족으로 보류하기로 함.	(30초)
- 맥헤이브가 화장실 흡연 예방을 위해 흡연에 관한 공지를 다시 읽을 것을 권고함.	(1분 30초)
- 맨하임: 과학실 장비가 부족하다고 요청하였으나 맥헤이브 교감이 정식 절차를 통해서 요청하라고 말함.	(30초)
- 이건(보건교사): 따뜻한 아침 식사의 중요성 강조. 엔진에 연료를 넣어야 하루가 시작되며, 이것이 학생의 성적에도 영향을 준다고 의견을 피력함. - 클라크: 건강한 신체에 건전한 정신이 깃든다.	(1분)
- 울프(사서교사): 도서관 책장에 책을 꽂을 때 똑바로 넣어라. 다시 꽂느라 시간이 낭비된다. 책 위치를 틀리는 학생에게 주의하라고 경고해야 한다.	(2분)
- 회색 정장을 입은 콧수염 교사(?)가 회의 중 휴식 시간을 요청하였으나 맥헤이브가 거절함.	(30초)
- 베아 샥터: 인종 통합 문제를 제시함. - 클라크: 적절하고 질서 있는 과정. 참을성과 용기. 전문가의 품위. 책임지지 않는 자. 헌법.	(2분 30초)

– 메리 루이스: 그녀의 방 천장에서 회반죽이 떨어졌다. 그레이슨이 협조하지 않는다. 맥헤이브가 정식 프로세스를 밟으라고 말함.	(30초)
– 맥헤이브: 지각 예방에 협조할 것을 제시한다. 지각생이 증가하고 있다. 등교 절차를 엄격하게 준수한다. 부모에게 편지 No. 3을 보내 알려야 한다. 학교 성적은 성적표를 배분할 때 적용된다고!	(8분)
– 핀치(교무실장): 선생님들은 지시에 따라 제대로 일하셔야 합니다.(제시간에 제출하라는 의미)	(1분)
– 프리덴버그(생활지도교사): PRC(영구기록카드)에 더 정확한 CC(교사가 학생별로 입력한 평가)가 필요하다. 깊이 있는 내용이라면 한 줄로도 충분하다. 예를 들어, '잠재된 리더로 격려가 필요함'. 예전 PPP(학생의 성격 프로필)를 살펴보시길.	(3분 30초)
– 베링거: 아침 HR 폐지를 제안. – 맥헤이브가 거부.	(30초)
– 메리 루이스: 조회시간에 성경을 읽는 것이 위헌임이 선언되었는데 일 분간 묵념하는 것에는 어떤 이의도 없습니까? – 맥헤이브: '기도'라는 표현을 쓰지 않고, 입술을 움직이지 않으면 괜찮다고 한다.	(1분)
– 교사(? 회색 정장, 콧수염): 휴식을 제안. – 맥헤이브: 거절함.	(30초)

– 쫓겨난 교사들: 5층 과학과 사무실에 화재 위험이 있음을 발견하여 그곳의 물건은 3층 수학 교재실로 옮겼다. 수학책은 기술 선생님의 도움으로 기술과 사무실의 수납장에 당분간 놔두기로 했고, 그 안에 있던 물건은 2층 창고 수납장으로 옮겼다. 그동안 수납장 안에 있던 내용물은 당분간 본관 사무실에 놓기로 했습니다.	(5분)
– 클라크의 결론: 교육은 민주주의 발전에 꼭 필요하다.	(2분)
– 시간이 부족하여 수업 부담, 과도한 행정 업무와 부족한 시설 문제 논의는 연기되었다.	(30초)
– 교사(? 회색 정장, 콧수염) 휴식을 제안.	(30초)
– 교사 회의 중단 오후 4시 6분.	(회의시간 총 60분)

· 다시 작성하여 타자한 후 3부 복사하여 정중하게 제출하기

우리 반 학생들

엘렌에게

다시 돌아온 금요일이야. 시간은 마치 고장난 아코디언처럼 접혔다가 늘어나고, 네가 보내준 답장은 엉망이 된 내 삶에 흘러간 추억을 선물해주곤 하지. 마음 또한 편해져. 난 네가 교외에서 가족들과 정답게 살면서 여가에 한가롭게 돌아다닐 수 있는 게 부러워. 반면에 나는, 나는 참….

다행히 '제독'과 나 사이의 냉전은 완화되고 있어. 대신 페론과 나 사이의 긴장감은 더욱 커졌지. 교무실장 핀치가 등사기의 거대한 구멍에서 나온 종이들을 나에게 몰아주고 있어서, 도저히 학교 시스템에 적응할 수가 없을 것 같아.

HR 시간에는 출석을 25%라도 부를 수 있으면 행운이야. 멍청한 제독은 복도 밖에 도사리고 있다가 반란의 싹이 보이기라도 하면 덮치려 하고 있어. 그가 복도에 나타나지 않을 때는 아마도 자기 방에서 잠망경으로 내 교실을 보고 있을 거야.

내가 수업하는 반에서는 지금도 교재가 바뀌는 일이 생겨. 〈고전과 현대 수필〉을 가르치고 있었는데, 힘 있는 분들이 〈오디세이아〉와 〈신화의 의미〉로 바꿨거든. 나는 '특히 뒤처지는 반'에 인류의 신화와 호메로스의 위대한 서사시를 2주일 안에 가르쳐야 해. 왜냐하면, 다른 선생님들이 이 책을 수업 시간에 교재로 쓰려고 기다리고 있기 때문이야. 모든 학생이 중간고사 전에 이 책을 읽어야 해. 교사들은 중간고사 시험 문제도 내야 하고, 또 추수감사절 연휴 동안 시험 본 걸 채점해야 하므로 일정이 촉박해.

난 요즘 아이들의 말을 듣고 글을 보며 그들을 관찰하고 있어. 교실에 의견함도 설치했어. 자신의 느낌을 자유롭게 말하고, 결국엔 나를 믿기를 바라면서 말이야. 아이들 대다수는 아직 바람에 이리저리 흩날리는 갈대 같지만, 그래도 몇 명은 얼굴에 나에 대한 신뢰를 드러내기 시작했어.

루 마틴이란 학생은 우리 반의 개그맨인데, 표정으로 무언가를 표현하는 데 뛰어난 재주를 가졌어. 숙제를 안 해왔을 때는 누구보다 기가 죽어있어. 손으로 이마를 짚고, 무릎을 굽히고, 어깨는 축 늘어뜨린 채 잘못했다며 빌어. 이때

만큼은 세상 누구보다도 반성의 의지가 강한 사람으로 보인다니까. 물을 마시러 가기 위해 통행증을 달라고 할 때는 얼마나 간절한 태도를 보이는지 몰라. 혀를 내밀고, 눈을 굴리면서 죽는 소리를 내. 암튼, 물 마시러 가기도 힘들 것 같다니까! 또 배신자 같은 얇은 입술에서 틀린 답이 나왔을 때는 완전히 충격받은 얼굴이 돼. 더 겸손해지거나, 더 어리둥절해지거나, 아니면 더 화를 내기도 하지. 내 웃음이 그의 행동을 더 부추긴 것 같아.

난 애들의 이름을 조금씩 외우게 되었고 그들의 문젯거리도 조금씩 이해하기 시작했어. 내 도움을 원한다면 기꺼이 도와줄 마음도 있어. 하지만 그들에겐 난 아직 외부인이자 적이야. 왜 그런지 모르겠지만, 애들의 마음속 시험을 아직 통과하지 못했거든.

그리고, 내가 백인이기 때문에 에디 윌리엄스는 날 적대시해. 조 페론은 내가 선생이라는 이유로, 캐리 페인은 내가 주목을 받는다는 이유만으로 날 싫어하고. 에디는 피부색 때문에 겪는 고충을 이용해서 세상을 위협하고 있어. 조는 머리가 매우 좋은데도 과목마다 낙제해. 내가 맥헤이브와 싸울 수 없게 만든 원인 제공자이기도 하지. 난 그 애가 지갑을 훔치지 않았다고 믿었거든. 내가 그의 편임에도 불구하고, 조는 내가 실수라도 하면 바로 공격할 준비를 하고 있어. 캐리는 음침하고 어두운 소녀인데 두꺼운 벽 뒤에 숨어서 증오를 발산하곤 해.

해리 케이건은 정치가이자 아첨꾼이야. 이번에 학생회 회장 선거에 후보로 출마했는데 아마 당선될 것 같아. 린다 로젠은 성적이 나쁘지만 무척 성숙한 학생이고, 앨리스 블레이크는 고작 열여섯 살이지만 진실한 사랑을 꿈꾸며 찾아 헤매고 있어. 그녀는 몸은 연약하지만 매사에 열정적이야. 풍부한 감성을 지니고 있지만 그동안 배운 게 얄팍한 어휘뿐이라 자신의 감정을 정확히 표현하지는 못하는 것 같아.

러스티라는 이름의 남학생은 여자를 싫어해. 그 외에도 조용하고 주눅들어 보이는 푸에르토리코 소년이 있는데, 아직 그의 이름을 외우지는 못했어.

우리 반 아이들은 존중받지 못하면서 자랐어. 너무 불쌍하게도 집과 학교 어디에도 그들을 존중해주는 사람이 없어.

난 최근에 그 애들을 위한 영어 단어가 없다는 걸 깨달았어. '십 대', '청소년', '학생', '아이', '미성년', '어린이' 등 이런 표현들은 부적절하고, 모욕적이고, 어울리지 않고, 적합하지 않아. 서류에는 우리 '학생'이라 쓰고, 강단에서는 우리 '아이들'이라고 칭하지만, 그들을 표현하는 적절한 이름은 뭘까?

가장 무서운 것은, 아이들은 교단에 서서 자신들을 가르치는 사람이 누구인지, 무엇을 배우는지 아무 상관하지 않고 모든 것을 의심 없이 받아들인다는 거야. 이건 권위에 맞서 저항하는 것과는 달라. 그들은 그저 시끄럽게 반항하지만 딱히 어떤 생각을 하고 있는 건 아니야.

학교생활에서 순응하고 침묵하면 나름의 보상이 있지. 열정 같은 건 시끄러울 것 같으니 못마땅해하거든. '제독'은 얼마 전 1교시 수업을 시작하기 전에 학교에 일찍 와서 타자 연습을 하던 몇몇 학생을 잡아냈어. 그는 미리 허가받지 못한 학생이 수업 시간이 아닌, 오전 8시 20분 이전이나 오후 3시 이후에 학교에 있어서는 안 된다고 위협하듯이 발표했어. 교사의 감독 없이 교실에 있는 것을 허락하지 않겠대. 또, 아이들은 복도에 너무 오래 머물러서도 안 돼. 손을 들지 않으면 말도 못 해. 그리고 감정 표현을 지나치게 하거나 큰소리로 웃어서도 안 돼.

예를 들면 우리는 어제 〈줄리어스 시저〉를 공부하고 있었어. 그리고 "브루투스여! 잘못은 우리 별에 있는 것이 아니라, 노예가 된 우리 자신에게 있다네."라는 대사를 놓고 토론을 벌였지. 줄리어스 시저와 관련지어 자신의 경험을 말하게 하려고 했어. "이 시구가 표현하는 의미는 뭘까?"라고 내가 물었어. "정말 내 운명의 주인은 나일까?", "행운은 정말 있을까?" 등에 대해서도. 앞줄에 앉은 한 작은 소년이 손을 마구 흔들었어. "저요, 저요, 제가 말할게요!" 그는 너무 팔을 크게 휘두르는 바람에 바닥으로 넘어지고 말았지. 다 같이 폭소를 터뜨렸어. 그 순간 맥헤이브가 들어오고 만 거야. 그날 오후 내 우편함에 그가 '교실에서 통제력이 부족함'이라는 문구가 적힌 경고문을 넣어놨더라.

하지만 난 그 작은 소년이 생각하도록 했어. 그의 머릿속에 어떤 생각의 싹이 트기 시작한 거야. 난 그 애에게 추상적인 개념을 생각하도록 했고, 그를 흥분하게 했어. 정말 대단해!

물론 가끔은 열의가 지나쳐서 이상한 말을 하는 학생도 있지. 나를 뚫어지게 바라보는 한 여학생이 오늘 내가 브루투스에 대해 질문했을 때, 손을 흔들면서 눈에 띠려고 애를 썼어. 내가 말하라고 하자 그 애가 물었어. "선생님, 콘택트렌즈 끼시나요?"

베스터가 그 순간 날 보지 못해서 다행이야. 근데 이 사람은 보이는 것과는 다른 면이 있어. 얼마 전에는 능숙하게 '훈육'하는 그의 솜씨에 감탄했어. 그가 '지각실(나에게 이게 뭔지, 왜 내가 거기 있었는지 묻진 말아줘)'에서 한 남학생에게 시간표를 보여 달라고 하더라고. 남학생은 "저리 꺼져 버려."라고 거칠게 대응했지. 순간 다들 숨 쉬는 것도 잊을 정도로 조용해졌어. 싸늘한 어조로 예의를 지키면서 베스터가 그 남학생에게 다시 말해달라고 했고, 그 아이는 아까 한 말을 반복했지. 베스터가 다시 정중한 태도로 "앞의 두 단어가 무엇이었지?"라고 물었어. 그리고 둘 사이에 이러한 대화가 계속됐어. "저리 꺼져.", "그 말을 다시 말해볼래?", "저리 꺼져.", "다시 말해볼래?", "저리 꺼져.", "그럼 그다음에 한 말을 말해볼까?", "버려.", "다시 해볼까?", "버려.", "또 해볼래?", "버려."….

또래 친구들 사이에서 진지하게 "버려!"라고 반복해서 말하는 게 얼마나 우스꽝스러운 일인지 아니? 그 남학생은 자기가 당한 것을 알게 됐어. 다른 애들도 그걸 알고 낄낄거렸고. 베스터의 의도대로 된 거야. 그는 지각실을 떠나면서 역시나 흠잡을 데 없는 정중한 태도로 다음과 같이 말했어. "대담 연습 반에 널 추천하도록 하마."

나는 그의 자신감을 배우고 싶어. HR 시간에 내가 아이들을 잘 다루지 못했다고 느꼈거든. 애들은 여전히 날 믿지 못해. 아직도 날 시험하고 있지.

한 여학생이 고민이 있다며 수줍게 나에게 말을 걸고, 지난 월요일 방과 후에 나에게 만나고 싶다고 했어. 집에 가기가 두려웠다고 나에게 털어놨지. 하지만 공교롭게도 그날은 '신성불가침한' 교무회의가 열린 날이어서 그 학생의 부탁을 들어줄 수가 없었어. 교사들은 의무적으로 출석해야 하는 회의거든. 난 그 애를 도울 수 있었을 거야. 그 후 그 애는 학교에 나오지 않아. 무단결석생 지도원의 보고서에는 그 애가 가출했다고 쓰여 있더라.

매달 한 시간씩 꼼짝 않고 자리에 앉아 있어야 하는—아마 불법이겠지?— 교무 회의는 힘들어. 바닥에 달라붙을까 봐 수프를 계속 저어야만 한다고 생각하는 강박증 환자처럼 보이는 몇몇 초조한 영혼을 제외하고는 고운 먼지처럼 가만히 앉아 이 순간을 모면하고자 하는 나의 형제자매들을 보았지. 신입 교사의 위치에 있는 조용히 앉아 주제 파악을 하고 있었어. 회의록을 작성하라는 지시를 받고, 난 내용을 펜으로 받아 적었어. 물론 이제 타이핑을 해야 하겠지. 나중에 시간을 재보니, 정확히 60분간 회의를 했더라!

우리에게 주어진 모든 시간은 계획에 따라 안배를 잘해서 써야 해. 학부모 총회와 크리스마스 발표회를 위한 준비는 이미 진행 중이야. 관련 분위기도 별로고, 게시판에도 이상한 조짐이 보여. 오늘 아침에 출퇴근 시간 기록판 위에 아리송한 공지가 붙었어. '추후 공지가 있을 때까지 상급 대수학은 다음 학기에 수강 가능합니다.' 또, '최소 기준과 최대 목표'라는 말이 있는데, 이게 무슨 뜻인지 모르겠어. 아무래도 의사소통에 문제가 있는 것 같아.

의사소통. 내가 아이들과 소통하는 법을 잘 알면 좋을 텐데. 난 그들에게 지금까지 영어 시간에 무엇을 배웠는지, 내 수업에서 무엇을 배우고 싶은지 써서 내라고 했어. 아이들이 적어낸 글에서 뜻밖의 발견을 했어. 아이들이 내가 오기 전까지 삭막한 시간을 보냈고, 그래서 나와 같은 사람을 몹시 필요로 한다는 걸 알게 됐어. 학생을 이해하려고 하는 선생님은 많지 않아. 하지만 가르치려는 열망만으로는 이곳 캘빈 쿨리지에서 제대로 교육하기가 불가능해.

물론 외부에서 보기에 교사라는 직업은 아주 간단해. 선망과 존경을 받으면서 오전 9시부터 오후 3시까지, 일주일에 닷새만 일하면 돼. 두 달의 유급 여름방학이 있고 법정 공휴일에도 쉴 수 있어. 예를 들어 우리 엄마는 나의 하루가 공손한 목소리로 "안녕하세요."라고 합창하는 학생들의 인사로 시작하고, 빳빳하게 풀을 먹인 천처럼 자애롭게 고개만 끄덕이면 끝나는 즐거운 일이라 상상하고 계셔.

너에게 편지를 쓸 수 있어서 정말 좋아!

10월 2일

사랑을 담아, 실

추신. 뉴욕에 800개가 넘는 학교가 있고, 그중 고등학교가 86곳이 넘고, 학생 수가 1백만 명 이상인 거 아니? 그리고 학교에 다니는 학생 1백 명 가운데 고작 15명만이 대학을 졸업한다는 것도? 고등학교까지의 교육이 아이들이 받을 수 있는 전부야.

S.

지루한 영어 수업

    지금까지 영어 공부를 하여 무엇을 배웠냐는 선생님의 질문에 저는 '아무것도 없다'고 대답하겠습니다. 선생님들은 저를 대할 때 빈정대는 태도를 보이거나 안절부절못하셨죠. 영어 선생님이 부족해 다른 과목 선생님이 대신 오거나, 대리 수업으로 진행되었어요. 한 학기에 영어 선생님이 아홉 번이나 바뀌적도 있죠. 한 번은 베스터 선생님이 저희 반에 오셨는데, 그때는 잠깐이긴 했지만, 수업 내용을 이해했는데, 그 선생님은 높은 분이라 계속 가르칠 수가 없었습니다.

    또, 교실도 부족해요. 지난 학기에 저희는 과학실에서 영어 수업을 들었는데, 수도꼭지에서 나온 물에 실험대가 젖어있어 책상으로 사용할 수도 없었고, 그다음엔 체육관에 쪼구리고 앉아 수업을 듣느라 의자도 없었어요.

루이스 선생님 같은 경험이 많은 선생님의 수업도 지루해서 하품이 나왔고, 루미스 선생님(수학)은 수업 자체도 싫어하실 뿐 아니라 저희도 좋아하지 않으세요. 선생님들은 저희가 하찮은 사람이라고 느끼게 만드는데, 이건 선생님들이 교사라는 직업을 자랑스럽게 생각하지 않는 데서 기인한다고 봐요. 한 선생님은 저에게 교실에서 나가서 절대 돌아오지 말라고 말씀하셔서 전 그렇게 했어요.

수업을 거부하는 학생으로부터

제가 배운 것은 무낙입니다. 시도 조금 배웠고요. 그리고 시험 직전에는 지루한 영어도 조금이요. 교실에 남학생들이 있어서 공부에 집중이 안 돼요. 다음엔 더 잘됐으면 하네요.

린다 로젠으로부터

패스터필드 선생님 수업에서는 영어가 정말 재미있었어요! 장기자랑이나 추측하기 게임 같은 새로운 방법으로 점수를 메기고 수업을 진행하세요. 서로 다른 책의 케릭터를 알려주기 위해 졸라맨도 그리시죠. '맞춤법 병원', '구두쩜 넣기'와 '문장 야구' 게임을 하면서 수업을 진행하시고, 성적이

좋으면 상도 주셨어요. 그게 바로 영어를 공부하는 방법이
에요.

진정한 학생 보냄

제가 유일하게 배운 건 '무릎표'예요! 전 '무릎표'를 뒤집어
써놓아도 아는데 말이죠. 이름을 거론하기가 꺼려지지만,
그래도 말해야겠어요. 그 선생님 이름은 루이스예요. 문법
을 틀리는 등의 실수에 까다로웠고, 절 자꾸 지적했어요! 패
스터필드 선생님은 보이는 것 모두를 과장해서 말씀하셨고,
마지막 선생님은 '민주주의'에 집착해서 수업 시간에 무엇을
해야 할지 모른 채 투표만 하셔서 정작 뭘 배웠는지는 모르
겠습니다.

딱 한 번 괜찮은 선생님을 만났지만, 그분은 몸이 '아파서'
그만두셨어요. 벌써 이렇게 말씀드리기 뭐하지만, 선생님은
'살아 있다'라는 느낌을 느끼게 해줘요. 선생님과 보내는 이
번 학기가 재미있기를 바라요.

찰스. H. 로빈스

저는 영어 수업을 받은 지난 시간을 생각하기도 싫지만,

딱 한 명 잊을 수 없는 선생님이 있습니다. 거의 연필로 필기한 탓에 엉망인 제 노트를 보시곤, 볼펜으로 다시 쓰라고 하는 대신에 찢어진 곳을 부치라고 말했기 때문입니다. 다음 날 그 선생님은 저에게 노트를 부쳤냐고 물어보셨어요. 제가 부쳤다고 말하자 선생님은 확인하지도 않고 제 말을 믿겠다고 하셨습니다. '정말이냐'고 확인하지 않고 학생을 믿어준 선생님은 처음이라 제 마음이 따뜻해졌어요. 다른 선생님들은 제 이름조차 몰랐거든요.

한 학생

고등학교 영어 수업에서 배운 것

1. 신문 읽는 법

  A. 헤드라인

2. 개요 쓰는 법

3. 작가들 비고(나다니엘 호손)[07]

4. 그리고 〈사일러스 마너〉[08]

---

07 〈주홍글씨〉를 쓴 미국의 소설가.
08 1861년 출간된 영국의 여성 작가 조지 엘리엇(George Eliot)의 소설.

〈사일러스 마너〉 같은 책을 주면 안 돼요. 우리는 〈롤뤼타〉 같은 십 대를 위한 책을 더 좋아해요.

십 대

여러 해 동안 저는 영어 수업에 만족했습니다. 영어는 우리가 매일 쓰는 언어이므로 무척 중요한 과목입니다. 우리 대부분은 고등학교에 들어온 이후 영어 공부에 관심을 가졌습니다. 저는 영어가 매우 중요하다고 믿으며, 미래를 위해 지식 함양의 차원에서 더욱더 매진하겠습니다. 저는 다른 과목보다 영어를 잘합니다. 항상 열심히 공부하기에 성적이 좋고, 선생님이 하시는 말씀은 무엇이든 저에게 도움이 된다고 생각합니다. 발표는 저의 특기이고, 구두점을 잘 찍는 등 완벽한 문장을 쓰는 것에도 주의를 기울이고 있습니다. 그리고 다른 교육도 매우 중요하므로 열심히 배웠습니다. 덕분에 우수한 성적을 거둘 수 있었고, 반 친구들의 뛰어난 성과에도 역시 감동하였습니다. 저는 선생님처럼 훌륭한 선생님과 함께 제가 선택한 수업에서 더 발전하여 성과를 거두고 싶습니다.

(학생들이 선택한)

해리 A. 케이건

✏️

　선생님은 새로 왔으니 알아두실 게 있습니다. 전 다른 선생님들의 암묵적인 동의를 얻어 잘 지냈습니다. 그것은 제가 선생님들을 귀찮게 하지 않으면 선생님들도 저를 귀찮게 하지 않을 거라는 말입니다. 그러니 이제 전 선생님에게 이런 거 안 쓸꺼에요.

매

✏️

　지금까지 16년을 살면서 거의 모든 유형의 선생님들을 겪었지만, 특히 초등학교 6학년 때 만난 선생님을 잊을 수가 없어요. 그 선생님과 함께 정말 열심히 공부했거든요. 그분은 매우 엄격해서 매일 숙제를 내주고 그걸 저희 머릿속에 집어넣으려고 노력하셨는데, 그런 강압적인 방식 때문에 남달라 보였어요. 그 선생님은 정말 학생들에게 관심이 많았고, 저희의 장단점을 지적하시고는 했어요. 또 방과 후에도 매일 남아서 저희가 모르는 것에 대해 질문할 수 있도록 배려하셨고요. 저희를 군인처럼 다루면서 때리기도 했어요. 이상한 건 다들 그렇게 무서워했으면서 학기 말이 되자 모두 그 선생님 주위로 몰려가서 뽀뽀를 해줬다는 거예요.

　하지만 고등학교 영어 수업은 더 어려워 보입니다. 발표,

발표라는 말밖에 안 들리더라고요.

낙오자

전 영어 시간에 낙서를 배웠습니다. 너무 지루한 과목이라 그냥 앉아서 낙서만 하면서 시간을 보내죠. 가끔 교실에서 자기 위해 선글라스를 쓰기도 합니다.

낙서장이

저는 선생님들을 물건이 아닌, 저와 같은 한 인간으로 보며 단점을 받아들였고, 선생님들의 지킬 박사 같은 면에 더 집중하려고 노력했습니다. 그러나 몇몇 선생님은 교사가 될 자격이 없어 보였어요. 어느 선생님은 나이가 너무 많았고 신경질적인 데다가, 수업은 이해할 수 없었습니다. 그 선생님은 수다쟁이였어요. 자신의 자매나 옆집사람에 관한 이야기가 전부라 우리는 한마디도 할 수가 없었습니다. 우리 또래에 관해 이야기해 주었다면 저희는 조금은 말을 할 수 있었을 거예요. 또 학기 초에는 거창한 계획들을 세워놓고 하나도 제대로 실천하지 않으시더라고요. 이전의 영어 선생님들은 대단한 호의를 베푸는 양 행동하며 비꼬는 말투로 "정말 배짱 있는 애들이구나!"라고 말했죠. 저희는 답을 알고 있음에도 불구하고 맞히기가 무서웠습니다. 저희가 대답하면 선생님은 칭찬해주는 대신 이렇게 말했습니다. "이제 그 정도는 알 때가 되었잖아!" 제가 쉴수로 교실에서 트림하거나 웃음을 터뜨리기라도 하면 학교의 외진 곳으로 불려갔어요.

수줍음 많은 익명의 학생으로부터

저희 반 선생님이 아파서 쉬는 일주일 동안 베스터 선생님이 영어 수업을 대신 하셨습니다. 저희는 그 선생님을 좋아했지만 전 그분이 본성을 숨기고 다른 인물을 꾸며내고 있다고 생각했습니다. 근엄한 얼굴로 엄격한 발언이 가짜 인격을 만들었지만, 우리 모두는 창문 너머에서 거짓으로 빛나는 교사의 모습을 보았습니다. 베스터 선생님은 영어에 대한 숨겨진 흥미를 조금 일깨워주셨고 저희도 열심히 공부했습니다.

캐럴 블랑카

다른 학교에 다닐 때 저를 학생이 아니라 아들처럼 대해

주신 영어 선생님이 있었습니다. 선생님의 아들이 자라서 입지 못하게 된 옷들도 저에게 줬거든요. 옷은 꽤 괜찮았어요.

프랭크 앨런

중학생 때 새로 오신 영어 선생님은 너무 경험이 없어서 학생들을 제대로 다루지 못했고, 저희는 선생님이 소리를 질러도 말을 듣지 않았습니다. 하루는 어떤 애랑 선생님이 분필을 던지며 싸우기 시작했고 우리는 한 명씩 교실에서 나가버렸습니다. 선생님은 저희가 복도에 있는지 보러 나오는 대신에 코트를 입은 후 우산을 들어 어깨에 걸치고 휘파람을 불면서 교실을 떠났어요. 저희에게 한마디도 하지 않았죠. 선생님도 이미 추측했겠지만, 저희는 새로운 선생님을 맞이할 수밖에 없었습니다.

가장 기억에 남는 건 그 영어 선생님이네요.

그동안 우리가 자기 자신을 나쁘게 생각하지 않도록 해준

유일한 선생님은 바로 샤터 선생님이지요. 그분은 저희를 솔직하게 대하고 쉽지 않은 일도 모두 쉬워 보이도록 만들어주세요. 그리고 저희조차 예뻐했거든요. 저는 그 선생님이 돌아오게 해달라고 무릎을 꿇고 빌었지만 소용업었습니다. 햇살이 비추는 창문으로 나무가 보이고, 아무도 뒤에서 수군거리지 않는 학교에 다녔으면 좋았을 거예요. 친근하거나 누구가 더 낫다는 이유로 학생을 편애하지 않는 곳 말이에요.

비비안 페인

쓰라고 하시니 여기 쓰겠습니다.

패스터필드 선생님은 우리가 마음대로 하게 내버려두고,

루이스 선생님은 퇴직해야 하고,

베링거 선생님은 너무 으스대고,

샤터 선생님은 괜찮고,

배릿 선생님은 영화배우가 되어야 하고,

루미스 선생님은 무식한대

선생님이 동의하시든 말든 이게 제 생강입니다.

중학교에 다닐 때 저는 다행히도 교사라는 직업을 사랑하는 선생님을 만났습니다. 가르치는 일에 자부심을 느끼셨던 그 선생님의 교육 방식은 간단했습니다. 학생들이 설령 그들 자신에 대해조차 설명하지 못하더라도 이해해주었어요. 명령조로 이야기하지도 않았지만 우리는 무슨 마법에 걸린 것처럼 스스로 예의 바르게 행동했죠. 제가 영어에 대해 아는 모든 것은 이 고기한 분에게서 배운 거예요. 선생님은 좀 더 넓은 세상을 느끼게 해주었습니다. 점수를 짜게 주는 것만 제외하면 딸기 주스처럼 달콤한 사람이었어요. 저는 종종 선생님과 점심을 먹었고, 다트도 했고, 우리를 위해 선생님이 준비한 점심을 같이 먹기도 했고, 과학 같은 다른 과목의 공부도 배웠어요. 여름에는 공원에 가서 함께 야구도 했죠. 이 선생님과 저는 지금도 편지를 주고받아요.

감사함을 잊지 못하는 학생

영어는 남자가 가르쳐야 하는 개인적인 과목입니다. 학교에는 여자가 너무 많고, 하나같이 별로예요.

러스티

제가 다른 학교에 다녔을 때, 그 학교에는 백인이 몇 명밖에 없어서 제가 다수에 속했지만, 교육 수준은 좋지 않았습니다. 이 학교에서는 저를 적응시키려고 하지만 효과가 없네요.

저는 우등생이라고 불릴 만한 학생은 아니지만, 적어도 학교에 나오면 집에 있지 않아도 되기에 등교를 좋아합니다. 하지만 이 학교 선생님들은 편견이 심하고, 학생 대다수가 백인이기 때문에 저에게 점수를 공정하게 주지 않습니다.

저는 책을 열심히 읽지 않지만 그렇다고 아주 싫어하지도 않았는데 선생님들이 절 망쳤습니다. 도표와 맞춤법, 그리고 좋은 종이를 낭비하기만 하는 10번 깜지에서 얻은 건 아무것도 없어요. 새미콜롱 역시 머리에 들어오지 않았습니다. 항상 지적만 하는 것은 옳지 않아요.

에드워드 윌리엄스 님

내가 무엇을 배웠는가. 내가 성취하고 싶은 것은 무엇인가.

지금까지 나는 의미가 있는 단어, 의미가 없는 단어, 구어, 문어, 품사를 배웠고 금요일마다 시험을 쳤다. 나는 문학과 삶을 완전히 이해하고 싶다.

2학년의 한 학생이

만화경. 기하학 문양의 퀼트. 항상 변하는 패턴. 자갈 하나 떨어지지 않아 파문도 일지 않고 호수와 메아리도 없이 오가는 형체와 그림자들. 창조성을 억누르는 곳에서 영어가 사라진 시간 동안 나는 추억을 잃었지만, 불사조는 새 학기가 되면 희망을 품고 다시 태어난다. 이번 학기엔 달라질까? 나는 용기와 지도, 격려를 받을 것인가? 시간이라는 창에 걸린 질문은 아직 답을 얻지 못했다.(저는 샥터 선생님의 영어 작문 수업에 들어가기로 마음먹었지만, 물리학과 고민하다 결국 포기했습니다.)

엘리자베스 엘리스

영어 공부는 피료가 없습니다. 우리가 사회에서 큰일을 할 때 도움이 되는 과목도 아니고요. 영어를 누가 피료로 한단 말이에요. 공부할 거면 다른 어너를 배우는 게 더 낫습니다. 예를 들어 영화 볼 때 영어사전이 필요한가요? 그리고 그 많은 단어들, 오, 정말 골치 아파요. 그건 터무니없는 것들이에요.

(솔직히 말하면 선생님이 복도에서 절 째려보는 것보다 영어 실력이 좋지 않다고 분명하게 말해주는 게 더 조아요.)

넌더리가 난 학생

한 주는 〈맥배스〉, 다음 주는 〈모비딕〉을 찔끔찔끔, 따옴표…. 부모는 엄격해야 하는지, 여학생들은 청바지를 입어도 되는지 등에 대한 토론. 초등학생 때 저지른 실수를 아직도 저지르고 있습니다. 고쳐졌으면 좋겠네요.

서 있는 사람

유치원에서 말하기를 배운 이후에는 영어 공부를 그만내야 한다. 하하! 문법은 법으로 금지되어야 한다! 복잡한 문장은 언어에서 제외되어야 한다! 대화는 '말주변'이 없는 사람에게는 난처할 따름이다. 문법과 맞춤법 때문에 글쓰기가 힘들다! 책을 읽어도 그것에 대한 질문에 답하기 어렵다!(하지만 전 제 머리에 부담을 주지 않는 영어가 좋아요.) 수업 시간에 잘난 척하는 아이들이 영어를 좋아할 수 없게 만들기는 하지만요. 물론 이득은 없어도 저도 영어로 잘난 척을 하는 부류 중 하나죠. 우리는 나쁜 것, 좋은 것을 모두 받아들여야 합니다. 인생이 항상 즐거운 것만은 아니니까!

루 마틴

문법과 셰익스피어: 우엑!

에세이: 쓸데없는 이야기만 많음.

〈아이반호〉[09]: 도움이 안 됨.

조지 엘리엇: 여자지만 구린내가 남.

왜 이런 질문을 하십니까? 선생님이 앞으로 수업을 더 잘할 수 있다는 것을 보여주시려고? 선생님들은 모두 똑같습니다. 쓰레기를 주면서 우리가 그걸 삼킨 다음 반듯하게 행동하며 좋은 성적으로 되돌려 주기를 기대합니다. 선생님은 학생들에게 잘 보이는 방법을 알기에 영어 수업에 대한 의견을 물으시죠. 저는 그러한 행동이 마치 수작을 부리는 것처럼 보입니다. 신경 써주는 척하면서 이런 작위적인 짓을 하다니 다른 선생님들보다 더 위선적인 건가요? 뭐 하는 짓입니까?

우리는 선생님에게 먼지 같은 존재고, 선생님은 감옥 같은 이곳을 운영하는 멍청이들과 내부 고발자들에게 먼지 같은 존재고, 또 그들은 이 학교 시스템을 움직이는 사기꾼과

---

09 영국의 작가 월터 스콧의 역사소설. 중세기 영국 색슨족과 노르만족 간의 대립을 배경으로 한 사랑과 무용(武勇)의 이야기다.

허풍쟁이에게는 먼지 같을 겁니다.

학교 전체에서 한 사람을 제외하고는 아무도 저에게 관심을 두지 않는데, 그건 집이나 거리에서도 마찬가지입니다. 선생님도 아마 제 말에 관심이 없을 테니 제 어휘 점수에 빵점을 주셔도 됩니다.

어쨌든 저는 이번 학기를 끝으로 학교를 그만둡니다. 선생님이 우리를 위해 알려줘야 한다고 말씀하시는 드넓은 망할 세상으로 나가 개들을 잡아먹는 다른 개들과 함께하겠어요. 저에게 배움은 스스로 하는 것이었습니다. 어떤 교과서에도 없는 것이었지만요. 하지만 선생님은 이곳에서 꼼짝할 수밖에 없는 사람입니다. 걱정은 마시죠. 학교로 돌아와 메에, 메에 하고 우는 불쌍한 어린양의 모습에 기꺼이 자신을 맞출 수 있는 다른 아이들을 찾을 수 있을 테니까요. 대신 두 줄로 맞춰 빨리 걸으라고 해요. 그리고 학생들의 멋진 졸업장들을 쓰레기 더미와 함께 받게 되시겠죠. 하하.

선생님의 질문에 대답이 되리라 믿습니다.

조 페론

조— 너의 어휘력은 다채롭지만 특정한 단어는 조금 적게 사용했으면 더욱 효과적이었을 것 같구나. 은유 역시 생생하게 잘 표현했어. 개와 양 같은 거 말이야. 나는 네가 자신을 평가하는 것보다 훨씬 더 높은 점수를 주고 싶어. 아, 이건 영어 점수를 말하는 게 아니야.

너의 말은 어느 정도 일리가 있지만, 편협한 시야에 매달려 있기엔 넌 너무 똑똑해. 너는 날 고발했지만, 이 나라에서는 유죄가 입증될 때까지는 무죄야. 의심을 거둘 기회를 주지 않을래? 우린 대화가 필요한 것 같아. 오늘 수업 끝나고 나 좀 볼 수 있을까?

S. 배릿

전 선생님이 쓰는 어려운 말을 이해하지 못하겠고, 학교 끝난 후 바쁘거든요. 매일요. 할 말 있으면 수업 시간에 하시죠.

조

(추신. 선생님을 믿을 수 있게 되면 좋겠군요.)

역량 강화 등

배릿 선생님께

영어 교과 요강을 안내하여 드립니다. 성경처럼 숙지하십시오. 수업 능력을 강화할 다양한 방법을 논해봅시다.

어학과 과장, 새뮤얼 베스테

모든 교실에서 실행할 절차를 고려하여 학생 개개인의 차이와 필요성을 위하여 만든 조항을 알려드립니다. 교사는 학년 배치와는 상관없이 기술과 지식을 동원하여 각 학생이 성과를 이루도록 하여 발전하도록 이끌어야 합니다.

스스로 책을 찾아 즐길 수 있는 독서 습관을 만드는 것은 학교가 할 수 있는 가장 중요한 역할입니다.

영어 수업을 되도록 재미있게 만드는 것에 특히 주의를 기울여야 합니다. 또 관심을 가질 수 있도록 책장과 책상에는 다양한 책과 정기 간행물을 진열해두어야 합니다. 이동식 의자와 책상을 이용하면 원활하게 모여 수업을 할 수 있습니다. 수업에는 영상과 빔프로젝터, 카세트 플레이어 및 다른 시청각 기기를 이용하는 것이 바람직합니다.

3장

페르세포네

엘렌에게

너희 집 벽난로를 흰색 벽돌로 꾸몄다니 멋있을 것 같아. 하지만 난 굴뚝이 불편하다는 것 말고는 아는 게 없어서 뭐라 말해줄 게 없네.

사실 난 가르치는 일도 불편해. 소문으로는 이번 주에 '귀신'이 나타난다고 해. 베스터 선생님이 돌아다니며 내 수업을 참관할 것 같아. '뒤처지는 열등반' 수업할 때 보러 오면 어떡하지?

오늘은 우리 수업인 신화와 관련하여 칠판에 에드나 밀레이[10]의 '페르세포네에게 드리는 기도(Prayer to Persephone)'를

---

10 에드나 세인트 빈센트 밀레이(Edna St. Vincent Millay)는 미국 출생의 시인으로, 1923년 퓰리처상을 받았다. 주요 시집으로는 〈르네상스〉와 〈한밤중의 대화〉가 있다.

적었어. 너 그거 기억나?

> 나에게 없는 모든 것이
> 페르세포네, 그녀에게 있어라.
> 그녀의 머리를 너의 무릎에 올려라.
> 당당하고 격렬하며
> 경솔하고 오만하고 자유로운 그녀.
> 나의 도움이 필요하지 않은 그녀는
> 작고 외로운 아이.
> 지옥에서 길을 잃은 페르세포네
> 그녀의 머리를 너의 무릎에 올려라.
> 그녀에게 말하라, "그대여, 그대여,
> 이곳은 그리 무섭지 않도다."

　시를 보자 아이들은 앓는 소리를 냈어. 당연히 그랬겠지. 시적 화자가 누구일지 자유롭게 말해보라고 하자(사랑하는 사람에게? 어머니가 아이에게?), 비비안 페인이 조심스럽게 손을 들고 말했어. "선생님 아닐까요?"하고.
　아이들과 친밀해질 필요는 있지만, 너무 가까워질 수는 없지. 교사와 학생의 관계는 줄타기하는 것과 같아. 말과 행동을 신중하게 해야 한다는 걸 잘 알거든. 호의와 친근함,

위엄과 거리감 사이의 미묘한 균형이 있어야 해. 난 폐론을 갱생하려고 노력하면서 이 점을 의식하고 있어. 내가 여기에 왜 이렇게 신경 쓰는지 모르겠어. 아마 그 애가 너무 반항적이기 때문일지도 몰라. 혹은 그 애가 너무 상처를 받았기 때문인지도 모르고. 걔는 자신의 인생에서 길을 잃기에는 너무 똑똑하고, 또 너무 문제가 많아.

나는 그를 포함해서 모든 아이를 알고 싶어. 아이들이 자신들만의 언어로 얘기할 수 있게 돕는 게 방법이라고 생각해. 그래서 아이들이 쓴 작문을 열심히 읽고, 이야기를 듣기 위해 의견함을 비우지.

참, 너 이상한 걸 물어봤더라! 내가 떠돌이 생활을 해야 하냐는 게 무슨 뜻이냐고? 그야 메리 루이스가 내 교실에서 두 시간 동안 수업을 하니까 그렇지. 왜 그 사람은 자기 교실에서 안 하냐고? 그야 다른 떠돌이가 그녀의 교실을 쓰니까. 우리는 게시판과 칠판을 반씩 나누어 써. 나는 그녀가 쓰는 반쪽에다가 무엇을 하는지 항상 궁금해.

그 선생님 말씀으로는 우리 교실은 의자를 움직일 수 있어서 더 좋대. 필기판이 팔걸이에 달려 있거든. 그 선생님 교실은 캘린 쿨리지가 초등학교였던 시절에 썼던 작은 책상이 바닥에 고정되어 있어. 학생들은 무릎이 책상에 닿아서 힘들어하지.

폴에 대해 더 알고 싶다고도 했지?

나도 그래. 그는 영리하고 눈치가 빠르며, 멋진 눈썹을 비롯한 훌륭한 외모의 소유자야. 그런데 그는 좀 회피 성향이 있는 것 같아. 아이들이 몸에 닿는 걸 싫어하는데, 붐비는 복도에서 학생이 부딪치고 지나가는 것에도 거의 혐오하는 듯한 반응을 보이더라. 교실에서 나오기 전에는 항상 복도가 한산해지기를 기다리더라고.

여학생들은 그를 정말 좋아해. 우리 반의 한 학생은 "제가 왜 그 선생님을 좋아하냐면요, 그 선생님은 항상 책상에 기대어 서 있고, 때로는 그 위에 걸터앉아서 그래요."라고 말하더라고.

우리가 누구를 좋아하는 이유는 생각보다 단순한 걸지도 몰라.

너만큼이나 나에게 편지를 많이 보내주는 사람은 우리 엄마야. 엄마는 내가 쓸 만한 주방도 없이 대도시에 혼자 사는 게 걱정되나 봐. 그리고 존스타운에서 발행한 신문 기사 중 강간, 폭행, 살인사건이 실리면 스크랩해서 보내줘. 여백에 "조심해라!"라는 무서운 경고문을 휘갈겨써서 말이야. 엄마는 내가 학교 안에서만 안전하다고 느낀다니까.

과연 그럴까.

10월 5일 월요일

많은 사랑을 담아, 실

추신. 뉴욕시의 예산 중 교육에는 단지 21%만이 쓰이고, 다른 소도시에서는 예산의 70%나 쓰인다는 거 아니?

S.

배릿의 쓰레기통에서

작문 노트	영어 33 SS(Super Slow)
체이스 H. 로빈스 씀	배릿 선생님

나의 제일 친한 친구
챕터 1

'가장 친한 친구'는 우리가 서로를 위해 무엇을 해주는지로 결정된다. 모든 '친구' 중 나의 하나뿐인 제일 친한 친구는 '토니'인데 나는 걔를 '콜키'라고 부른다. 우리는 어디을 가든 그곳이 어디든 항상 같이 다닌다. 콜키와 나 사이에는 많은 일이 있었다. 내가 이 '친구'와 멀어진다면 어떻게 될지 모르겠다. 많은 사람이 우리를 '형제'라고 부르는데, 이건 우리가 절대 떨어지지 않고 늘 함께 있을 거란 뜻이다. 이것이 그가 나와 '가장 친한 친구'인 이유다.(100단어 이상 쓰기)

나의 제일 친한 친구. 작문 노트, 무효!

나는 친한 친구가 많다. 그중 하나가 조니다. 약 164센티미터 키의 조니는 열다섯 살이고, 나를 잘 따른다. 또한, 똑똑한 조니는 공정하며, 친구들과 절대 싸우지 않는다. 그는 안경을 쓰고 말쑥하다. 말쑥하다는 건 옷을 단정하게 잘 입는단 뜻이다. 내가 이 친구를 좋아하는 이유는 우리가 좋은 친구이기 때문이다.

교내 우편

발신: 베아 샥터

수신: 실비아 배릿

실비아에게

같이 점심 먹으러 나가서 슈라프츠에서 쇼핑 좀 해요! 선생님의 SS반은 잊고 30분간 분필 가루를 털어 봐요.

전 종이 맛이 나는 커피에 질렸어요. 지옥의 문 앞에 있는

—뭘 지키더라? 누구로부터? 아무튼— 케르베로스[11]처럼 이 편지를 쓰며 여기 앉아 있죠. 전 선생님의 복도 순찰 업무와 저의 로비 업무를 언제든 바꿔드릴 수 있어요. 이 편지를 전해줄 천사에게 알겠다고 말하고, 우리는 우아하게 밥 먹으러 가죠!

(오늘 아침에 수업 참관이 있을지도 모른다고 들었어요. 아이들에게 '내가 좋아하는 운동'이나 '바다에 대하여' 같은 작문 과제를 내주고 긴장 풀어요!)

베아

베아에게

오늘은 안 되겠어요. 미안해요. 학생 아버지가 점심시간에 방문할 예정이에요. 자기 아들이 왜 받아쓰기 시험에서 35점밖에 못 받았는지 물으러 온다는군요. 답변을 해줘야 할 텐데. 어떡하죠?

실비아

---

11 케르베로스(Cerberus)는 그리스 신화에 나오는 지옥의 문을 지키는 개로, 머리가 셋에 뱀의 꼬리를 가졌다.

실에게

그러지 말아요. 대화하려고 하면 안 돼요. 아무도 제대로 듣지 않으니까. 모든 사람은 섬과 같아요. 아버님에겐 대신 커피 한 통이나 드리면 돼요.

베아

원고 초안 (괄호 안은 오타를 교정한 거예요!)

저기, 안녕하세요, 나의 가장 친한 친구 마이크가 **익숙하게(익숙한)** 나의 손을 잡고 한 그 말은 붐비는 거리에서 **신비롭께(게)** 울려 **퍼졋(졌)**다. "빌, 옛날 물건들은 다 어때?" 괜찮아, 내가 답을 보낼게. 난 그걸 예상하지 못해서 **놀랏(랐)**어. 반짝이는 흰 눈이 반짝이는 맑은 겨울날이었다.

수업 계획안

대상: 영어 33 SS

글쓰기 수업 관련: '나의 가장 친한 친구'를 주제로 하여 약 100단어로 글쓰기 강조. 간결, 명료함이 중요

원고 초안: 제출 및 복사

강조하기: 주제 문장과 종결 문장 설명

칠판에: 우정의 중요성:

    1. 개인의 삶 풍요롭게 만듦

      –. 상부상조

      –. 다른 관점 제시

      –. 외로움 해소

    2. 사회적 기능

      (인간-사교적인 동물)

    3. 비즈니스

    4.

나의 가장 친한 친구

  우정은 중요하다. 그것은 우리의 삶을 풍요롭게 해주며, 다른 이의 관점을 주고받게 해준다. 우정은 또한, 외로움을 해소하고 사회적이다. 사람은 사교적인 동물이고, 우리는 사회적인 동물이고, 비즈니스 때문에 우정은 더욱 중요하다.

                    100단어가 안 되네요.

  나의 가장 친한 친구는 나, 그리고 나 자신입니다. 왜냐하면 아무 도 믿을 수 없거든요. '그들'은 당신에게 내가 너의 가장 친한 친구라고 말하는 동시에 뒤에선 당신을 뚱보라고 부를 겁니다. 이것이 나만이 나의 친구가 될 수 있다고 말한 근거이고, 난 친구가 없어도 신경 쓰지 않습니다. 내 몸무게는 최근 2킬로그램 줄어들었어요. 다른 여자애들은 모두 못된 애들이니 신경 쓰지 않습니다. 나 자신이 내가 사랑하는 나의 친구입니다.

나의 가장 친한 친구

전 세계의 모든 사람은 ~~매우 가깝게 느끼는 친구가 한 명 있다.~~

~~인간의 본성에 가장 좋은 것은 최고를 갖는 것이다.~~

~~비즈니스와 사회적 이유로 우리는 모두 친구가 필요하다.~~

~~나는 대단한 것을 말해야만 한다.~~

인간은 사교적인 동물이다.

실비아에게

'귀신'이 나타나는 날이 바로 오늘이에요! 서둘러 칠판에 뭐라도 적고, 바닥에 작은 종이 쪼가리도 치우고, 창문은 위에서 10센티미터만 열어둬요! 그가 제 수업을 참관하러 왔을 때 TV 화면으로 구두법 수업 내용을 보기 시작했는데 걷잡을 수가 없었어요. 그리고 전 칠판에 과제를 써놓는 걸 잊어버렸죠. 학생들에게 작문을 시키는 건 어때요? '귀신'은 지루해하다가 나갈 거예요. 다시 말할게요. 창문과 작문을 기억해요!

헨리에타

글쓰기. 확인해야. 처벌 폐지?

우리가 사회학에서 많이 논의했던 '사형제 폐지'를 주제로 하여 작문을 시킬 거예요. 사형대에 올라 죽게 되면, 앞으로 더는 좋은 일을 할 수 없잖아요. 다른 사기꾼들에게도 **나쁜** (좋은) 예가 될 것입니다.

화장실 통행증 – 오전 10:08

S. B.

교실로 돌아가십시오: 오직 나무 통행증만이 허락됩니다.

JJ 맥헤이브

메모: 3시까지(교무실)

출석부, 무단결석생 보고서, 결석자용 카드

건강 카드(예방 접종&치과)

(영어과)

F번의 마지막 학기

% 반복 영어

수준 향상(방법)

〈맥베스〉 전환???

쉬는 시간 종을 기다리며 죽어간 사람들을 추모하며

너 수학 공부 했어?

그만해, 바보야!

　　　　　　　　꺼져!

네가 꺼져!

클라크 박사님께

정확하게 ~~지적하신 것처럼 교육은 여기서 바쳐야~~

제 생각에 ~~사무적인 업무 과중으로~~ 더 소중한 수업 시간

이 낭비

입실 시간: 오전 9:01

인정할 수 없는 지각 사유

지하철 선로에 책을 떨어트려 지각했다고 소명함.

　　　　　　　　　　JJ 맥헤이브

작문 노트

내가 좋아하는 친구. 초고. 103단어

내가 가장 좋아하는 친구는 먼로다. 내가 좋아하는 친구로 그를 선택한 진짜 이유는, 먼로는 자신이 어떻게 행동해야 할지 알고 있는 사람이기 때문이다. 먼로는 다툼을 싫어한다. 그리고 그는 내가 부끄러움 없이 우리 집에 데려갈 수 있는 사람이다. 모든 아이들은 자신의 친구에 대한 선호가 있고 그도 항상 그것을 가지려고 노력할 것이며 음, 나는 이제 글쓰기를 끝내고 싶다. 추신. 작문 시간을 줄이고 구내식당을 늘려주세요. 그리고 일찍 보내주세요.

공지 No. 28

모든 공지를 순서대로 파일에 잘 보관하시기 바랍니다.

제목: 최종 목표

중등 교육의 특수 기능에 대해 더 깊이 이해하고 민주주의에서의 교육의 의미와 교사의 개념을 확장한다; 교육 기술과 교육의 조정을 촉진할 필요한 변화를 확인하고 불러일으킨다; 목적 의식을 갖고 그에 수반되는 직접적인 경험을 한다; 학교와 지역 사회에서 이용할 수 있는 모든 보조 기관을 활용한다; 승인된 목표를 향해 교사의 성과를 학생의 성장 정도로 측정한다.

저의 가장 친한 친구는 개입니다. 개는 인간의 가장 좋은 친구입니다. 개는 비록 말은 하지 못해도 기쁠 때나 슬플 때나 평생 충성하고 헌신합니다. 더는 잉크가 없

클라크 박사님께

~~저는 말씀드리고 싶지 않습니다.~~

~~이 직종에 종사하는 일원으로서~~

아시겠지만, ~~우리 학생들 대부분은 혜택을 받지 못하고 궁핍하므로,~~ 그들에게는 매우 필요합니다.

나의 가장 친한 친구는 텔레비전이고 만약 이게 고장난다면, 나 혼자 뭘 해야 할지 모르겠다. 다른 십 대 청소년들처럼 나도 특이 좋아하는 프로그램이 있지만, 너무 많아서 그걸 여기에 다 쓸 수는 없다. 그 수는 많아도 모두 내가 정말로 좋아하는 것들이다. 텔레비전과 함께라면 집에 앉아 있어도 심심하지 않다.

작문 수업에의 동기 부여

의사소통의 중요성

A. 자신을 표현하고 이해하는 것의 필요성

B. 의사소통의 도구로써의 언어

칠판에 쓰기:

"종종 생각하지만 잘 표현되지 않은 것"

(뻔한?)

"문체는 인간이다."

교통비·················0.15

신문···················0.10

커피···················0.10

참치 샌드위치········0.60

커피···················0.10

협회비·················1.50

―――――――――――

2.55 (지금까지)

입실 시간 ― 오전 8:39

복도에서 호루라기를 불어 지도함.

JJ 맥헤이브

배릿 선생님께

절 기억하세요? 학기 첫 주에 선생님 반에 있었는데, 이사 때문에 출석을 하지 못했어요. 전 전철에서 선생님과 이야기를 나눈 시간을 절대 잊지 않을 거예요. 영어는 제가 제일 잘하는 과목은 아니지만, 선생님은 저에게 관심을 가진 유일한 사람이었어요. 선생님은 저에게 결코 나쁜 말을 하시지 않았죠. 학교는 어때요? 클라크 박사님은 잘 지내시죠? 교장 선생님을 여전히 박사라고 부르나요? 아무튼, 행운을 빌게요. 다른 분들에게 인사 전해주시고 건강하세요.

선생님의 사랑하는 옛 제자

아이리스 레페츠

귀신이 나타났다! 지금 301호. 북쪽으로 향하는 중. 엄숙한 얼굴. 창문을 열어요!

공지 No. 27

모든 공지는 순서대로 파일에 보관하시기 바랍니다.

제목: 학생의 성격 프로필 부록

학생의 환경에 따른 성향을 더 포괄적으로 평가하기 위한 다음과 같은 서류(출석 평가표)를 동봉하여 보내드립니다.

나의 가장 친한 친구라. 잘 모르겠다! 자리에 앉자마자 우리 선생님이 글쓰기 과제를 내줬다! 이럴 수가! 솔직히 말해서 나는 글쓰기를 좋아하지 않는다. 난 토론하면 될 일을 굳이 글로 표현하는 것을 좋아하지 않는다. 아니면 각색이나 바다쓰기처럼 별로 많이 안 써도 되는 것! 그건 노조에 공평하지 않다! 하하, 농담!

나의 가장 친한 친구

지난여름 나는 이모와 바다에 갔다. 이모는 바닷가에 자근 집을 가지고 있는데, 매해 여름 나를 데리고 그곳에 간다. 나는 바다에서 해엄도 치고 핸드볼도 하며 신나게 놀았고, 햇볕을 쬐며 산책또 하여 걷강을 얻었다. 나는 지붕에도 올라갔다. 이모가 내년 여름에도 나를 또 그곳에 데려가 줬으면 좋겠다.

지각:

입실 시간 - 오전 8:32

변명 - 알람이 울리지 않았다고 주장함.

JJ 맥헤이브

수신: 관리인

그레이슨 선생님께

저희 교실에 창문 고정대가 없어졌어요. 304호실입니다. 급해요! 두 번이나 요청을 드렸어요.

S. 배릿

이곳에는 아무도 없습니다. 점심시간 이후에 다시 오십시오.

영어과 회의 오후 3시, 장소 과학실 309호:

학생의 다양한 경험을 위한 수업용 교재 선택:

〈맥베스〉는 4학기 말고 6학기쯤 가르쳐야 할까?

배릿 선생님에게

제 아들 아놀드가 영어 숙제를 하지 않은 것을 용서해주세요. 그 애는 어젯밤 문제가 생겨 경찰서에 있거든요. 용서를 구하며, 이만 실례하겠습니다.

아놀드의 엄마, 로즈 A

작문 노트

A) 나의 절친

    1. 이름 주소

    2. 함께 무얼 하나

    3. 친구를 좋아하는 이유

    4. 친구가 나를 좋아하는 이유

    5. 취미

    6. 맺음말

    7. 인간–사교적 동물

클라크 박사님께

~~박사님께서 얼마나 바쁘신지 잘 압니다. 박사님은 분명~~
~~커즌의 것과 차이점이 무엇인지 아시겠지요.~~

나의 가장 친한 친구는 내가 상상으로 만든 쌍둥이 자매
다. 나는 그 애에게 모든 것을 말한다. 그 애는 예쁘고 나를
무조건 따른다. 우리는 모든 것을 공유한다(예쁜 드레스 등등).
그 애의 이름은 로잔느다. 그 애는 비록 내 마음속에만 있지
만, 우리는 누구보다 가깝다. 그 애는 나와 쌍둥이지만, 절
대 말대꾸를 하지 않는다.

교재실

신청 용지

필요함 40 통사론과 형식(영어) 33 SS

(등록-46)

(장기 무단결석생-7)

70 로미오와 줄리엣(영어) 52&56

S. 배릿 - 304호

교재실에는 〈통사론〉 4권과 〈로미오와 줄리엣〉이 26권밖에 없습니다. 대신 〈아이반호〉를 가르칠 수 있는데요. 여기 복사본 160권이 있습니다.

프랑스 문학의 영향을 받아, 8음절 대구 형식으로 쓴 초서의 〈공작부인의 서(Book of the Duchess)〉에 대해 쓴 논문으로 저는 명예로운 첫 번째 석사 학위를 받았습니다. 저는 뉴욕의 중등학교 교사 자격증을 소지하고 있으며, 현재 캘빈 쿨리지 고등학교에 재직하고 있습니다.

~~보충하기 위하여 저는~~

만약 그쪽에 야간이나 여름 계절학기 교수 자리가 비어 있다면 알려주시면 감사하겠습니다.

진심을 담아,

실비아 배릿 드림

나의 가장 친한 친구는 내 남자친구인대 그는 키가 크고, 부자이며, 잘생겼다. 그는 하얀색의 가죽 시트를 깐 투톤 컬러의 캐딜락 컨버터블를 가지고 있다. 매일 밤 나는 그 차를 타고 클럽으로 가서 춤을 춘다. 그는 나에게 꽃과 보석을 선물하고, 커다란 욧트 또한 갖고 있다. 비벌리힐스에 수영장이 딸린 전원주택을 가졌으며, 나중에 내가 주인이 되어 부리게 될 고용인들과 함께 파크 애비뉴에 살고 있다. 그것이 내가 그를 만나는 이유다.

수신: 실비아 배릿 선생님

발신: 어학과 과장 새뮤얼 베스터

뉴욕 상공회의소에서 '뉴욕의 역사적인 건물 보존'을 주제로 에세이를 모집하오니 선생님 반 학생들에게 알려주시기 바랍니다.

모든 학생이 참여하도록 격려 부탁드립니다.

S. 베스터

창문 고정대 좀 빌려주실래요? 부탁드릴게요.

S. B.

실에게- 누가 저희 반 걸 훔쳐 갔어요. 오늘은 창문 고정대가 문제네요. 대체 어디로 갔을까요.

베아

지각:

교실 입실 시간: 오전 8시 36분

변명: 전철 지연

JJ 맥헤이브

나의 가장 친한 친구

나의 가장 친한 친구는 우리 영어 선생님인 배릿 선생님이다. 선생님과 만난 첫 학기지만, 선생님은 예쁘고, 옷도 잘 입고, 채점도 잘해주고, 모두를 공평하게 대한다. 선생님은 모든 학생을 좋아한다. 이상의 이유로 나는 선생님을 선택했다.

(학부모 이름 넣기   )께

저는 (이러한 사실을 전할 수 있어 기쁩니다.

　　　(이러한 사실을 알려드리게 되어 죄송합니다.

당신의 (아들이   이러저러한 일을)

　　　(딸이   이러저러한 일을)

나의 가장 친한 친구는 좋은 책이다. 나는 교육적인 책을 즐겁게 읽는다. 책은 문법과 맞춤법 향상을 도와준다. 또 독서를 통해 어휘력도 증가시킬 수 있다. 나는 모든 책의 훌륭한 독자다. 내가 가장 좋아하는 책은 셰익스피어의 〈안토니와 클레오파트라〉다. 셰익스피어가 사랑은 어떤 것인지 말해주려고 노력한 흔적이 엿보인다. 엘리자베스 테일러와 리처드 버턴의 연기도 좋다. 나는 다른 좋은 책도 많이 아는데, 그것들은 대다수 고전이다.

　메모: 〈의사소통 기술로서의 영어〉 반납.

　나는 좋아하는 친구도 몇 명 있고, 싫어하는 친구도 몇 명 있지만, 그들에 관해 쓰기가 어렵고, 진짜 쓰고 싶은 내용을 어떻게 써야 할지도 어렵다. 나를 진심으로 이해해주는 친구를 만나길 바라는 내 마음을 다른 사람에게 설명하기도 어렵다. 그것은 매우 어려운 일이다.

클라크 박사님께
제가 수업을 시작한 이래 부족함을 느낀 부분은

교실에 전달하여 주십시오—
내려가는 계단을 거슬러 올라간 버릇없는 학생을 잡아두
었습니다.

JJ 맥헤이브

나의 가장 친한 친구

나는 나의 가장 친한 친구가 엄마라고 믿는다. 엄마는 항
상 나의 고민거리를 들어주고, 나를 위로해준다. 또 엄마는
자신의 인생을 희생하고 있다. 나도 엄마에게 자랑스러운
사람이고 싶지만, 태어난 이후 지금까지 쭉 골칫거리였다.
이 편지에서 사과드립니다. 안녕히 계십시오.

클라크 박사님께

JJ의 한탄

교내 우편

발신: 폴 베링거, 309호

수신: 실비아 배릿, 304호

실비아!

어젯밤 저녁 식사 후에 어디로 사라졌던 겁니까?

제가 너무 많이 취했던가요?

마지막으로 보내신 쪽지는 거절의 표시가 분명하군요. 어투가 더없이 예의 바르고, 경계하는 듯하던데요. 왜 저는 친근한 주제로 글을 쓰지 못할까요?

학교 시스템은 저에게는 익숙하답니다.

교실에서 제멋대로 구는 아이들에 관해 쓸까요? 아니면

따분한 조회시간? 복도로 밀고 나가는 것?(선생님도 알다시피 저는 복도가 붐빌 때 절대 나가지 않습니다.)

선생님들이 채점한 시험지에 관해 쓸까요? 맥헤이브의 공지?(알다시피 전 지루하다고 느끼는 임계점이 낮습니다.)

제가 유일하게 그에게 할 수 있는 것이란 시를 선물하는 것뿐입니다. 제목은 'JJ의 한탄'이랍니다.

천장이 떨어졌다고? 잉크가 말라버렸다고? 학생이 웃어보라고 말했다고?

자꾸 터지는 재난들.

나는 스스로 교사임을 확신한다.

더 많은 공지를 보내자. 공지는 무조건 파일에!

아이를 잃어버렸다고? 아이에게 뽀뽀했다고? 바닥에 종이가 있다고?

중대한 고비를 맞을 때마다

한 가지 방법이면 충분해:

공지, 공지를 서랍에 넣어라!

카페테리아에 몰린 사람들?

대리교사의 히스테리?

시리아에서 온 방문객?

잃어버린 책 영수증?

나는 그저 공지를 보내네.

다른 공지를 추가하라.

다른 공지를 추가하라.

통계를 내어 깔끔하게!

저는 맥헤이브 선생님이 발표회에서 주연을 맡기를 바랐지만, 그는 다른 약속이 있더군요. 제가 그에게 멋진 아리아를 써주었거든요. 제목은 '그것이 나의 주의를 끌었어!'입니다.

왜 발표회에 서는 것을 거절하셨죠? 선생님은 교실에서 시간을 낭비하고 있어요.

왜 거절하셨죠? 선생님은 자신의 능력을 낭비하고 있어요.

소녀는 참을성 있는 그리젤다[12] 같네.

그녀는 점점 나이만 들어갈 거야.

점심시간에 우리 만날까요?

세 시에 우리 만날까요?

오늘 저녁에 우리 만날까요? 올바른 정신으로 있겠다고 약속하겠어요.

폴

---

12 중세 문학에 나오는 정숙한 여인의 이름.

의견함에서

다른 선생님들도 선생님처럼 의견함을 설치해주셨으면 합니다. 다른 선생님들은 우리에게 무슨 일이 있는지만 질문하시고, 대답으로 '안 되면 다른 방법으로 해 봐'라고만 말씀하시죠. 나 참. 저도 그 선생님들을 뭐라고 좀 나무라고 싶어요. 하지만 선생님은 그나마 괜찮으신 편이죠.

(선생님이 자기 이름을 밝히지 않아도 된다고 하셨잖아요.)

꺼져! 멀리 떠나! 이 도시를 떠나! 당신도 뭐가 좋은지 알게 될 거 아냐! (그쪽이 자초한 일이야!)

행복을 비는 사람

선생님은 말씀을 잘하시고, 저희를 무서워하지도 않지만,

그렇다고 우습게 생각하지는 마세요. 지난 학기에 담임을 맡은 남자 선생님은 우리 때문에 우셨다고요.

당신의 적

교실에 남자는 별로 없고 여자만 많아요. 하지만 그건 선생님 잘못이 아니죠. 또 어떤 학교에서는 카페테리아에서 춤도 추고, 다른 것도 한다던데 우리도 좀 새로운 걸 해보는 게 어때요? 한 번뿐인 인생이잖아요.

린다 로젠

'나의 가장 친한 친구'를 주제로 한 글쓰기는 매우 재미있었고, 몇몇 학생에게도 도움이 된 모양입니다. 수고하세요.

(학생들이 선택한)

해리 A. 케이건

선생님은 아직 열정이 있으니까 학생들을 너무 너그렇게 대하지 마세요. 우리는, 특히 조 페론은 그 점을 이용해서 실컷 사고를 치고도 선생님께 귀여움을 받으려고 하니까요. 또 〈오디세이아〉 같은 고리타분한 책 말고, 좀 최근에 출간된 책으로 수업을 해주세요. 〈오디세이아〉는 이 시대에 맞게 다시 써야 해요.

낙오자

분필로 끽끽 소리 내는 거 안 할 수 없나요?

예민한 사람

루 마틴에게 으스대지 말라고 말해주세요. 걘 자기가 웃
긴다고 생각한다니까요.

사인- 진지한 학생

씨발. 좆까. 쓰레기. 빌어먹을. 미친 새끼.

유의미한 일만 시켜 주세요. 조회는 너무 지루하다고요.
전 그(클라크)가 무슨 말을 할 건지 알아요. 대신 영화나 보여
주세요.

Mr. X

너무 열심히 하지 않아야 더 오래 살 수 있어요. 수업할
때는 앉아서 편하게 하세요.

저에게는 고민이 많지만, 이 건의함에 그것들을 넣어서 선생님에게 부담을 주고 싶지 않아요. 알아서 좋은 일들은 아니니까요. 선생님은 무척 이해심이 많은 사람 같아요. 무슨 뜻이냐면 선생님은 나이 차가 얼마 안 나서 우리를 이해한다는 거예요. 우리 언니처럼 예쁜 선생님이 아이들을 가르치는 일을 하다니 아깝네요. 선생님이 평범한 사람이었다면 우리와 더 친해질 수 있었을 거예요.

비비안 페인

제 자리는 창문 근처인데 창문이 깨져서 감기에 걸렸어요. 삶이란 기쁨을 위해 돈이나 다른 대가를 제공해야 하는 것이죠.

다섯 번째 줄 끝자리

이 학교는 마치 군데와 같습니다. 아주 사소한 일로도 그(맥헤이브)가 흥분하니까요. 저도 세금을 내며 그가 월급을 탈 수 있도록 하고 있으니, 그 사람은 행동을 더 조심하는 게 좋을 거예요!

납세자

린다 로젠은 섹시하고, 앨리스 블레이크는 거만해요. 그리고 선생님은 조 페론을 좋아해 주시지만, 그 아이는 그냥 관심을 끌려고 그런 거라고요.

방치된 사람

여자 선생님이었기 망정이지, 만약 선생님이 남자였다면 제게로 다가오는 꼴도 보지 못하고 가서 부딪혔을 거예요. 여자와 있으면 성질이 나도 참겠지만, 남자라면 오래가지 못해요.(제가 건의함에 뭘 쓰으는 건 이게 마지막이에요!)

매

너무 일찍 출석을 부르지 마세요.

늦잠꾸러기

예전에는 영어 시간에 대해 기대감이 있었지만, 결과는 항상 후회로 남았죠. 교실 앞에 선 선생님의 밝은 얼구를 본 후로는 이 과목이 정말 재미있어졌습니다. 선생님은 진심으로 웃는 것처럼 보여서요.

수줍음 많은 익명

호머[13]는 그리 좋은 작가는 아닙니다.

독자

모든 사람이 편견을 가지고 저를 꼬집어서 비난해요. 특히 맥헤이브 선생님이 증말 저를 싫어하는데, 그건 제가 흑인이기 때문이죠. 전 이미 교장 선생님께 그러한 점에 대해 항의하는 글을 보냈어요.

에드워드 윌리엄스 올림

슬럼가를 청소하라! 네가 달에 가기 전에! 그리고 핵복단을 멈춰라! 너무 늦기 전에! 또 우리가 없으면 학교도 없다, 하하! 그리고 미래도 없고!

루 마틴

데이트 어때요? 당신이 경험해보지 못한 특별한 순간을 만들어줄게요.

보이프렌드

---

13 고대 그리스 작가인 호메로스의 미국식 표현. 서사시 〈일리아스〉와 〈오디세이아〉의 저자.

'골동품들'을 없애버려야 한다. 나이든 선생들을 내쫓고 젊은 교사로 바꿔야 한다. 이 학교를 부시고 내가 다녔던 다른 곳처럼 깨끗하고 더 세련된 건물을 세워야 한다. 예전 학교에는 모든 교실마다 스피커가 있어 수업 중간에도 개인위생이나 삼림 보전 같은 공지들이 스피커로 나왔다. 또 교실마다 전화기가 있어서 선생님이 연피를 잃어버리더라도 전화를 걸어 어디에 있는지 확인해 나중에 찾으러 갈 수 있었다. 북적거리는 복도는 더 널찍했고, 카페테리아는 지하에 있지 않았다. 또 카페테리아에서 의자를 사용할 수 있었다. 하지만 나는 이제 거기 있을 수가 없다.

서 있는 사람

저에게 화내지 마세요!

포이즌

선생님이 해서는 안 될 일이 있는데 그건 너무 아름답게 꾸미는 것입니다. 루와 저의 정신을 흐트러뜨리고 선생님이 말하는 동안 쪽지를 주고받게 되기 때문입니다.

익명의 학생

전 시력이 나쁜데 린다 로젠 옆자리로 옮길 수 있을까요?

프랭크 앨런

선생님은 자신이 어떤 존재라고 생각하나요? 선생님은 그저 여자고, 전 여자들을 견딜 수가 없습니다. 전 집안일로도 문제가 넘쳐나서 학교에 올 필요가 없어요.

러스티

오디시이아 같은 형편없는 책을 가르치는 것만 빼면 좋은 선생님이에요. 전 그 책을 개에게라도 안 읽히겠어요.

넌더리가 난 사람

선생님을 포함한 교사들이 잘살 수 있으려면 월급이 올라가야 합니다. 선생님이 수업하시는 동안 쓸데없는 말을 해서 죄송해요. 반성하겠습니다.

수다쟁이

부모님은 너무 강요가 심해요.

 낙서장이

방과 후에 따로 시간을 내어 저에게 글을 쓰도록 노력하라고 격려해주셔서 감사합니다. 하지만 교실에는 각각의 다른 문제가 있는 40명의 학생이 있고, 선생님이 할 수 있는 일은 거의 없어요. 저는 우리 두 사람이 헛된 짓을 한다고 느낍니다.

엘리자베스 엘리스

희망차고, 또 재미있는 이야기를 해주세요. 갈라테이아 조각상이 인간이 되어 어떻게 피그말리온[14]과 결혼했는지 말이에요.

해피엔딩 선호자

저는 글을 잘 쓰지 못하지만, 누군가에게 꼭 해야 할 말이 있습니다. 저는 '누군가'를 위한 기록을 남기기 위해 이 의견함에 넣었습니다. 오늘은 저의 생일입니다. 생일 축하해!

나

---

14 그리스 신화 속 이야기. 키프로스 섬의 조각가 피그말리온이 자신의 조각상 갈라테이아와 사랑에 빠진 일화를 표현한 것.

아직도 가르치나요?

교내 우편

발신: 508

수신: 304

실비아에게

창문 고정대 돌려드릴게요. 고마워요.

전에 가르쳤던 남학생이 좀 전에 절 만나러 왔어요. "아직도 가르치고 계세요?"라고 묻더군요. 알고 보니 밴드에서 색소폰 연주를 하는데, 선생님과 저의 급여를 합친 것보다 돈을 더 많이 번대요. 제 기억엔 영어를 낙제했었는데 말이에요. 그의 PPP도 별로 좋지 못했어요. 저희 부모님은 왜 저에게 피아노를 배우게 하지 않았을까요? 왜 저는 공부만 한 거죠?

제가 이렇게 지친 건 날이 더워서이거나, 아니면 〈햄릿〉 시험 답안을 채점하느라 그런가 봐요.

어느 학생이 쓴 것 좀 보세요 : "햄릿의 아빠가 유령이 되어 아들에게 나타나 복수를 명령한다."

베아

교내 우편

발신: 304

수신: 508

베아에게−

저는 '3시까지 제출'하라는 서류를 뒤적이고 있었는데, 이제야 그것들을 어떻게 해야 하는지 알게 되었어요. 바로 쓰레기통 속으로! 또, 은어도 이해하게 되었어요. '그림이 그려진 물건'은 잡지 표지를 뜻하고, '강화된 커리큘럼'은 '누구와 누구를' 가르치는 것, 그리고 '학생에 대한 모든 평가는 초기 목표와 학년의 수준에 따른 기대치에 근거해야 한다'는 아이가 출석하면 통과시키라는 말이에요. 맞죠?

전 베스터 선생님이 제 수업을 참관한 것 때문에 좀 초조해졌어요. 저에게 '다시 들르겠다'라고 말하고, 다음에는 우정을 주제로 글쓰기 수업을 하지 말라고 권했거든요(!)

독후감 수업 계획을 동봉했는데 어떻게 생각하는지 알려 주시면 안 될까요? 몇 가지 교육 과정을 수료하거나 여섯 달 동안 교생 실습 하는 것 말고 차라리 실전 훈련을 받았으면 좋았을 거예요. 전 너무 실력이 부족한 것 같아요!

조금이라도 보람을 느낄 수 있을까요?

실

교내 우편

발신: 508

수신: 304

물론 있고말고요! 제가 셰익스피어 수업을 하는 우등반이나 문예 창작반에 선생님을 초대할게요. 같은 학교라고는 믿어지지 않을 거예요. 사실 아이들은 혼자서도 잘해요. 전 뒤처지는 학생이 수업을 이해할 때나 아니면 무관심하거나 까다롭던 아이가 머뭇거리며 손을 들 때 교사로서 더 큰 보람을 느껴요.

베스터 선생님을 너무 과소평가하지 말아요. 거만한 말투 뒤에 전문가적인 교육 정신을 숨기고 계세요. 그가 참관하러 올 때 하는 말을 잘 들어두면 좋을 거예요.

선생님 수업은 훌륭해요. 에밀리 디킨슨의 '책 같은 호위함은 없다'는 구절을 읊는 것은 빼고요. 정말 서정적이고 인용도 적절하지만, 그 호위함(frigate)[15]이라는 단어가 문제예요. 교실에서 그 말을 하면 더는 수업할 수가 없게 된다고요.

베아

교내 우편

발신: 304

수신: 508

베아에게―

호위함에 대해 충고해줘서 고마워요. '책 같은 증기선은 없다'고 표현하는 것은 어떤가요? 전 이미 채닝의 '우리가 뛰어난 지성으로 교류[16]를 즐기는 것은 주로 책을 통해서다'를 언급하는 것은 포기했거든요.

최근 저는 조 페론에 대한 서류를 작성했는데 무단결석생 지도원이 그가 제출한 주소가 확인이 안 된다고 하더라고요. 엘라 프로이트는 페론이 면담 시간에 한 번도 나타난 적이 없다고 하더라고요. 다른 과목 선생님들도 그가 수업에

---

15 호위함은 큰 함선을 곁의 소형 구축함을 말하는데, 여자의 성기로 비유되는 무화과(fig)와 발음이 비슷하다.

16 교류(intercourse)와 성교(sexual intercourse).

나오지 않는다고 불평했고요. 보건 선생님은 치과적인 치료가 필요한 블랙리스트에 올라있다고 말씀하셨고요. 물론 맥헤이브 선생님은 페론을 향해 수많은 경고를 날리고 있죠.

하지만 페론에게 실망하지 않아요. 마음을 열지 않는 아이가 아니라, 제대로 이끌지 못하는 선생님들이 문제라고 생각해요.

교육위원회는 우편물을 보낼 때 내용보다 호칭에나 신경 쓰고요.

'C1, C2 그리고 C6 단계의 임금 인상을 위해서는 재직 중에 그 자격을 증명할 필요가 있다'는 것은 무슨 말인지 설명 좀 부탁드릴게요.

실

교내 우편

발신: 508

수신: 304

실에게

급여 인상 문제에 대해 어려워할 필요 없어요. 월급이 오르기를 바란다면 강좌를 수강하세요. 강의를 듣지 않으면, 월급도 오르지 않죠. 응급처치 과정도 괜찮아요. 실제로 수업을 들을 필요는 없고, 지혈대 사용법을 안다고 증명해주는 서류를 보건 교사에게 하나 달라고 하세요. 지혈대 사용법은 아세요? 필요할 때가 있을지도 모르니까요!

아이들에 관해, 선생님은 잘하고 있지만, 다른 선생님들을 오해하지는 말아요. 다들 학생을 제대로 이끌지 못하는 게 아니라 자신이 노력한 만큼 보상을 받지 못해서 그래요. 그리고 맥헤이브 교감도 나름대로 괜찮아요. 우리 학교에 오기 전에는 훨씬 상태가 심했죠. 그는 자기가 아는 유일한 방법으로 질서를 만들기 위해 애쓰고 있어요. 그가 맡은 학생이 3천 명이라는 것을 기억하세요!

베아

(헨리에타가 폴을 찾아다니던데요. 교사 발표회에 출연하고 싶대요. 또 폴이 자신을 위해 시를 지어주기를 바라고요. 폴이 어디 있는지 알아요? 그 사람 어제도 좀 후줄근해 보이던데요.)

B.

교내 우편

발신: 304

수신: 508

베아에게

전 폴이 어디 있는지 몰라요. 그는 1교시에는 수업이 없어요. 2교시에도 나타나지 않는다니까요. 누군가가 새디 핀치 바로 앞에서 출근카드를 대신 찍어주더라고요. 들키지나 말았으면 좋겠어요.

저는 새디 핀치의 '교사들은 서로 출퇴근 카드를 대신 찍어주면 안 됩니다'라는 말을 중요하게 여기거든요.

아까 1층에서 그레이슨이 서둘러 가는 걸 봤어요. 그는 정말 존재하는 사람이더군요! 페론이 그와 함께 있었고요. 어떻게 된 일이죠?

실

교내 우편

발신: 508

수신: 304

실에게

페론은, 그레이슨의 마구간에 들어간 유일한 아이가 아니에요. 주기적으로 지하실을 찾는 아이를 몇 명 알거든요. 거기선 어떤 일이든 일어날 수 있죠. 대마초, 경마, 술판 등. 그런 일이 생기는 게 이상한 일도 아니지만요.

베아

교내 우편

발신: 304

수신: 508

베아에게

위원회에서 압박하는 편지를 보냈어요. 이젠 저보고 돈을 돌려달라는군요. 이건 경리과에서 보낸 거예요.

친애하는 선생님께
급여 기록을 확인하여 보니, 지난 6월 급여로 2달러 75센트를 더 많이 지급 받으셨습니다.

전 6월에는 수업하지도 않았고, 2달러 75센트를 받지도 않았어요. 보아하니 그들은 제 파일인 No. 443–817과 아마 다른 사람의 것일 No. 443–818을 착각한 것 같지 않아요?

실

교내 우편

발신: B. 샥터, 로비

수신: 304

No. 443에게

위원회가 일을 이상하게 하네요. 항상 그랬지만요. 제가 지금보다 어렸을 때, 그들은 훌륭한 선생님이 되었을 똑똑한 소녀를 구두시험에서, 그들이 '설측음[17]'이라고 부르는 것 때문에 떨어뜨렸다니까요! 그해에는 다들 '치찰음 S[18]'에 치중했거든요. 제가 실패한 구절은 "그는 여전히 유령을 본다고 주장한다(He still insists he sees the ghosts)."라는 구절이에요. 밀레이[19]를 연구하던 제 친구는 밀레이의 소네트[20]를 제대로 해석하지 못했다는 이유로 시험에 떨어졌어요. 에드나 밀레나가 직접 위원회에 자신의 시의 의미를 정확히 이해했다고 설명하는 편지를 보냈음에도 불구하고, 시험의 결과는 바뀌지 않았답니다. 제 친구 사례로 인해 그 이후에는 영어 교사 자격증 시험에는 자신의 무덤에서 침묵하고 있는, 오래전에 죽은 시인들의 시만 나왔어요.

물론 지금은 사정이 달라져서 칠판지우개를 쓸 수만 있으

---

17 설측음(舌側音, Lateral)은 자음을 발음할 때 혀의 중앙 부분이 위턱 부분에 접촉하여 공기의 흐름을 막은 채 혀의 양옆에서 공기를 통과시키면서 내는 소리이다. live, lady, like 등을 발음할 때의 [l].
18 치찰음(齒擦音, Sibilant)은 자음을 발음할 때 공기가 좁은 틈의 이빨 쪽으로 통과되면서 발생하는 마찰을 이용해서 내는 소리이다.
19 에드나 세인트 빈센트 밀레이(1892년 출생, 1950년 사망)는 미국의 시인이자 극작가였다.
20 영미문학에서 소네트(Sonnet)는 정형시를 일컫는다.

면 누구에게든 자격증을 내줘요.

보조 직원이 오지 않아서 전 다시 로비에서 꼼짝할 수 없게 되었어요. 즐거운 소식 좀 전해줘요!

베아

교내 우편

발신: 304

수신: B. 샥터, 로비

베아에게

즐거운 소식이요? 무엇인가 공허하고, 부조리하다고밖에 생각이 안 됩니다. 마치 기울어진 풍차 앞에 텅 빈 터널을 향해 소리치는 것처럼. 저는 제가 누구인지 기억하려고 노력 중이에요. 교육위원회에서 또 문제가 생겼거든요.

이번에는 "병결로 누적된 휴가를 다 쓴 교사는 20일의 병가를 추가로 쓸 수 있다."고 통지를 했답니다.

누가 아프대요? 그들이 제 건강을 의심하는 건 상관없는데 왜 자꾸 이런 걸 보내는지 모르겠어요. 제대로 알아보지도 않고 왜 이러는 거죠?

실

교내 우편

발신: B. 샥터

수신: 304

실에게

침착해요. 그들도 언젠가 알겠죠.

베아

교내 우편

발신: 304

수신: 508

베아에게

오늘 전 다른 사람이 필요하다고 해서 〈오디세이아〉와 〈신화의 시대〉를 돌려주어야 해요. 전 절반이 결석한, 뒤처지는 반 아이들을 데리고 고작 열흘 동안 수업했는데 수업에 쓸 책도 부족하고, 여기에 동봉한 사서 선생님의 쪽지도 전혀 도움이 되지 않았어요.

배릿 선생님께

선생님이 신화 공부와 연관 지어 3학기 학생들을 데리고 도서관 수업을 계획하셨지만 부득이하게 취소해야겠습니다. 학생을 여섯 명씩 도서관으로 보내면 분위기가 흐트러지고 엉망이 될 겁니다. 그들은 불핀치의 〈신화의 시대〉[21]를 동물학 코너에 놓았으며, 심지어 떠들기까지 했습니다. 선생님 반의 학생 두 명은 숙제와는 아무 상관도 없는 책을 꺼내기도 했어요. 전 출판물을 존중하는 마음을 제대로 배울 때까지 학생들의 도서관 이용을 허가하지 않겠습니다.

마음을 담아,

사서 샬롯 울프

폴이 그녀를 위해 지은 시 혹시 아세요? '누가 샬롯 울프를 두려워하겠는가?'라는 제목이에요.

전 진심으로 제가 아이들의 흥미를 일깨워줬다고 생각해요. 우리의 삶과 현재를 신화와 연결해 보도록 했거든요. 아이들이 실제로 얼마나 배웠는지 알아보기 위해서 다음 시간에 시험을 볼 생각이에요. 내용을 고치기 위한 빨간 색연필 (맥헤이브가 절대 허락하지 않겠죠!)과 철자, 문법 등 틀린 곳을 표시할 파란 색연필로 무장했어요. 두 가지 색으로 채점하는 건 대학 시절 교육학 교수님이 쓰시던 방법이에요.

제가 가르치려고 애쓴 건 인간의 비극과 비교한 신들의

희극이었는데 말이죠.

실

교내 우편

발신: 508

수신: 304

실에게

희극을 이용하는 일이 우리가 비극을 전달하는 유일한 길일지도 몰라요. 유머는 우리가 가진 전부니까요.

베아로부터

---

21 토마스 불핀치가 1855년에 완성한 〈신화의 시대(The Age of Fable)〉는 그리스 로마 신화를 체계적으로 정리한 최초의 책으로, 이후 전 세계 언어로 번역되어 현재까지도 세계에서 가장 널리 읽히는 그리스 로마 신화의 표준으로 자리 잡고 있다.

그리스 저승

영어 33 SS 대상 시험 문제

간략하게 답하시오:

우리는 왜 〈그리스 신화〉와 〈오디세이아〉를 공부하는가?

교양 있는 사람처럼 말하고 싶기 때문입니다. 파티에서 누가 그리스 신 이야기를 꺼냈는데 못 알아듣는다면 어떻겠어요. 어색하겠죠.

우리는 저승에서 일어난 오르페우스와 그의 부인 에우리디케에 관한 이야기 등이 담긴 신화를 배웁니다. 우리가 그러한 신화를 배우는 까닭은 우리의 문명이 어떻게 발전해왔는지를 알고 싶으니까요.

신화는 어디에나 있습니다. 천둥 같은 많은 일상적인 일들이 신화의 밑바탕이 됩니다. '볼캐이노'와 '주피터' 같은 말은 우리의 어휘력을 키우는 데 도움이 됩니다. 그리고 미래에 도움이 될 만한 간접 경험을 얻습니다.

우리가 그것을 배우는 이유는 옛날에 썼던 글을 볼 수 있기 때문입니다. 이게 맞는 답이 아니라면 저도 모르겠네요.

〈오데세이아〉를 읽으니 제 삶에 아주 큰 도움이 되었습니다.

그 많은 살인과 함께 황금기를 사는 것이 어땠는지 배우기 위해 신화를 공부합니다.

우리가 이런 것들을 배우는 데에는 많은 이유가 있겠지만 저는 결석해서 잘 모르겠습니다. 이미 결석 사유서도 냈다고요.

수십 년간 꾸준히 언급되는 신화는 '점핑 주피터 시나리오

22' 같은 표현을 만드러내며 영어 단어의 다양한 트기성을 잘 이해할 수 있도록 해주기 때문에 공부하는 것이다. 또 신화에 나오는 인물들을 익히면 우리가 말하는 관용구의 출처 또한, 알 수 있다.

다이애나는 달을 다스렸고 인간과 한 번 사랑에 빠졌는데 그 결과 그녀는 다시는 사랑하지 못하게 되었습니다.

신화가 없었다면 오늘날 셰익수피어는 어떻게 되엇을까요?

데학을 가기 위해 공부하고, 혹시 데학에 가지 않더라도 문학에 대한 배경 지식을 쌓기 위해서입니다.

〈오디세이아〉는 저에게 〈에단 프롬²³〉이나 〈사일러스 마너〉와 다를 바 없던데요.

---

22 거대한 행성 이동의 진화를 명시하는 이론.

23 에디스 와튼(Edith Wharton)이 저술한 〈에단 프롬Ethan Frome〉은 세기말의 뉴잉글랜드 농경 사회의 정신적 고립과 성적 좌절, 그리고 도덕적 절망을 투명하게 관찰한 작품.

어디을 가든 꼭 책을 읽어야 하기에 독서를 피하기란 어렵다.

전 〈오데씨〉가 싫습니다.

우리가 왜 신화를 읽는지 모르겠지만 내용은 말할 수 있다. 피라미드[24]와 티스베는 로미오와 줄리엣처럼 이웃집에 살았지만, 부모님 때문에 죽게 된다. 그들은 벽에 난 구멍으로 서로를 대화를 나누었다. 두 사람은 기구한 팔자를 한탄하다 한 가지 대책을 세우기에 이르렀다. 밤이 되어 모두가 잠이 들면, 양가 부모의 눈을 피해 들판으로 나가자고 약속한 것이다. 어느 날 저녁 어스름 초저녁 어둠 속에 티스베가 홀로 앉아 있는데, 암사자 한 마리가 그곳에 나타났다. 티스베는 입에서 피를 뚝뚝 흘리는 암사자를 보고 도망쳤다. 그녀는 옷을 떨어뜨렸고, 암사자는 걍 옷을 입에 물었을 뿐이다. 피라미드가 걸어와 피가 잔뜩 묻어 있는 옷을 보았다. 그는 티스베가 죽었는줄 알고, 그 슬픔 땜에 스스로 목숨을

---

24 피라모스를 착각하여 피라미드라고 적음. 세미라미스 여왕의 치하 바빌로니아에서 으뜸가는 미남은 피라모스, 으뜸가는 미녀는 티스베였다.(역자 주)

끊었다. 뒤늦게 티스베가 와서 땅에 쓰러진 애인을 보고 역시 스스로 목숨을 끊었다. 그들의 피가 뒤섞이며 하얀 꽃을 보라색으로 물들였다. 사랑이란 정말 아름답다.

그것은 우리를 개발하고

(완성하지 못함)

우리는 무언가를 얻기 위해 〈오데세이〉로 깊이 빠져들었다. 그건 우리에게 가치가 있는 것 같다. 옛날 영어는 너무 이해하기 어렵다.

학교에서 신화를 배우는 까닭은 우리 대다수가 신화에서 유래했기 때문입니다.

제 생각에 〈오띠세이〉는 너무 말이 안 됩니다. 전 다른 사람의 고민을 듣기 싫어요.

우리가 신화를 공부하는 이유는 관용의 자격이 없는 사람에게도 관용을 베풀기 위해서다.

전 시허믈 볼 줄 몰라서 공부를 안 했지만 원만한 사람이

되기 위해 읽는 것 같아요.

이름은 기억이 안 나는데, 누군가 사람들에게 불이 필요하다는 생각에 올림푸스에서 불을 훔쳐 왔습니다. 그리고 그는 벌을 받느라 산꼭대기에 묶였고, 매일 독수리가 간을 쪼아 먹게 되었습니다.

일단 신화를 배운 사람은 삶을 보는 눈이 조금은 달라집니다. 제가 그렇거든요.

왜 우리는 〈오디씨〉를 배우는가? 고등학생이라면 한 번쯤은 읽어야 하고, 지금이 우리가 읽을 차례이기 때문이다.

트로이 목마는 오늘날의 스파이처럼 이용되었다. 신들은 독재자이고, 페넬로프는 여전히 현대 사회의 거리를 활보하고 있다.

저에게 〈오디세이아〉가 아무 가치가 없다면 그것은 제가 처음부터 그것에 관심을 두지 않았기 때문입니다.

모든 신화는 사랑을 바탕으로 하기 때문입니다.

우리는 신들과 그 일화를 배우기 위해 신화를 읽습니다.

그게 고전이기 때문에 읽습니다.

4장

삶의 환경

엘렌에게

네 편지 덕분에 기분이 나아졌어. 아무도 나와 연락하지 않는다고 생각하기 시작했거든. 영문학에 대해 아무 지식이 없는 우리 반 학생들을 위해 난 어디에서부터 시작할지, 또 무엇을 가르쳐야 할지, 그 틈을 어떻게 메꿔야 할지 모르겠어.

하루는 베스터가 나의 SS반(Super Slow, 슈퍼 슬로) 수업에 갑자기 나타나는 바람에 허겁지겁 작문 과제를 내주어야 했어. 주제는 '나의 가장 친한 친구'였는데 아이들이 쓴 글을 읽으니 이런 생각이 들더라. 이걸 어떻게 고쳐주지? 내가 무엇을 고쳐야 하지? 맞춤법? 구두법? 문장과 문장 사이에 빠뜨린 내용? 무엇부터 시작해야 할지 모르겠어. 웃어야 할지,

울어야 할지. 아마 둘 다겠지만.

그리고 난 문학이 어떤 것인지 아이들에게 제대로 전달하지 못했다는 것을 깨달았어. 신화에 관한 시험을 치고 나서야 비로소 깨달았지.

너희 집 침실에 페인트를 다시 칠해야 한다며. 물론 넌 옅은 파란색이나 연보라색을 고수하겠지. 절대 페인트공이 누런색으로 칠해놓고 도망가게 놔두지 마!

네가 보낸 편지와 같이 온 매티가 보낸 편지에, 2월이면 윌로우데일(Willowdale)에 빈자리가 난다고 적혀있었어. 정말 솔깃한 말이었지. 거긴 작은 대학인데 박사 학위가 없어도 일할 수 있대. 문제는 내가 우리 아이들에게 정이 들었고, 이미 수업을 시작했고, 그 애들에겐 내가 필요하다는 생각이 든다는 거야. 특히 페론 같은 아이 말이야.

난 그 애의 PRC를 확인했어. PRC는 고등학교에 다니는 동안 학생들이 어떻게 학교생활을 하는지 기록해두는 거야. 거기에는 시험 점수, 지능 지수, 적성 검사, 성격, 교사들의 평가, 등수, 통지서, 편지, 확인서, 면담 내용, 무단결석 보고서 등이 담겨 있는데, 폴더에 담긴 한 아이의 역사와 같아.

페론의 지능 지수는 133이고, 지난 학기의 시험 점수는 65, 20, 낙제, 94, 45였어. 94점은 사회 점수야. 20은 영어고. 신기하지 않아? 왜 20점일까? 18도 아니고? 33도 아니고? 또는 92점도 아니고? 그의 사고방식, 구두법, 결석, 자기표현, 기억, 무례함에 기안하여 나온 결과일까? 등수는 어느 정도일까? 앨리스 같은 학생은 어떨까? 아니면 에디는? 백인 세계가 그를 다루는 방식에서 에디는 몇 점을 받았을까? 아니면 영화 속 환상을 꿈꾸는 앨리스는? 아니면 나는, 나는 어떻지?

파란 선의 왼쪽에는 태도 관련 내용을 적어서 자질, 협동심, 청결도, 리더십으로 나누어 1점에서 5점까지 평가하는데 페론의 평균은 1.5점이야. 교우 관계는 좋음이고, 교사와의 관계는 나쁨이야.

다음에는 '다음 날짜에 징계를 받음'이라고 쓰여 있고, 그 아래는 길게 리스트가 나열되어 있어. 마지막에는 '강당에서 부적절한 말을 함'이라고 쓰여 있어.

파란 선의 오른쪽에는 CC라고 하는 종합적인 평가가 들어가. 한 학기가 끝나면 각 교사가 학생에 대해 간단한 평가를 쓰는 거야. '더욱 노력해야 한다'는 문구가 주로 쓰이지.

난 다른 학생의 PRC도 훑어보았어. 이렇게 쓰여 있더라.

좋은 학생.

좋은 학생.

노력 요함.

좋은 학생.

이건 푸에르토리코에서 온 의기소침한 남학생의 PRC인데 아무도 그의 이름을 기억하지 못해. 그 학생은 자신의 사인을 '나'라고 쓰지. 그는 의견함에 자신의 생일을 축하하는 편지를 넣은 적도 있어. 이름을 확인해보니 호세 로드리게스더라.

CC는 자칭 '프로이트'인 프리덴버그란 선생님이 만들어낸 PPP(학생의 개인 프로필)로 보완해. 그녀는 직접 아이들과 면담 후에 작성하는데 용어며 내용이 완전 엉터리야. 페론에 대해서는 '그의 리비도— 공격적인 성향—를 사회적으로 용납될 수 있는 태도로 바꾸어야 한다'고, 비비안 페인에 대해서는 '강박적 비만으로 인해 자아가 오작동하여 고통을 받고 있다'고 했으며, 루 마틴의 경우는 '조증 같은 행동 패턴에 역행하여 적대감을 보인다', 에디 윌리엄스는 '사회경제적 환경 요인으로 인한 편집증적 성향을 억제해야 한다'고 적어놓았더라고. 이 외에도 여자를 싫어하는 러스티에 대해서는 '자아도취형 어머니와 관용적인 자위행위에 의해 유발된 잠재적인 동성애 징후를 보인다'고 했으며, 앨리스 블레이크에 대해서는 '균형이 잘 잡혀 있고 관대하다'라고 적어놓았더라.

가끔 헛소리로 가득한 PRC 중에서도 아이들을 정확하게 간파했거나 도우려는 마음이 담긴 기록을 발견할 때도 있어. 방과 후에 아이와 면담도 하고, 가정 방문이나 보충 수업을 하는 등 아이의 문제를 해결하려는 솔직한 시도를 보여주는 기록이야. 하지만 이런 경우는 무척 드물어.

아이들의 삶에서는 지금이 가장 중요한 시기라고 생각해. 그들이 장차 어떤 사람이 될지 결정되는 마지막 기회라고나 할까. 또, 너무 많은 아이가 우리 앞에서 영원히 사라지거든. 통계를 보면 자퇴하는 학생의 숫자는 정말 충격적일 정도로 많아. 그 아이들은 어떻게 되었고, 지금은 어디에 있을까?

페론 같은 학생은 통계에만 존재하는 숫자가 아니야. 에디 윌리엄스도 단지 숫자 이상의 의미가 있어. 호세 로드리게스(드디어 이름을 기억하는)도 마찬가지지. 그렇게 소외를 당하는 아이들에게 이 학교가 제공하는 것은 정말 많지 않아.

아이들이 자퇴하는 이유를 적는 칸에 선생님들은 이렇게 적었어.

돈을 벌기 위해서.

집안 형편이 어려워서.

새로운 경험을 빨리 쌓기 위해.

하지만 난 좀 더 근본적인 부분을 알아보기로 했어. 난 우리 반 학생들에게 왜 학교를 그만두고 싶은지 솔직하게 써달라고 했어. 몇 가지를 소개해볼게.

전 학교를 좋아하지 안는데 만약 선생님이 흑인이라면 학교는 거
짓말로 얼룩져 있고, 아무도 책에서 가르치는 것처럼 행동하는 사
람은 없다는 걸 알게 될걸요. 적어도 제 경험은 그렇습니다. 그리
고 선생님들은 부모님보다 나은 점도 없고, 너무 바쁘다고 하시거
나 크게 소리만 치세요. 그리고 편견으로 가득 찼죠.

에드워드 윌리엄스 올림

학교가 제 인생에 도움을 주어야 한다는 건 알지만, 지금
까지는 느껴보질 못했네요.

러스티

제가 열일곱 살이 되었을 때 저희 아버지가 왜 남는 입을
먹여 살려야 하냐고 했어요. 하하, 그게 저예요!

루 마틴

우리는 학교에서 가르치는 교육의 진정한 의미를 찾아야
한다. 미국 소년들은 '교육'이라는 병 속에 무엇이 들어있는
지 내용물을 보지도 않으며, 그것에 무엇이 담겨 있는지 관
심조차 없기 때문이다. 오늘날 같은 핵무기 시대에 미국이
언제 젊은이를 전쟁터로 부를지 모르므로 우리는 스스로 생

각하는 것을 배워야 한다. 전쟁에 나간 우리 조상들처럼 속아서는 안 된다. 나는 학교에 남고 싶다.

찰스. H. 로빈스

◆━━━━━━━━━

학교에 있는 시간이 길어질수록 돈을 벌 시간이 줄어들고 있다.

자퇴 예정자

◆━━━━━━━━━

솔직하게 자퇴 사유를 설명하면, 내 문제보다 엄마 문제가 더 크다. 엄마가 지금 많이 아프신데, 내가 학교에서 돌아오기 전가지 엄마를 돌볼 사람이 없기 때문이다. 엄마는 심장병을 앓고 있어서 언제 돌아가실지 알 수 없다. 살아가는 데 있어서 공부 외에도 직업을 가지는 등 다른 일이 많아요. 학교공부는 많이 해도 사회생활을 하는 데 별 소용이 없을 것 같아요. 나중에 전 결혼해서 아내와 함께 어머니를 모시고 살아야 할 텐데 학교가 무슨 소용이 있을까요.

낙오자

◆━━━━━━━━━

선생님들이 저를 싫어해요.

비비안 페인

저희 아버지는 일 년 전에 돌아가셨고, 어머니는 그 일을 겪으신 이후 걱정이 많으세요. 전 회사를 만들어 사장이 되기 위한 많은 준비를 하고 싶습니다.

야심가

전 특별한 사람이 아니니까 아무도 저를 몰라요. 어쩌면 직업을 가진 사람이 될지도 모르죠.

나

내가 학교에 다녀야 할 만한 그럴싸한 이유를 하나만 대시죠.

조 페론

나 역시 '책의 진정한 의미'를 찾고 싶어. 그리고 페론에게 학교에 다녀야 할 그럴싸할 이유 또한 알려주고 싶어. 그리고 비비안이 적은 '선생님들이 자기를 싫어한다'라는 말의 속뜻은 오히려 비비안이 선생님들을 싫어하거나, 혹은 자신을 싫어한다는 의미가 내포되어 있다는 것을 알고 있어. PRC는 나에게 아무것도 말해주지 않아. 아이들이 말해주지. 예를 들어 호세 이야기를 해볼게.

〈신화의 의미〉를 마무리한 우리 SS반은 현대 단편소설 모음집을 학습하기로 했어. 다행히 교재실에 책이 많아서 배부할 수 있었지. 첫 번째로 학습한 단편은 단것에 알레르기가 있는 아이 이야기야. 그의 엄마가 아이에게 절대 단것들을 먹지 말라고 일러둔 것을 잘못 이해한 이웃이 엄마가 아이를 학대하느라 단것을 빼앗는다고 믿고, 나름 친절을 베푼다고 아이가 큰 병을 앓게 될 때까지 단것을 먹인 거야. 엄마는 이웃을 고소하겠다고 위협했어. 이야기는 여기서 끝나.

그리고 선한 의도와 책임을 주제로 토론을 시작했는데 너무 열띤 분위기라 학생들에게 직접 모의재판을 열어보도록 했어. 난 아이들에게 다음 날 교실을 법정으로 바꿀 준비를 해오라고 했지. 우리는 이야기의 속편 형식으로 사건을 구성했어. 즉흥적으로 만들어진 법정이 유지되는 동안, 아이들이 이야기 속의 인물과 상황에 익숙해지고 자신의 맡은 역할을 끝까지 해내도록 주의를 기울였지. 등장인물로 어머니, 아버지, 이웃, 아이, 검사(물론 해리 케이건이야!), 변호사, 피고 측과 검찰 측 증인, 의사까지 준비했어. 그때 우리가 판사를 빼먹었다는 걸 깨달았지만 순간 아이디어가 떠올랐어. 난 호세 로드리게스에게 판사 역할을 준비해달라고 했지. 몇몇 학생이 낄낄거렸지만 호세는 고개를 끄덕였고,

이제부터 무슨 일이 벌어질지는 우리는 예측할 수 없게 된 거야.

다음 날 호세는 어디서 빌린 건지, 얼마를 들여 산 건지 모르겠지만 검은색 졸업 가운과 사각모, 그리고 커다란 망치를 들고 교실로 들어왔어. 얼마나 엄숙하고 위엄 있는 모습이었는지 아무도 감히 웃지를 못했다니까.

호세가 내 자리에 앉아서 말했어. "서기는 모두에게 일어나라고 요청하십시오." 그 목소리가 어찌나 근엄하던지 하나둘 천천히 자리에서 일어나지 뭐야. 그 순간을 난 결코 잊지 못할 거야.

이후 학생들은 앉으라는 지시를 받았고, 정의의 수레바퀴가 굴러갈 차례가 됐지. 검사와 변호사가 서로의 처지에서 발언했고, 증인을 불러 심문과 반대 심문도 하며 분위기가 고조되었어. 누가 발언권을 얻지 않고 말하면 호세는 자신의 망치로 책상을 두드렸어. "법정에서는 조용히 해주십시오. 다음 증인을 부르겠습니다. 조용히 하지 않으면 모욕죄로 다스리겠습니다."

호세는 또한, 모든 이의를 기각했어. "내가 바보일지도 모르지만, 난 판사이니, 내 말을 들어야 합니다."

그리고 해리 케이건이 재판 절차에 이의를 제기하자 호세는 조용하지만 분명한 어조로 "나도 알 것은 압니다. 해보았으니까."

법정은 피고인의 편을 들었어.

종이 울리자 호세는 천천히 그의 모자와 가운을 벗고, 노트 위에 곱게 개서 올린 뒤 다음 수업을 받으러 교실에서 나갔어. 그러나 그의 걸음걸이는 여전히 판사 가운을 걸쳤을 때와 같았지.

나는 그가 결코 이전과는 같지 않으리라 생각해.

이게 바로 내가 아이들을 가르치고 싶은 이유야. 그리고 그들의 인생에 좋은 영향을 줄 수 있는 전환점을 만들어 주는 것이 내가 받을 수 있는 유일한 보상일 테지.

월로우데일의 일자리도 생각해 보면 별로 매력적이지 않은 것 같아.

또 찾아온 즐거운 금요일, 10월 9일

사랑을 담아, 실

PS. 뉴욕에서 학교를 자퇴하는 7만 7천 명의 학생 중 90퍼센트가 흑인과 푸에르토리코 사람인 거 알아?

304호실 게시판

배릿 선생님의 교실

(게시판 왼쪽만 사용하시오)

"스승이 부모보다 더 존경을 받는 까닭은 부모는 생명을 준 것뿐이지만, 스승은 인생을 잘 살아갈 수 있는 기술을 가르쳐주기 때문이다."

아리스토텔레스

분실물 / 습득물

분실: 초록색 체크 무늬 재킷, 안감이 찢어지고 지퍼가 고장 났음. 급하게 찾음!

루 마틴

분실: 빨간색 인조 악어가죽 메이크업 세트.

린다 로젠

분실: 잡지 〈할리우드 별자리 운세〉. 보상은….

앨리스 블레이크

분실: (혹은 도난!!!) 역사 수업 도중에
왼쪽 안경 렌즈가 사라짐.

에드워드 윌리엄스 올림

분실: 먹물로 쓴 포스터.
내용은 "학생의, 학생에 의한, 학생을 위한 정부는 캘빈
쿨리지에서 사라지지 않으리."라고 쓰여 있음.

학생들이 선택한 해리 A. 케이건

습득:

우수 학생 예시

"부조리한 교실과 화가 난 모든 젊은이"

비교연구사례

by 엘리자베스 엘리스

나는 그렇다고 믿는데 만약 부조리와 절망 사이에 관계가 있다면, 에드워드 앨비, 존 오스본, 해럴드 핀터, 아서 코피트는 모두 같은 피부색에 간힌 형제이다. 그 징후와 특징을 검토하여 보면….

(다음 페이지에 계속)

역시 잘했어!

받아쓰기 – 100점
비비안 페인

1. accept (동사. 받아들이다)

2. acquired (형용사. 습득한)

3. advice (동사. 조언하다)

4. artichoke (명사. 아티초크)

5. ascend (동사. 올라가다)

> "독서는 충실한 인간을, 토론은 준비된 인간을, 그리고 글쓰기는
> 정확한 인간을 만든다."　　　　　　　　　프랜시스 베이컨 경

유머

성 베드로: "누가 문을 두드리느냐?"

목소리: "저입니다."

성 베드로: "떠나라, 이곳엔 더 이상 학교 선생이 필요 없
느니라!"

선생님: "여러분이 절대 써서는 안 될 단어가 두 개 있어요.
하나는 '불룩해지다(swell)'이고, 다른 하나는 '후지
다(lousy)'예요."
학생: "그게 뭔데요?"

구인 광고

베이비시터 경험 있는 사람 구함. 211호실로 신청.

루이스 선생님 교실

(게시판 오른쪽만 사용하시오)

- **3C:** 성격(Character) + 갈등(Conflict)= 절정(Climax)
- **5E:** 시험보다(Examine), 평가하다(Evaluate),
   표현하다(Express), 설명하다(Elucidate), 끝내다(End)
- **CUE**=일관성(Coherence), 통일성(Unity), 강조(Emphasis)

우수 학생 정답 발표

○×퀴즈 – 100점
쿠르트 베르너

1. ○	6. ×
2. ×	7. ○
3. ×	8. ×
4. ○	9. ×
5. ○	10. ○

참 잘했어요!

위원회 회장

· 시험지 배부 위원회 – 로이스 라모스

· 칠판 위원회 – 주디 토르발트

· 위생 위원회 – 사이빌 크로포트킨

· 교실 이동 위원회 – 웡 기

학급 목표 달성 그래프

탐구 문제

교내 우편

발신: 304

수신: 508

베아에게

선생님의 우등 졸업반과 문예 창작반 수업을 참관하게 해 줘서 고마워요. 공강 시간과 점심시간을 할애할 만큼 유익한 경험이었어요! 햄릿과 오필리어의 관계에 대해 그렇게 수준 높게 토론하다니 정말 대단해요! 아이들의 통찰력과 참여도는 물론이고, 평소에 책을 읽지 않으면 할 수 없을 발언까지 저에겐 모든 것이 놀라움의 연속이었어요.

그리고 문예 창작반 수업에서는 아이들의 내면에 얼마나

많은 것이 담겨 있는지 알 수 있었고요. 아직 어려도 다들 매우 진지하더라고요. 한 명씩 모두 안아주고 싶을 정도였다니까요. 물론 선생님도요.

잘하는 아이들만 특별히 뽑아 모아놓은 건 알지만 이런 학생들이 존재하고 또 이런 수업이 가능하다는 걸 실감했네요. 혹시 몇 명이라도 만날 수 있을까요? 너무 흥분돼서 직접 말하고 싶어요!(그 아이들이 수업 시간에 쓴 글을 보여주기로 약속도 했고요.)

부러움을 담아, 실

교내 우편

발신: 508

수신: 304

실에게

잘하는 아이들을 신경 쓸 필요는 없어요. 아이들은 항상 위로 올라가기 마련이니까요. 좋은 선생님이 필요한 건 그보다 못한 아이들이죠.

아이들의 과제를 몇 개 첨부할게요. 저도 아직 확인은 안 했어요.

미안하지만 지금은 만날 수 없거든요. 한 아이와 있느라.

베아

무관심한 세상

술에 취해 비틀거리며 방으로 들어선 순간 악취와 고약한 냄새가 그의 코를 찔렀다. 위스키 때문에 속이 부대꼈다. 배가 부글거렸다. "토할 거 같아." 그는 생각했다. 바로 그때 그들이 그를 덮쳤다. 수갑이 채워지자 그는 "어째서?"라며 큰 소리로 외쳤다. "왜 나를?" 하지만, 세상은 그대로 굴러갔다.

봄을 기억하다

나는 봄을 기억한다. 라일락과 별들, 장미와 이슬, 너와 밤. 나는 기억한다. 달빛 아래에서 너와 손을 잡았던 것을. 달 주변에는 마치 은색 로켓처럼 빛나는 별빛 체인이 구름 목덜미에 걸려 있었지. 레이스처럼 바스락거리는 나뭇잎을 기억한다. 나는 찰랑거리는 호수를 기억한다. 또한, 사랑이

가시처럼 날카로웠는지도 기억한다. 하지만, 왜 나는 너의 이름을 기억하지 못하는가?

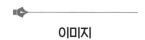

이미지

나는 고양이를 보았다. 그 고양이는 매트 위에 있다. 나는 고양이라고 쓸 줄 안다. 그러나 무엇이 고양이일까? 그것이 문제다! 고양이는 안개, 담배 연기 자욱, 털로 만들어진 공, 그리고 너에게 구루렁거리며 달려들 준비를 한 호랑이다. 넌 절대 모르겠지만.

인생이여, 자랑하지 마라

인생이여, 자랑하지 마라. 많은 실수를 저질럿고, 아름다워질 기회가 이썻음에도 엉망으로 망쳐놔쓰니. 왜 그리 많은 문제로 고통받는가? 인간은 도대체 왜 다른 인간에게 그렇게 비인간적인가? 그리고 인종 사이에 편견이 존재하는 이유는 무엇인가? 감옥과 빈민들, 폭력, 실직자는 왜 존재하는가? 죽음이 있는 이유는 뭘까? 인생이여, 절대로 자랑하지 마라!

눈

눈은 따스한 햇볕 아래 반짝이는 하얀 몸을 관능적으로 드러낸 벌거벗은 여인처럼 산과 계곡에 누워 있다. 따스한 햇볕이 곧 눈을 녹일 것이다. 그러고 나면?

지하철

지하철은 지구의 창자 안으로 기어 다니며 다른 역으로 먹은 것을 토해내러 나오는 거대한 괴물 뱀이다. 그런 다음 우리를 가득 집어삼키고 어둠이 깔린 창자로 기어들어 간다. 그것이 언제 다시 나타날지 누가 알까?

나는 왜 사랑을 할까?

그의 구릿빛 목덜미는 나의 사랑이고, 그의 사타구니는 나의 설렘이고, 긴속눈썹을 지닌 그의 눈은 나의 웃음이다. 그는 나에게 자주 노래를 불러준다. 불꽃 같은 열정이 꺼지지 않는 그의 입술은 나의 풋풋한 입술 위에 부드럽게 포개진다. 비록 내 사랑이 나의 마음을 짓밟는다고 해도 나는 상관없다. 나는 사랑한다. 나는 왜 그를 사랑하는가? 나도 모른다. 나는 오직 사랑할 뿐이다.

텔레비전의 눈에 비친 삶

나는 텔레비전의 눈을 보았다. 그것은 내가 외치고 뛰고 웃고 울고 불평하고 찌르고 혀를 내밀어도 보지 못한다. 텔레비전의 눈 속, 그림자와 가로줄 사이에 작은 사람들이 살고, 사랑하고, 먹고, 상업적인 방해로 인해 죽는다. 나는 내키는 대로 텔레비전을 켜고 끌수있다. 아, 마치 신과 같지 않은가. 신은 말하는 중간에 우리의 입을 막고, 우리의 마음을 뚝 잘라버릴 수 있다. 신의 눈은 우리를 보지만 우리는 신을 보지 못한다. 신이란 무엇인가? 신은 우주의 안테나.

미래?

나의 물음에 질문을 하느은 동안에는 절대 대답할 수 없다. 미래에 관한 질문이기 때문이다. 그리고 오직 미래만이 스스로 말해줄 수 있다. 그것은 우리를 위한 것일까? 우리는 앞으로 시간이 있을지, 혹은 완전히 멸종할찌 모르기 때문에 빠르게 번식하고 있다. 나는 때때로 나와 나에게 올 아이가 어떻게 될지 궁금하다.

긍정을 강조하라

누구?

　무엇을?

　언제?

　　어디서?

　　왜?

　　　어떻게?

아, 바보 같은 '물음표', 그건 상관없다. 문제는 '느낌표'다. '물음표'야! 네가 얼마나 나쁜지 알아야 해! 그리고 여러 가지 문제는 모르는 게 더 낫다고 우리에게 말해주어야 한다! 느낌표와 살자!

당신을 무엇에 비교할까?

당신은 나에게 베이컨을 굽는 냄새와 함께 더 많은 약속을 하게 하는 일요일 아침 같은 존재야. 그리고 시속 95마일로 달리는 경주용 차와 같아. 그것은 아무도 갖지 못한 것이다. 당신은 나에게 타조 깃털로 얼굴을 부채질하며 아름다운 침대 에 나른하게 누워 있는 여자 와 같아. 그리고 나에게 푸르른 초원과 같은 존재야. 또한, 나에게 탬버린을 흔드는 집시이기도 하고, 방빵거리는 자동차 경적으로 가득한 도시의 소음, 그리고 지천을 뒤흔드는 뜨거운 로큰롤 비트와 같아. 너는 나에게 마지막 목적지와도 같아. 그렇지만 나는 당신에게 무엇일까?

인종 문제

사람들은 인종 문제를 말한다. 그것은 단어이다. 그것이 무슨 뜻인가? 버스? 경찰? 학교? 헤드라인? 묘비? 이웃의 싸움? 부모의 고함? 연설? 보이콧? 정치인? 나에게는 모두 똑같은 단어일 뿐이다. 다만 깊고 어둡다. 어떤 우물보다도 깊고, 누워서 잠자고 있는 어떤 사람의 피부색보다도 더 어둡다. 그것을 파네어 뭐라고 하는지 귀 기울여보자. 진실은 늘 단순하다. 우리가 모두 형제라는 것이다.

무제

죽느냐

사느냐—

이것에 대한 내 해석은 아래와 같다.

누가 스스로 원하는 사람이 되려는가?

(나는 진정 누구인가?)*²⁵

그렇지 않으면, 자신들의 삶에서 유감스러웠던 것을 자식
에게 강요하는 부모가 원하는 존재가 될 것인가?

(아아, 가엾은 요릭, 나는 그들을 잘 안다네!)*

또는, 세상이 원하는 존재가 될 것인가?

(선택은 정말 어렵다네.)*

남은 것은 침묵뿐….

노인

노인은 그저 그곳에 서 있었다. 그저 서 있었다. 그곳에.
내가 있던 곳에. 비난은 아마 나의 젊음과 건강에 쏟아질 것
이다. 그의 가슴은 푹 꺼졌다. 그의 손은 중풍으로 떨렸다.
끝났다. 완전히. 끝. 그의 시간의 모래는 모두 떨어졌다. 그
러나 나의 것은 이제 시작된 참이다. 언젠가 나도. 지금은
아니다. 아직 아니다. 그런데 왜 나는 죄책감을 느끼는가?

---

25 *는 모두 〈햄릿〉의 대사(편집자 주)

살인자

나는, 그가 식기 건조대 뒤에 숨겨둔 아이들에게 줄 음식를 가지고 싱크대 안에 있는 겁에 질려 기름투성이가 된 더러운 접쉬들 사이로 살굼살굼 돌아다니면서 마치 사기꾼처럼 허둥대고 있는 것을 보았다. 그의 눈에는 짙은 농도의 두려움이 담겨 있었다. 나는 그를 죽여야 할까?

(샥터 선생님! 바퀴벌레에 소재로 쓴 게 잘 드러나나요?)

재미있는 측면

교실 환경 월간 보고서

304호

담당: S. 배릿

10월 12일

· 문의 경첩 떨어짐.

· 수납장 미닫이가 닫히지 않음: 이것 때문에 칠판을 쓸 수가 없습니다.

· **교실 뒤의 책장이 부서짐:** 책꽂이가 쪼개졌습니다.

· 교실 뒤 오른쪽 창문 깨짐.

· 교사용 책상의 두 번째 서랍이 없어짐.

· 라디에이터에서 땡땡 소리가 남.

(지난달에 제출한 같은 내용의 보고서에 라디에이터 내용만 추가하였습니다. 창문에 난 구멍이 점점 커지고 있습니다. 그 사이로 바람과 비가 들어옵니다. 또한, 바닥에 깨진 유리 조각이 널려 있습니다.)

S. 배릿

배릿 선생님께
선생님은 오늘 출석부를 제출하지 않으셨습니다.

교무실장, 새디 핀치

핀치 선생님께

출석부를 제출하지 못한 이유는 오늘 아침 린다 로젠이 학교에 분홍색 스웨터와 형광 자주색 바지를 입고 왔기 때문입니다. 린다는 맥헤이브 선생님의 눈에 띄어 그의 사무실로 불려갔습니다. 또한, 저희 반 남학생들이 린다를 발견하고는 그쪽으로 몰려가고 말았습니다. 인원이 부족하기에 출석을 부를 수가 없었습니다. 오늘 오후에 바다로 뛰어드는 나그네쥐 떼처럼 남학생들이 린다를 따라가지 않는 한 출석을 부를 예정입니다.

S. 배릿

발신: 제임스 J. 맥헤이브 교감

수신: S. 배릿 선생님

배릿 선생님께

칠판지우개가 하나도 없습니다. 빨간 색연필도 하나도 없습니다. 창문 고정대는 지난봄에 위원회에 요청하였으니 기다려야 합니다.

분필 도난이 기승을 부리고 있습니다. 사용할 때를 제외하고는 분필은 꼭 서랍에 넣은 후 잠가두시기 바랍니다.

포스터는 필요 없습니까? 아직도 초록색 바탕에 노란색 글씨로 '진리는 아름답다'라고 쓰인 포스터가 걸려 있고, 흰색 바탕에 검은색으로 쓴 '배움=이득'도 몇 개 걸려 있습니다.

(출석에 대한 경솔한 태도와 말투는 교사가 갖추어야 할 진지한 모습에 적합하지 않습니다.)

JJ 맥헤이브

교내 우편

발신: 304

수신: 508

베아에게

선생님의 수업을 보고 열의가 생겨서 베스터 선생님께도 더 많은 강의 기술을 배우기 위해 수업을 참관해도 되냐고 물었어요. 차가운 침묵. 제 생각에는 기꺼이 보라고 할 사람이 아무도 없는 것 같아요.(특히 헨리에타 선생님이 구두법을 어떻게 교통 정리하여 가르치는지 궁금했거든요. 전 그 선생님이 정지, 직진, 우회전, 좌회전 등의 신호를 활용한다는 걸 들어서요⋯.)

그리고 맥헤이브 선생님이 제 경솔함을 문제 삼아서 언쟁을 벌였어요. 저의 유머 감각을 적절한 수준으로 자제해야 하나 봐요.

"학교 선생님 중에 유머 감각이 있는 사람은 선생님과 샥터 선생님뿐이에요"라고 한 학생이 말하더군요. "선생님은 재미있는 모습을 보여줘서 더 편해요."라고도요.

사실 농담이 더 쉽잖아요. '결석으로 인한 지각', '높은 영양실조', '소아마비 동의서' 같은 말도 안 되는 글을 보고 어떻게 진지해질 수가 있겠어요?

실

교내 우편
발신: 508
수신: 304

실에게

이 말은 아무 때나 잘 맞을 것 같아요.: "다음 사항들은 무시하십시오."

베아

발신: 제임스 J. 맥헤이브 교감

수신: 모든 교사

여러분이 전폭적으로 협력해야 귀중한 수업 시간을 빼앗는 불법적인 지각을 반드시 막을 수 있습니다. 위반에 대한 처벌을 준수해야 합니다.

JJ 맥헤이브

입실 시간: 오전 9시 30분

오다가 길을 잃었다고 변명.

JJ 맥헤이브

공지 No. 59

모든 공지는 순서대로 파일에 잘 보관하시기 바랍니다.

제목: 교사의 복지 관련 요청

전미교사연합회 회장이 사망하거나 업무 중 다친 교사들에게 지급할 조의금 및 연금을 위한 법안(교육위원회에 제출 예정)을 지지해 줄 것을 요청해 왔습니다. 이 조치에 대한 여러분의 지원이 필요합니다.

배릿 선생님께

선생님 반의 조셉 페론이 오늘 아침 수학 시간에 결석했습니다. 그는 그레이슨 씨를 도와 일했다고 하더군요. 신경 써서 훈육하시고 PRC에도 기록하여 주십시오.

프레데릭 루미스

발신: 제임스 J. 맥헤이브 교감

수신: 모든 교사

보조 직원들이 많은 행정 업무들로부터 교사들을 해방시켜 주었으므로 교사들은 추가 업무를 받기 위해 교무실에 보고하여야 합니다.

JJ 맥헤이브

배릿 선생님께

조셉 페론이 그레이슨 씨와 있느라 오늘 예정되어 있던 중요한 물리시험을 치르지 않았습니다. 혹시 선생님이 그 학생을 저에게 보내주시면, 다른 시간에 다시 시험을 보도록 하지요.

진심을 담아,

마커스 맨하임

교내 우편

발신: 309, P. 베링거

수신: 304, S. 배릿

실비아!

어제저녁 데이트 약속을 지키지 못해서 미안해요.

화해의 선물을 동봉합니다.

며칠 안에 학교에 와서 처음 경험하는 일들을 맞닥뜨릴 것입니다.

이건 경험이에요.

학생 대표 부모님은 대표로 뽑힌 반에 찾아가 학교를 대표하는 선생님을 만나겠죠.

길버트와 설리번(Gilbert and Sullivan)[26]에게 사과하며 이 노래를 부릅시다.

나는 아이오와에서 델라웨어까지 새롭게 개발된 것을 잘 아는, 현대적인 교사의 완벽한 본보기야.

나는 많은 학생의 정보를 등급별로 나누어 표를 만들어 정리해뒀거든.

나는 소문을 듣기 위해 수업을 하러 가지.

나의 등은 정신 분석으로 인해 굳은살이 가득 박혀 있고

나의 머리는 통찰력으로 가득 차 있어 흔한 실수조차 없어.

무단결석생과 뒤처지는 아이가 나의 관심을 꾸준히 받지.

심지어 나는 평범한 아이에게도 줄 시간이 조금은 있지!

더 많이 있지만, 아직 연습하는 중이에요.

마지막 요청: 하다못해 코러스에 참가할 수는 없나요? 메이크업을 돕든가? 의상을 만드는 건 어때요? 소품을 칠하는 건요?

그 선술집에서 같은 시간에 만날래요?

폴로부터

---

26 길버트와 설리번은 19세기 영국 빅토리아 시대의 뮤지컬 코미디의 아버지로 불린다. 길버트는 작사가로, 설리번은 작곡가로 활동하였는데, 이들의 뮤지컬로 〈더 미카도The Mikado〉가 유명하다.

수신: 모든 교사

조회시간에 살펴보니 많은 학생이 교가 '보랏빛과 금빛'의 가사를 잘 모르는 것 같은데, 특히 첫 구절을 헷갈려하는 것으로 보입니다. 선생님들은 다음 조회시간에 학생들이 올바르고 적절한 느낌과 발음으로 교가를 부를 수 있도록 학생들과 함께 가사를 확인할 것을 권합니다. 가사는 나음과 같습니다.

진실한 아들딸들아
너희가 보랏빛과 금빛에
진실한 이상
누구의 마음도 시들지 않으리.

교장 맥스웰 E. 클라크

공지 No. 61

모든 공지는 순서대로 파일에 잘 보관하시기 바랍니다.

제목: 숙제 관련 추가 지시사항

준비되지 않은 학생들이 늘고 있습니다. 숙제를 못 한 학생은 선생님에게 서면으로 숙제를 하지 않은 이유 등을 제출해야 합니다. 이때 받은 미제출 사유서는 선생님의 책상 오른쪽 서랍에 넣어두시기 바랍니다.

교감 제임스 J. 맥헤이브

304호실 오른쪽 서랍에서[27]

우리가 잘돼려면 숙제가 꼭 필요하다는 건 알지만, 학교로 오던 중에 어떤 애랑 싸웠는데 그 애가 하수도로 제 숙제 노트를 던져버렸습니다.

우리 집 개가 물어뜯었어요.

그걸 해야 하는 줄 몰랐어요.

---

27 오른쪽 두 번째 서랍에는 숙제 미제출 사유서가 들어있다.

숙제하느라 밤새웠고, 결국 전철 안에서 잠이 들고 말았습니다. 역에 도착해서 지각을 안 하려고 급하게 뛰어나오는 바람에 과제물을 전철에 두고 내렸습니다.

고양이가 물어뜯었는데 다시 할 시간이 없었습니다.

숙제하지 않은 이유가 있습니다. 선생님이 저희에게 독후감을 가져오라고 했지만, 저는 도서관에 가서 책을 읽어야 하므로 하기가 싫었습니다. 책을 읽으려면 두 달, 아니 그 이상 시간이 걸리고, 그럼 연체료를 내야 해서 부담이 커집니다. 주머니 사정이 좋지 않다는 거죠, 하하! 책을 읽을 바에는 그 시간에 텔레비전을 보거나 놀거나 연애하는 커플을 괴롭힐래요.

숙제하던 중에 볼펜이 안 나왔습니다.

프랑스어 공부를 하느라 영어 공부를 할 시간이 없었습니다.

숙제는 했지만, 실수로 집에 두고 왔어요.

선생님이 무언가를 알고 싶다면 스스로 찾아야지 학생들에게 대신시키는 겁니까? 어쨌든, 선생님이니까 말을 들으면 얻는 게 많긴 하겠죠.

아기가 숙제에 우유를 쏟았어요.

제 동생이 자기 숙제 대신 제 걸 가져갔습니다.

저는 학교가 끝나고 일하러 가는데 일을 밤늦게까지 해야 했어요.

제 책에 그 페이지가 없던데요.

결석 사유서를 가져왔지만, 그가 저를 돌려보냈습니다. 그게 숙제를 하지 못한 이유입니다.

저희 어머니가 병원에 계셔서 동생 셋을 돌보아야 했기 때문입니다.

책을 잃어버렸고, 방금 찾았어요.

집에 삼촌이 와서 같이 살고 있는데, 전 방 대신 거실에서 자고, 식탁도 쓸 수가 없습니다.

누 가 훔쳐 갔어요.

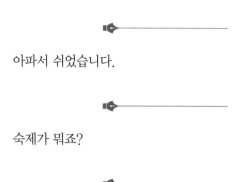

아파서 쉬었습니다.

숙제가 뭐죠?

우리 집 개가 먹어버려써요.

5장

가르시아 장군에게 보내는 편지

수신: 모든 교사

지난 월요일 X2와 Y2의 시간표가 뒤바뀌는 바람에 혼란이 발생하여 조회에 참석하지 못한 사람 중 우수 학생에게 클라크 박사의 연설을 복사해 배부하도록 하겠습니다.

스스로 결단력과 끈기를 발휘하여 영광스럽고 기쁜 우등생 명단에 오른 여러분에게 경의를 표하고 축하할 수 있어 영광입니다. 여러분은 이전 세대로부터 전해진 문화유산 덕택에 배움의 기회를 얻었습니다. 이제 여러분은 자신이 습득한 기술과 풍부한 지식 창고를 활용하여 미래와 마주하고, 새로운 모험을 향해 떠나고, 더 넓은 지평을 향해 나아가야 합니다. 위대한 시인이 말했습니다. "투쟁이 소용없는 짓이라 말하지 말라." 그렇습니다. 정말 옳은 말입니다. 투쟁 없이는 아무것도 승리하지 못했기 때문입니다. 이와 같이 여러분은 싸우고 투쟁하여 남다른 성과를 거두었고 누구나 인정할 우등생 명단에 올랐습니다. 저는 여러분의 자랑스럽고 행복한 얼굴을 보며 한 젊은이가 떠올랐습니다. 〈가르시아에게 보내는 메시지〉에 나온 열성적이고 사심 없이 행동하던 사람입니다.

그러나 우등생 명단에 오르지 못한다고 해도 실패했다고 느껴서는 안 됩니다. 그와 반대로 여러분은 선두로 나아가기 위해 뒤에서 받쳐주는 존재이고, 여러분과 여러분의 공헌이 없이는 그들이 한 일을 성취할 수 없었을 것이기 때문입니다. 크든 작든 우리는 각자 뛰어난 한 개인뿐만이 아니라 전체의 이익에 기여하고 있으며 이것은 민주주의가 나아가야 할 궁극적인 목표입니다. 우리 학생회에 참여할 수 있는 행운을 지닌 사람은 누구든지 민주주의를 위해 일할 수 있고, 그것을 후대에 물려주는 것은 우리 각자에게 달려 있다는 것을 잘 알고 있으리라 믿습니다.

실비아!
오늘은 들를 수가 없을 것 같아요.
아마 제가 강당에서 교사 발표회를 기획하는 동안 저희

반은 다른 분이 수업을 해주실 것 같습니다. 사실 전 캘빈 쿨리지의 길버트와 설리번을 저만의 느낌으로 쓰고 있거든요. 그것은 결코 검열을 통과하지는 못하겠지만, 당신에게 웃음을 줄 수는 있을 겁니다. 저는 그거면 돼요.

선생님들은 아이들과 놀아주겠지요. 예를 들어 이 노래는 어떻게 생각하십니까? 우리의 재능 있는 삼인조, 헨리에타 패스터필드, 메리 루이스, 샬럿 울프가 부를 건데요.

학교에서 온 세 명의 작은 소녀들
약물과 차로 영양을 공급받고,
아무도 친목회 열쇠가 없네―
학교에서 온 세 명의 작은 소녀들!

캘빈 쿨리지에서 온 세 명의 작은 소녀들
킥킥 씰룩 씰룩 어리고 어리석네,
취학 연령을 피하고자―
학교에서 온 세 명의 작은 소녀들!

그에 반해 남성 삼중창은 아마 루미스, 맨하임, 맥헤이브가 할 것 같은데요.

학교에서 온 세 명의 작은 사내들
비트 족, 리피트 족, 너도 볼 수 있듯이
(만약 우리 PPP를 읽는다면)—
학교에서 온 세 명의 작은 사내들!

비행 청소년, 만년 결석생,
각자 담당자를 따라
학교에 관한 단어는
매우 능통하다네!

(루미스) 나는 점점 더 적게 배우네, 그리고
(맥헤이브) 나는 꽤 엉망인 걸로 알려졌지, 그리고
(맨하임) 나는 청소년기에 문제가 있었네—
학교에서 온 세 명의 작은 사내들!

    따분한 얼굴 하지 말고, 교실 밖으로 나와 날 보러 와도 좋아요. 앨리스 뭔가 하는 이름을 가진 당신 반 여학생이 오늘 저를 오래도록 촉촉한 눈길로 바라봐서 마치 샤워를 한 느낌이 들었어요. 주님은 저를 사랑하는 강아지들로부터 지켜주시죠. 하지만 제 취향은 초서를 연구하는 학자에 더 가까워요.

학교 끝나고 그 선술집에서 만날래요? 전 좀 취하고 싶거든요. '훌륭한 원고를 보내주셔서 감사합니다만, 유감스럽게도'로 시작하는 편지를 또 받아서요. 다들 제 성격이 너무 독특하다고 해요. 제 글의 배경이 너무 이국적이라고도 하고요. 글쎄요, 그럼 안 되나요? 웃기지도 않는군요.

이건 사람이 할 짓이 못돼요. 클라크처럼 하지 않는 한 당신은 인상을 쓰고 종일 앉아서 뜨개질이나 할 수도 있겠죠. 여기 그를 위한 시예요.

내가 어렸을 때 학교로 가서
칠판에 쓰인 황금률을 베꼈네.
다른 날은 순례자의 글을 베꼈지만
무슨 말인지 전혀 알지 못했네!
칠판의 글을 열심히 베꼈더니
지금 난 캘빈 쿨리지의 교장이 되었다네!

저는 '가르시아 장군에게 보내는 편지'[28]에 관한 그의 연설

---

28 엘버트 허바드가 쓴 이 책은 미국이 쿠바를 스페인으로부터 독립시키기 위해 전쟁을 치를 당시 매킨리 대통령의 명령으로 쿠바 반군 지도자인 가르시아 장군에게 위험을 무릅쓰고 편지를 전달해 쿠바가 독립할 수 있도록 도운 앤드루 로완 중위의 이야기를 다루고 있다. 그는 가르시아 장군이 어디에 있는지 되묻지 않고 편지를 받아 떠났다고 한다.

내용을 넣었어야 했지만, 그렇지 않았죠. 그래도 학교에 관해 잘 논평한 기억에 남는 연설이었습니다. 모든 사람이 제시간에 메시지를 전하기 위해 급히 뛰어다니죠. 그러나 아무도 그 메시지가 무엇인지는 몰라요.

참, 왜 저의 공연을 거부하시는 겁니까? 당신은 노래할 필요도 없는데요.

폴

발신: 제임스 J. 맥헤이브 교감

수신: 모든 교사

오늘 지하철 화재 때문에 지각했다는 변명을 받아주지 마십시오. 제가 교통 당국에 확인한 사항입니다. 오늘 지하철에서 화재는 일어나지 않았다고 합니다.

JJ 맥헤이브

수신: 모든 교사

소아마비 동의서를 오늘 오후 3시까지 보건실에 제출하시기 바랍니다.

보건교사, 프랜시스 이건

공지 No. 42

모든 공지는 순서대로 정리하여 파일에 보관하시기 바랍니다.

제목: PPP와 정서 상태 평가

선생님이 상담실에서 학생과 행한 심층적인 면담 결과를 바탕으로 각 PRC에서 PPP의 모든 영역을, 전교생을 대상으로 평가하였습니다. 이번 평가에서는 그들의 인격 발달을 형성한 사회경제적 요소를 모두 고려하였으며, 각 학생이 정서상의 문제에 관해 심오한 통찰력을 얻을 수 있도록 배려하였습니다.

생활지도교사, 엘라 프리덴버그

발신: 보건실

수신: 배릿 선생님, 304호실

기밀 의료 보고서

참조: 맥헤이브, 핀치

선생님 반의 린다 로젠은 보건국에서 허가할 때까지 학교 출입이 금지될 것입니다. 바서만 반응[29]이 양성으로 나왔습니다. 그녀는 출석부에 정학으로 처리, 기록됩니다.

선생님 반의 에블린 라자르가 이틀 전 자가 낙태로 인한 감염으로 사망하였다고 검시관이 선고하였습니다. 그녀는 선생님 반 출석부에서 영구적으로 삭제됩니다.

보건교사, 프랜시스 이건

---

29 Wassermann test 매독 검사 반응

상처를 어루만지다

엘렌에게

에블린 라자르가 죽었어. 그 애는 교사 회의가 있던 날 나에게 만나고 싶다고 했던 바로 그 아이야. 그날 내가 그 애를 만났다면 아마 지금 살아 있었을 거야. 집에서 가출한 뒤, 뜨개바늘을 이용해 낙태하려다 감염되어 사망했대. 하지만 지금 그 애의 이름은 출석부에서 지워져야 할 이름에 지나지 않아. 영원히.

폴이 다음과 같이 말했어. "할 수 있는 자가 구하라! 선생님, 본인 생각만 해요. 얽혀서 좋을 거 없으니까."

베아 또한, 이렇게 말했어. "선생님은 신이 아니에요. 그냥 수업에 능숙하지 못하다는 거 빼고는 잘못이 없다고요."

헨리에타가 말했어. "아이들이 거리로 나돌지 않게 하고 조금이나마 그에게 즐거움을 주었다면, 조금이라도 가치 있는 일을 한 거예요."

새디 핀치가 말했어. "에블린 라자르가 쓰던 사물함 번호와 도서 대출증을 3시까지 알려주시기 바랍니다."

엘라 프로이트가 말했어. "통제할 수 없는 환경이 우리에게 영향을 미치는 것은 주로 정서적 불균형 때문이에요."

그리고, 보건교사인 프랜시스 이건은 영양 성분표를 가져와 오래도록 설명하며 어쩔 수 없다고 했지. "에블린의 아버지는 자신의 폭력성을 절제하지 못하는 사람이었어요." 그녀가 말했어. "한번은 에블린이 온몸이 멍투성이가 되도록 두들겨 맞고 왔더군요."

"그 애를 위해서 무엇을 해줬죠?"

"차를 한 잔 내줬어요."

"차? 대체 왜요?"

"이유요? 제가 모든 걸 알기 때문이에요." 그녀가 화를 내며 몸을 떨었어.

"전 가난, 질병, 마약, 타락처럼 외부에서 무슨 일이 일어나는지 누구보다 잘 알지만, 아이들에게 반창고조차 줄 수가 없어요. 아이들, 부모, 복지기관, 행정기관, 사회단체 등에 간청도 하고 화도 내봤어요. 하지만 아무도 제 이야기를 진지하게 듣지 않았죠. 지금 전 애들에게 차만 내주고 있어요. 적어도 그건 할 수 있으니까요."

"하지만 선생님은 간호사 자격이 있잖아요." 난 참지 못하고 지적했어.

그러자 그녀는 위원회의 지시가 쓰여 있는 벽에 붙어 있는 포스터를 가리켰어. "보건교사는 상처를 건드려서는 안 되고, 약을 주거나 눈에 들어간 불순물을 제거해서는 안 되며…."

그럼 우리는 누구도 상처를 치료할 수가 없는 건가? 교사의 책무란 무엇일까? 그리고 책무가 시작된다면 그 끝은 어디일까? 우리가 얼마나 책임을 져야 할까?

그것에 관해 교사용 식당에서 토론을 벌였어.

메리 루이스는 오늘날 젊은이들의 도덕적 해이에 충격을 받았어. 그리고 과중한 업무를 떠맡은 교사들이 아이들의 매니저처럼 쫓아다니며 일일이 챙기는 건 기대할 수 없다고 분명하게 말했어.

헨리에타 패스터필드는 성적인 자유를 당당하게 인정한다면 반대할 이유가 없다고 했지. 그 여학생이 그녀의 반에 있었다면 이런 일은 일어나지 않았을 거야. 헨리에타는 아이들의 눈높이에 맞춰서 말하는 법을 아니까. 그 반 아이들은 그녀에게 속마음을 잘 터놓거든.

프레드 루미스는 불임수술이 답이라고 말했어. 불임수술

을 시켜서 학교에서 쫓아내라고. 베아 샥터는 사랑에 대해서 말했어. 아이들은 사랑에 굶주려 있다고 말이야. 폴 베링거는 동의하지 않았지만. 그는 아이들이 사랑에 대해 전혀 모르기 때문에 제대로 다루지 못한다고 하더라.

그냥 즐겁게 지내며 주변 상황에 무심해져야 이런 일에 가슴 아프지도 않겠지. 하지만 베아는 교사를 하면서 아이들 일에 무심해질 수는 없다고 하더라고. 그리고 우리는 모든 장애물과 역경에도 불구하고 최선을 다해 가르쳐야만 한다고…. 그러자 루미스가 정신 나간 소리 하지 말라고 하면서, 아이들은 학교에 속한 사람이 아니라고 말하는 거야.

교사 식당은 출구 쪽 벽면에는 쟁반을 치우라는 안내 문구가 붙어 있고, 장미 조화를 꽂은 플라스틱 꽃병이 올라간 하얀색 도자 테이블이 전면에는 정글처럼 늘어서 있었는데 다른 선생님들은 덤불을 헤치고 각자의 갈 길을 가기 시작했어. 마지막까지 메리, 헨리에타, 폴, 그리고 내가 식당에 남았지. 내가 뭐라 말하려고 하자 메리가 가로채어 말했어.

"저도 선생님처럼 시작하려고 했지만, 할 수 있는 일이 아무것도 없었어요. 그러니 선생님도 포기하는 게 좋아요. 그냥 저만큼 오래 다닐 때까지 참아요. 선생님은 정말 열심히 일하지만 아무도 고마워하지 않잖아요. 일을 많이 하면 앞으로 더 많이 해주기를 기대할 테고, 그건 다른 학교도 마찬가지니까 제 말을 믿어주세요. 여기는 그나마 새디 핀치와 보조 직원이 도와주지만, 앞으로 신경 쓰는 사람은 아무도 없이 점점 더 많은 업무를 떠맡길 거예요. 전 칠판도 없었고, 저희 반 라디에이터를 고쳐주지도 않았고, 세 가지 과목과 독서 지도 수업을 시켰고, 지각실과 보충 수업을 관리하고, 클라리온의 고문으로 자원하게 했으며, 3층에서 5층까지 하지정맥류를 앓으며 오르내려야 했어요. 전 지난 23년간 1분도 지각한 적이 없고, 핀치에게 물어보면 알겠지만, 항상 제일 먼저 보고서를 제출했으며, 절대 불평하지 않았답니다. 전 그저 제 일을 할 뿐인데, 우리 반이 학교에서 제일 문제아 반인 건 모두가 아는 사실이고, 전 수업을 시작하기도 전에 애들을 조용히 시키느라 모든 힘을 쏟아야 한다고요!"

"애들이 가만히 있지 않으려고 하면." 헨리에타가 말했어. "전 농담을 해서 주의를 끌어요. 즐거운 마음으로 학교에 올 수 있다면 얼마나 많이 배우느냐는 중요하지 않아요. 일단 배움에 노출이 된 거잖아요. 그리고 아이들은 저에게 어떤 것이든 자유롭게 말해도 괜찮다는 걸 알게 되죠. 섹스나 뭐 그런 거요. 아이들은 제가 자기들과 같다고 느끼나 봐요. 제 조언도 도움이 되는 것 같고요."

"그건 농담으로 넘길 게 아니에요." 메리가 말했어. "우리는 애들을 너무 봐주고 있어요. 사탕발림에 너무 익숙해져서 어떻게 공부해야 할지, 문장이 무엇인지 전혀 모르는 채 저에게 온다고요. 모국어조차 모르면서 어떻게 외국어를 배울 수 있겠어요?"

"배우고 싶은 사람은 배우겠죠." 헨리에타가 말했어. "우리 학교에서 영어를 제일 잘하는 밥을 보세요. 지역 수필대회에서 꿈같은 글을 써서 수상했잖아요. 게다가 잘생겼고, 예의 바르고, 반 친구들과도 잘 지내고요. 전 그 애에게 문장 분석을 가르친 적이 없는데요."

"제가 했으니까요." 메리가 대답했어.

"그들을 문맹으로 만드는 건 우유부단하게 굴고 회피하는 선생님 같은 태도예요. 아이들은 저와 함께 기초를 쌓고 학문을 배우죠. 우리 반에서는 토론 시간에 과열되거나 의견을 교환하고 경험을 이야기하는 것을 피하지 않아요. 아이들이 어떤 의견을 갖고 있나요? 어떤 경험을 했죠? 무엇을 알고 있던가요? 그건 모욕이에요! 아이들은 제가 아는 것을 배우는 거라고요!"

"문제는 말입니다." 폴이 가장 매력적인 미소를 지으며 말했어. "교사는 한정된 시간 동안 너무 많은 것을 해야 한다는 겁니다. 연기자, 경찰, 학자, 간수, 부모, 감독관, 심판, 친구, 정신과 의사, 회계사, 판사와 배심원, 가이드와 멘토, 지성인, 기록 관리원, 델라니 장부의 주인 말이죠."

"이것도 혹시 시를 지었나요?" 메리가 고상하게 물었어.

"물론이죠." 폴이 멋진 포즈를 취하며 말했다. "들어보시죠."

우린 이론과 기술로,
　정신의학에 익숙해져서
　매력적인 미소로 구슬릴 준비를 하고,
　분필로 끽끽 소리를 내면 안 돼!
　우린 단정할 뿐만 아니라
　높은 아이큐를 가져야 하고, 평발이 아닌 발로 가르쳐
　야 해.
　우린 단호하면서도 무례하면 안 돼!
　이것이 우리의 생활 태도!

"무척 재미있네요." 메리가 말했어. "이런 것들 때문에 바쁘겠어요. 1교시에 보이지 않았던 것도 이해가 가네요. 누가 출근카드를 선생님 대신 찍어주고 있죠? 길버트와 설리번?"

그러나 그는 자신의 의견을 말했고, 종이 울렸을 때는 다 같이 웃고 있었지.

가엾은 에블린 라자르는 슬퍼할 사람도 칭찬해줄 사람도 없이 말다툼 속에 사라지고 말았잖아. 그 애의 죽음이 머릿속에서 떠나가지를 않아. 자꾸만 생각하게 돼. 그 애가 도와

달라며 우는 소리를 내가 들을 수 있었다면! 하지만 우리는 아이의 상처를 어루만질 수는 없으니까.

에블린은 내가 우연히 담임을 맡았기에 우연히 알게 된 소녀에 지나지 않고, 우연히 그 사정을 알아보았을 뿐이야. 지금도 여전히 자퇴하고, 사라지고, 그도 아니면 어둠 속에서 홀로 싸우는 수많은 아이가 있잖아? 폴은 그 애가 하려던 말은 사물함을 바꿔 달라고 하든가, 추가 점수표를 달라는 것이었을지도 모르는데 내가 너무 깊게 생각하는 것 같대. 그게 중요한 게 아니야. 그건 전혀 중요한 게 못 돼.

우리는 그저 문장 구조를 가르치고, 질서를 유지하고, 교재실에서 구할 수 있는 책을 배부하는 일로 돈을 받는 걸까?

헨리에타는 우등생 밥을 이성을 보는 눈으로 바라보고 있고, 폴은 어린 앨리스의 다양한 꿈을 조롱해. 그리고 난 페론을 위해 맥헤이브와 언쟁을 벌이고 있지.

난 여전히 그 애와 맘이 통하기를 바라. 페론은 입에 이쑤시개를 물고, 손은 주머니에 넣고, 어쩌라는 태도로 교실에 어슬렁거리며 들어오고 있지. 그리고 방과 후에 만나기를 거부하고 무례하게 굴면서 날 경계하고 있어. 뭔가를 증명하라는 듯이 말이야. 그래도 마침내 나와 대화하기로 했어. "그게 정말 선생님이 원하는 겁니까? 좋아요, 한번 해보시죠!" 하지만, 우리가 처음으로 만나기도 전에 잭나이프를 소지한 것 때문에 2주 동안 정학을 당했어. 너도 알다시피 정학이란 특정 기간 학생을 우리의 통제에서 벗어나게 하여 길거리를 돌아다니다 불량배들과 어울리게 하는, 그런 종류의 처벌이야.

난 페론을 정학 등의 사유로 내쫓는 것보다 나와 한 약속을 지키게 하는 게 더 중요하다고 생각해서 맥헤이브를 설득하려고 했어. 그러자 그가 이렇게 말하더라.

"선생님도 저만큼 학교에 계시면⋯."(다들 이렇게 말하더라!) "그들에게 필요한 것은 이해가 아니라는 걸 깨닫게 될 겁니다. 애들에게는 규율이 필요합니다. 걔넨 집에서 그걸 못 배웠거든요. 누가 윗사람인지 보여주어야 하죠. 그때마다 백 번이라도 벌을 주면서 가르치고, 그게 우리 일이라는 걸 알게 해야 합니다. 우리가 아니더라도 언젠가는 벌을 받게 될 텐데, 뭐 경찰이나 판사, 아니면 운이 좋아 직장을 구하면 자기 상사에게 말입니다. 그들은 뭐가 옳은지 그른지 모르고, 멍청한 새— 아, 죄송합니다. 선생님은 젊고 예쁘니까 애들도 아양을 떨고, 또 선생님은 그걸 받아주면서 축음기를 가져와 레코드나 틀고, 의견함을 놓아 불평하도록 조장하면서 마음을 터놓고 말하라고 하죠. 그건 무척 훌륭한 일입니다. 물론 우린 학생들에게 존경을 받도록 해야 하지만, 그것은 두려움을 통해 이루어져야 합니다. 애들이 이해하는 건 그게 전부니까요. 원칙을 따라가게 하지 않으면 그들은 우리를 깔고 짓뭉갤 겁니다. 선생님은 소년법원에 가본 적이 있습니까? 애들끼리 교사를 뭐라고 말하는지 들어보셨습니까? 여기 애들은 아주 많이 못돼먹었습니다. 그런 애들에게 법과 질서를 가르치는 게 바로 우리가 할 일이죠. 우린 애들을 속박하고, 또 애들은 자신의 시간에 속박되어 있으니 스스로 올바르게 행동하는 게 더 낫지 않겠습니까. 선생님처럼 아이디어를 쏟아내는 사람들이 하루 동안 학교를 자기 방식대로 운영한다면 모든 교실에서 폭동이 일어날 겁니다. 선생님을 위해 하는 말입니다. 선생님은 아직 배울 게 많아요."

아마 그럴지도 모르지.

이번 주에 베스터가 내 수업을 참관하러 왔거든. 그가 친절하게 충고해줬어. 난 부사절이나 프로스트의 시를 가르칠 계획이야.

이 편지를 이렇게 길게 쓸 마음은 없었어. 하지만 난 너무 혼란스럽고, 머리가 아픈 데다가 너도 관심을 가질 거로 생각했거든. 난 내가 여기에 소속되지 않았다고 느낄 때가 있어. 아마 난 윌로우데일로 가서 가르쳐야 하나 봐. 아니면 완전히 가르치는 일을 포기해야 할지도 모르지. 아니면 산문제로 말하는 괜찮은 청년을 찾아서 정착하는 게 나을 수도 있겠지. 그런 의미에서 넌 답을 찾은 것처럼 보이는구나.

하지만 노력도 안 해보고 포기하고 싶지는 않아. 난 아이들이 지금 받는 대접보다는 더 나은 대접을 받아야 한다고 생각해. 선생님들도 마찬가지야.

아이들의 부모님을 통해서 접근해볼 생각이야. 2주 뒤에 학부모 총회가 있거든. 행운을 빌어줘. 그리고 짐과 아기에게도 인사 전해줘.

10월 16일

사랑을 담아, 실

추신. 국무부가 서로가 보낸 문서를 이해하지 못하는 장교들을 위해 초급 글쓰기 강좌를 개설한 사실을 아니?

S.

자격 설명

뉴욕시 교육위원회

수신: S. 배릿

　　　(뉴욕, 캘빈 쿨리지 고등학교)

안녕하세요, 선생님.

교사 자격을 설명해달라는 요청에 답변드립니다. 모든 교직원은 3년의 수습 기간을 거친 후, 교육위원회에 소속된 교육감으로부터 임명을 받습니다. 단, 3년의 수습 기간에서 필수로 이수해야 할 2년의 기간은, 1년 동안의 업무 수행도 평가가 S일 경우 대체되어 인정받을 수 있습니다. 또한, 2년의 수습 기간 도중에 정규직으로 임명된 사람이나 정규직과 같은 수준으로 대체 근무를 했거나, 교과목을 수업한 자에게는 영구적으로 자격이 부여됩니다.

대체 근무 기간 관련하여서는 90일의 연속 근무 기간 중 80일 이상 같은 학교에서 근무하지 않으면 수습 업무와 동등하게 인정받을 수 없습니다.

업무 수행 평가 관련하여서 알려드립니다. 1년의 기간 중 160일 이상을 실제로 해당 학교에서 근무해야 하며, 그러한 조건을 충족해야 교사 능력 업무 수행도를 평가합니다.

선생님이 요청하신 교사 자격 설명에 대한 성실한 답변이 되었기를 바랍니다.

업무관리부

의견함에서

친구 같은 선생님께

선생님이 하시는 일은 모두 타당해요. 전 집에서던 학교에서던 선생님 같은 사람을 아무도 못 봤어요.(전 체중을 1킬로그램이나 더 뺐어요.)

답장을 바라며,
비비안 페인

맥헤이브 선생님은 없애야 할 간수예요. 경고! 이건 제가 분명이 쓰느은 마지막 편지예요.

매

전 선생님에게서 인간미를 발견할 수 있겠다고 마음을 바꿨어요. 교육위원회에 늙은 사람 말고 우리에게 진짜 신경 써주는 선생님 같은 젊은 사람을 뽑으라고 건의해야겠어요. 선생님 최고!

프랭크 앨런

편견을 업새요. 프리덴버그 선생님의 면다믄 구역지리 납니다. 저에게 사는 동네를 무르면 제가 챙피하지 않겠습니까?

에드워드 윌리엄스 올림

이런 '원자력'으로 '두려운' 시대에 선생님은 제가 한때 초등학교에서 만난 또 다른 '선생님'을 생각나게 합니다. 그분은 재미있지 않더라도 '농담'에 웃을 수 있는 용기를 갖고 있었거든요.

체이스 H. 로빈스

착한 척하시네요.

선생님의 적

제가 선생님의 이름(배링고)을 잘못 썼다고 시험 점수에서 5점을 깎는 게 공평하다고 생각하시나요?

틀리는 것을 두려워하지 않는다는 걸 보여주기 위해 이름을 쓰는 거라고 말씀하셨잖아요. 전 그렇게 했다고요.

익명

전 선생님이 모두 남자여야 한다고 생각합니다. 선생님의 모든 장점를 가리는 문제가 하나 있어요. 그건 선생님이 여자라는 사실입니다. 전 훌륭한 여자는 없다는 걸 알고 있거든요. 전 여자와 공통점이 전혀 없어서 선생님이 남자가 아니라는 게 너무 아십습니다.

러스티

선생님이 담임이기는 하지만, 영어 수업도 배우고 싶어

요. 선생님 이름을 쓰지 말라고 하셨지만, 루 모 선생님은 귀를 막고 싶을 만큼 목소리가 크세요. 저번 학기의 패 모 선생님도 별로였는데 저희는 텔레비전에 출현하거나 축구팀이라도 되는 듯 행동해야 했어요. 선생님과 함께라면 무언가 배울 수 있을 것 같은데, 전 학교를 그만둘 예정이니 너무 늦었네요.

전직 학생

선생님이 진정한 선생님이라는 걸 알게 되었습니다.

체험한 학생

린다 로젠은 매독에 걸렸어요!

누구게?

전 다른 선생님에게도 영어를 배웠는데…. 영어 선생님과 학생 사이에 더 깊은 친밀감을 느껴야 한다고 절실히 느꼈습니다…. 전 선생님이 멋지고 좋은 분이라고 생각해요.(선생님의 회색 옷에 꽂힌 은색 핀이 좋아요)

앨리스 블레이크

신화와 모든 종류의 책을 계속 가르쳐주십시오. 이건 좋은 생각이고 후배들도 혜택을 볼 것이라 믿습니다. 또한, 선생님을 칭찬해드리고 싶어요. 문법 등 수업에 관심을 가져주셔서 감사합니다.

(학생들이 선택한)

해리 A. 케이건

급식은 맛이 없어요.

미식가

선생님은 옷을 잘 입는데 특히 빨간 정장을 잘 입는 것 같아요. 다른 불만은 없습니다.

아, 정말! 전 싫은 선생님들은 별로 신경 쓰지 않지만, 몇 가지 버릇 때문에 미칠 것 같아요! 자기 안경을 깨문다든가 (루미스 선생님), 코를 훌쩌기거나(패스터필드 선생님), 맨날 똑같은 옷을 입는 거(루이스 선생님) 말이에요! 수업 시간 내내 우리가 쳐다본다는 걸 잊지 말라고요! 지금 있는 사람은 빼고요, 하하! 선생님들은 교실 뒤에 거울을 두고 우리에게 어떻게 보이는지 봐야 해요!

루 마틴

주말에 숙제가 없으면 좋겠어요, 제발요! 금요일부터 월요일까지 모든 걸 잊고 싶어요.

당신의 친구

꺼져. 다신 오지 마.

독

선생님이 다음 학기에 문예 창작을 가르칠 수는 없나요?

선생님은 저에게 명확한 글쓰기는 명확한 생각을 의미한다는 것을 보여주셨고, 의사소통보다 더 중요한 것은 없다는 걸 알려주셨거든요.

엘리자베스 엘리스

선생님이 수학(제가 좋아하는 과목)을 가르쳤으면 좋겠어요.
아아, 하지만 두 마리 토끼를 다 잡을 수는 없겠죠.

수줍음 많은 익명의 학생

JJ 맥헤이브.
지옥에나 떨어져라.

시인

수업 진도가 너무 빨라서 뒤처지고 있습니다. 좀 천천히 읽
을 수는 없나요?

유급생

제안할 것: 1. 무료 급식
  a. 교실에 에어컨 설치
  b. 숙제 없음
  2. a. 교실마다 텔레비전 설치
  b. 영화배우를 선생님으로 데려오기

3. 방학 6달, 수업은 10시~12시, 수업은 아이
   들이!

십 대

걱정하지 마세요.
저희 중 4분의 3은 선생님 편이니까요!

전 이 반에서 하는 모든 걸 좋아하지만, 책은 읽기 싫고
신화도 싫어요.
  추신. 전 문뻡이 싫어요. 구술 과제는 상관없고요. 선생님
은 여기가 다른 좋은 학교처럼 평범한 곳이 아니라는 사실을
잊어버렸나 봐요.

진정한 학생

수업은 조금 재미있어요. 특히 선생님이 교실에 들어오면
요. 저를 위해 더 많이 오셨으면 하네요.

결석생

선생님은 너무 아름다워서 눈을 뗄 수가 없어요. 선생님은 저의 상상 속 쌍둥이인 로잔과 같아요. 제가 남자였다면 영어 공부는 하지도 못하고 선생님만 응시하고 있었을 거예요. 하지만 전 남자가 아니니 고통스럽기만 하네요.

선생님을 몰래 흠모하는 학생

핸드볼을 하다 발목을 삐었는데 보건 선생님이 저에게 차를 한 잔 마시라고 줬어요. 그게 제 발목에 도움이 되나요?

운동선수

전 신화에서 많은 것을 얻었는데, 덕분에 우리 친구들을 더 잘 이해할 수 있게 되었습니다. 특히 나르키소스[30]는 베링거 선생님과 많이 닮았어요. 다만 그 선생님은 익사하지 않았지만요.

오디서스

---

30 그리스 신화에 나오는 미소년. 에코(Echo)의 사랑을 받아들이지 않은 죄로 네메시스(Nemesis)에게 벌을 받아, 호수에 비친 자기 모습을 사랑하여 그리워하다가 죽어 수선화가 되었다고 한다.

전 버스를 타고 학교에 다니는데 집안 일과 설거지 때문에 너무 피곤해요. 빈둥거리는 남자들이 언젠가 자리를 양보해준다면 좋겠지만, 진짜 그러면 깜짝 놀라 죽을지도 몰라요. 무슨 방법이 없을까요?

여성

좋은 점: 1. 무슨 일이 있어도 항상 우리 편을 들어준다.
2. 모르는 것이 있으면 부끄러워하지 않고 솔직하게 말한다.
3. 필요헐 때는 바로 미소를 짓는다.
4. 우리가 들어오는 걸 보면 항상 행복한 표정을 짓는다.

나쁜 점: 없음.

의견: 선생님 같은 사람이 더 많았으면.

선생님의 팬

저희 어머니는 저와 16년을 살았으면서 아직도 반대 신문을 하려고 들어요.

낙서장이

루이스 선생님의 수업 시간에는 학생이 남자 화장실을 가야 할 일이 있더라도 그 특권을 거부당하더군요.

2학년

그냥 가르치기만 하는 것 대신에 학생들에게 관심을 두는 선생님 같은 사람이 더 많아져야 합니다. 선생님이 절 판사로 선택한 이후, 전 제가 살아 있는 한 결코 선생님을 잊지 않을 것입니다. 선생님은 제가 살아 있다는 걸 느끼게 해줬어요.

호세 로드리게스

G장

가지 않은 길

학습 계획 개요

1. 제목: 로버트 프로스트 작 〈가지 않은 길〉

2. 목표: 시의 감상과 이해

3. 동기: 흥미, 도전, 생각해 볼 문제, 학생이 자신의 경험에 비추어 따라 읽기

   · 나는 인생에서 어떤 전환점을 맞이했는가?

   · 나는 어떤 선택을 하였고, 그렇게 한 이유는 무엇인가?

   · 나중에 내가 한 선택에 대해 어떻게 느꼈는가?

4. 예상되는 어려움: 시를 게시하고 단어를 설명하는 것(갈림길, 밟는다 등)

5. 실제 수업 내용: 소리 내어 시를 낭독한다: '노랗게 물든 숲에 두 개의 갈림길…' 등.

6. 인간의 동기를 이해하기 위한 핵심 질문:

· 화자는 왜 특정한 이 길을 택했는가?

· 화자가 한 말의 의미는 무엇인가: '나는 한숨을 쉬며 이렇게 말할 것이다.'

· 어떤 한숨일까? 안도? 후회?

· 이 시의 마지막 부분: '나는 사람이 적게 간 길을 선택했고, 그것 때문에 모든 것이 달라졌다.' : 그것이 화자를 어떻게 달라지게 하였을까?

· 만약 화자가 다른 길을 택했다면, 시의 마지막은 어떻게 끝났을까? (도출할 대답: 같은 길!)

· 프로스트가 이 시의 제목을 '내가 간 길'이 아닌, '가지 않은 길'이라고 지은 까닭은 무엇일까? (도출할 대답: 우리는 한 일보다 하지 못한 일을 더 후회하기에.)

· 이 시를 근거로 프로스트가 어떤 사람이라고 생각하나? (도출할 대답: 올곧고, 소박하고, 철학적이고, 자연을 사랑하고, 자세하게 살피는 안목이 있는 사람)

· 그의 글쓰기 스타일은 어떠한가?

('작은 것에 많이 들어있다.': 구체적인 부분을 생략하면서 생각해 볼 수 있는 표현)

7. 보충: 프로스트의 사진을 돌려본다.

8. 요약: 1. 빛나는 길 vs 순응

2. 어떤 결정에도 내재하여 있는 후회

   (노트: 칠판에 요약 부분을 적을 것!

   창문!

   바닥에 종이 쪼가리 없도록!

   에디 윌리엄스가 적어도 하나는 암송할 수 있도록 노력할 것.

   해리 케이건이 혼자 다 말하지 않도록 할 것.

   린다의 자리 변경– 여학생 옆에 앉힐까?

   시간이 되면 프로스트가 자신의 시를 직접 낭송한 레코드를 틀 것.)

발신: 어학과 과장, 새뮤얼 베스터

수신: S. 배릿, 304호실

배릿 선생님께

다음 의견은 비공식입니다: 이것들은 저의 공식적인 참관 보고서에는 담기지 않을 내용입니다. 개인적인 대화를 하고 싶다면 저를 찾아오시기 바랍니다.

1. 창문은 학생들이 위험하게 몸을 내밀지 않도록 위에서 약 10센티미터만 열어두십시오.

2. 학생의 경험과 연관된 질문이 제일 좋기는 하지만, 너무

많이 말하도록 놔두지 마십시오. 그들은 종종 수업을 지연시키거나 회피하기 위해 그런 행동을 합니다.(예: 네 번째 줄 여학생들이 토요일 밤에 무늬가 들어간 옷과 녹색 시폰 옷 중 어떤 옷을 입어야 할지에 대한 토론은 흥미로웠지만, 시간이 6분이나 더 지났습니다.)

3. 학생 한 명(케이건?)이 토론을 독점하지 못하게 해야 합니다. 손을 들지 않는 학생도 시키도록 합니다.

4. 항상 질문을 먼저 하십시오. 그리고 학생을 이름으로 불러 반 전체가 생각하는 데 참여하게 만드십시오. 내용이 함축되거나 부담스러운 질문, 혹은 막연한 질문은 피하십시오. 예를 들어 "이 시를 읽고 어떤 느낌을 받았나?"(너무 막연함), "우리는 하지 않은 일을 과연 후회할까?"(선생님은 분명 그렇다는 대답을 원하겠지요!)

5. 학생들을 변함없이 정중하게 대하는 모습은 흠잡을 곳이 없습니다. 교사는 학생이 존경할 만한 유일한 어른일 때가 있습니다. 입에 이쑤시개를 물고 늦게 들어온 정학당한 남학생을 처벌하는 대신에 선생님은 그가 수업에 이바지할 기회를 놓쳤다고 느끼게 했습니다. 그건 정말 대단한 일이에요!(그러나 이쑤시개는 빼도록 해야 했습니다.)

6. 선생님은 프로스트가 사용한 언어의 단순성에 주목하

라고 했습니다. 대신 모르는 척하거나 놀라며 묻는 탁월한 방법을 시도해볼 수 있습니다. "하지만 시는 좀 더 고차원적인 단어를 써야 하는 것 아닐까?" 혹은 "반복되는 어휘를 써서 운율을 살려야 하지 않을까?", 혹은 "그래도 안토니우스는 브루투스에 대해 좋게 말해주지 않았던가?" 같은 질문 말입니다.

7. 제 옆에 있던 남학생은 수학을 공부하고 있더군요. 선생님이 교실 안을 돌아다니는 게 현명한 처사일 듯싶습니다.

8. 잘못된 문법을 바로 고쳐준 것은 효과적이었습니다. 그러나 선생님이 놓친 부분이 있더군요.

9. 열정에는 전염성이 있습니다. 선생님은 감동하거나 어떤 생각에 흥분한 모습을 보여주는 것을 부끄러워하지 않아서 좋더군요. 예상치 못한 외부인(배관공 등)이 침입했다고 해서 그 열정을 억제할 필요는 없습니다.

10. 교사가 말을 더 적게 할수록 좋습니다. 그들에게 다 떠먹여 주는 대신 끌어내야 합니다. 배움은 교사와 학생을 위한 상호 간의 발견 과정이니까요. 예상치 못한 대답을 할지라도 열린 마음으로 받아들여야 합니다. 예를 들어 선택의 여지가 없는 수학을 하는 남학생의 말 같은 것 말이죠.

11. 잘못된 내용으로 수업이 끝나게 하지 마십시오. 예, 선생님이 "프로스트는 어떤 사람인가?"라고 질문하자 "시 쓰는 걸 좋아하는 사람!"이라는 대답이 나왔습니다. 바로 그때 종이 울리는 바람에 다들 교실에서 나가고 말았잖아요.

12. 학생의 노력을 바로 칭찬해주고 그들의 말에 진심 어린 관심을 보이는 것은 매우 훌륭합니다. 여학생들은 선생님을 본받으려고 하고, 남학생들은 선생님의 기분을 맞춰주려고 하더군요. 하지만 학생과의 사이가 너무 가까워지는 것은 다소 위험할 수 있습니다.

　　선생님에게 교사가 천직이라는 건 의심할 여지가 없군요.

새뮤얼 베스터

교내 우편

발신: 304

수신: 508

베아에게

우리의 적을 만났는데 그는 이제 우리 편이에요!

　전 오늘 참관이 있을 걸 알고 준비했어요. 적어도 전 그렇게 생각했죠. 계획표에 '예상되는 어려움'이 있었는데, 전 예상하지 못한 어려움을 겪었어요.

한 남학생이 딸꾹질하느라 거의 창문 밖으로 떨어질 뻔했고요. 비상훈련 신호가 잘못 나왔고, 맥헤이브가 전달사항을 말하러 찾아왔어요. 그다음엔 배관공이 라디에이터를 두드리기 시작했고요.

제가 수업을 진행하고, 판서하고, 프로스트를 설명하고, 말 안 듣는 아이들을 제지하고, 문장을 고쳐주고, 바닥에 떨어진 종이 쪼가리를 줍고, 수업의 범위 확장을 도모하고, 도덕적이고 윤리적인 개념을 포함하려고 애쓰는 동안 베스터 선생님은 교실 뒤에서 메모하고 계셨거든요.

전 시간 내에 수업 계획서 내용 절반도 마치지 못했고 창문 여는 것도 잊었지만, 아이들에게 자신의 경험과 시를 연관 지어 대답해야 하는 '핵심 문제'는 물어볼 수 있었어요. 베스터는 저에게 교사가 천직이라고 말했어요. 저 자신을 칭찬해줄래요!

실

교내 우편

발신: 508

수신: 304

실에게

물론이죠. 선생님에겐 교사의 자질이 있어요.

자신의 경험과 수업을 연관 짓기를 해냈다니 잘된 일이지만 때때로 그게 부담이 될 거예요. 직업 학교의 거친 도시 소년들이 모인 반에서 워즈워스의 시를 수업하며 첫 질문으로 "최근에 수선화를 본 사람이 얼마나 되나요?"라고 물은 젊은 선생님이 생각나네요.

아무튼, 선생님은 잘했어요. 축하해요!

베아

배릿 선생님께

저는 내일 아파서 결석할 테니 오늘 수업에서 제가 기록한 부분은 다른 사람이 읽게 해주세요.

가장 재미있고 교육적인 영어 시간이었습니다. 배릿 선생님은 수업 교재를 위해 돈을 걷었고, 내일 가져오지 않는 사람은 그것을 받지 못할 것입니다. 배릿 선생님은 학생회에 관한 몇 가지 공지를 전달하고, 맥헤이브 선생님이 와서 카페테리아의 테이블에 운동화가 없다는 말을 했습니다. 배릿 선생님은 딸꾹질 때문에 창문 밖으로 토하던 로이를 교실 밖으로 내보냈고, 로버트 프로스트의 아름다운 시를 가르쳤습니다. 제목은 '가지 않은 길'이라고 합니다. 베스터 선생님이 와서 프레드 옆에 앉았습니다.

우리는 각각 다른 입장에서 '인생의 전환점은 무엇인가'에 대해 토론했습니다. 비비안의 전환점은 대학이나 졸업 후에 일하는 거라고 했나, 아무튼 이것은 별로 좋은 예가 아닌데 그녀는 아직 2학년이기 때문입니다. 린다의 전환점은 토요일 밤에 어떤 드레스를 입느냐는 것이었습니다. 에디의 전환점은 지하실에 갔다가 머리를 맞았을 때였습니다. 루에게는 아예 전환점이 없었습니다.

그 시인은 그가 시인의 길을 택했기에 다른 점이 많아졌다고 말하려고 한 것 같습니다. 또 노란 나무에 대해 말했습니다. 그는 걸어갈 것을 결심했고, 잘못된 방향을 택해 길을 잃었습니다. 그가 우리에게 주는 교훈은, 우리는 동시에 두 개의 길을 걸을 수 없다는 것입니다. 몇몇 학생은 동의하지 않았습니다.

그 시인, 프로스트는 우리에게 삶과 다른 것들을 가르쳐주었습니다. 그는 단순합니다. 또 소박한 삶을 살았고, 최근에 죽었습니다. 그는 새로운 길에서 시련으로 빛났습니다. 배릿 선생님이 그의 사진을 돌려보라고 했지만, 누가 갖고 있은 채 넘기질 않아서 첫 줄에서 끝났습니다.

그의 문체는 매우 좋았습니다. 그리고 그는 사물을 주시했습니다.

저의 마지막 학기 영어 수업에 우리는 '사랑과 우정의 시', '자연과 신의 창조물', 또는 '종교와 죽음' 같은 서로 다른 제목들을 두고 각 시들이 어떤 제목에 속하는지 맞히기도 했는데 이 시가 어디에 속하는지는 잘 모르겠네요.

아무튼, 정중하게 제출합니다.

학급 서기, 재닛 앰더

작가가 말하려고 한 것

엘렌에게

꽤 오래 걸린 실내 장식 공사가 끝났다니 기쁘네. 근데 페인트 색깔이 누렇게 나왔다는 건 무슨 뜻이야?

그리고 네 말이 맞아. 난 폴에게 끌리고 있어. 그는 매력적이거든. 우리의 관계는 표면적이라는 느낌이 들어. 서로에게 좀 더 진지해져야 하는데 말이야. 가끔 같이 술을 마시거나 저녁을 먹고, 영화를 보러 가는 정도거든. 나는 그가 쓴 재미있는 시구에 웃거나 출판사, 학교, 그리고 운명에 대한 유쾌한 불평을 듣기도 해. 중요한 주제나 심각한 문제도 그를 거치면 우스꽝스럽거나 대수롭지 않은 것으로 바뀌어. 난 그를 좀 더 좋아하고 싶어.

네가 물어본 걸 대답해줄게. 린다 로젠이 치료가 끝나 돌아온 것 같아. 그리고 조 페론의 경우는 돌아왔지만, 상태가 좋지는 않아. 방과 후에 나와 만나기로 했던 것을 취소하면서 이렇게 말하더라. "절 만나서 선생님이 좋을 게 있나요?" 라고.

페론이 지각해서 맥헤이브에게 붙잡혀 있다가 늦게 교실로 돌아온 날 난 시를 가르치고 있었어. 그날 마침 베스터가 우리 반을 참관하고 있었고. 내가 달리 뭘 할 수 있었겠어? 베스터의 조언을 참고는 했지만, 난 내 나름의 수업 계획서를 열심히 준비했어. 하지만 아이들에겐 내 의도가 전달되지 않은 것 같아.

문제는 그들에게 배경 지식이 전혀 없다는 거야. 한 남학생이 "전 평생 책을 읽은 적도 없고, 앞으로 읽고 싶은 마음도 없어요."라고 하더라. 내 이전에 가르치던 다른 선생님들처럼 하기도 쉽지 않아. 헨리에타는 팀을 짜서 게임을 하고, 메리는 개요를 잘 짜지. 얼마나 시간을 앞으로 거슬러 올라가야 할까?

중요한 건 셰익스피어로 O×퀴즈를 보는 게 아니라, 리어왕의 고뇌를 느끼게 하는 거야. 아이들이 어떻게 인식하고 있는지와 생각 등이 정말 중요한 거지, 지식을 달달 외우는 게 중요한 건 아니잖아.

난 텔레비전이 고장 나고, 영화가 끝나고, 학교에서 수업을 마치는 종이 울리더라도 그들을 영원히 사로잡을 무엇인가를 가르쳐주고 싶어.

하지만 애들에게 독후감이란 작가에 대해 흥미로운 점(포는 약쟁이였대!)을 말하거나, '이 책은 나를 기도하게 하고/ 궁금하게 하고/ 깨닫게 하고/ 결심하게 했다.' 혹은 '하나의 유머러스한/ 비극적인 사건을 돌이켜보았다.'처럼 표현할 수 있도록 만들어 준다고 생각해. 아니면 책 표지를 디자인하고, 막대 그림을 그리고, 죽은 작가나 허구의 인물로 텔레비전 인터뷰를 하거나 '나는 누구일까요?' 같은 게임이나 고전 다시 읽기 같은 안이한 수업을 말해. 즉, 다른 사람들이 책을 읽어주는 수고를 덜어준다는 거지.

예를 들어:

루: 내 책은—.

나: 내가 읽은 책은.

루: 맞아요. 제목은 '맥베스의 셰익스피어'인데.

나: 셰익스피어는 작가고, 제목은?

루: 맥베스.

나: 하지만 그건 지난 학기 영어 시간에 읽으라고 했던 것 아니에요? 제가 알기로 지난 학기 영어2에서 〈맥베스〉를 가르쳤다고 하던데요. 학생은 보충 수업용 책을 읽고 독후감을 써야 해요. 그건 필수 교재가 아닌 다른

책으로—.

루: 전 그 책을 전에 읽은 적이 없으요.

나: 없어요.

루: 저도요. 이 책에서 저자가 모사한 것—.

나: 묘사한 것.

루: 그가 어떻게 하고 싶은지 묘사하냐면—.

나: 누구요?

루: 그를요.

나: 그.

루: 네. 그는 여기서 이것을 거론하고—.

나: 말하고.

루: 루이스 선생님이 '말하다' 같은 단어는 쓰지 말라고 했는데요. 대신에 '묘사하다'와 '거론하다' 같은 말을 쓰라고 목록을 만들어줬어요.

나: 해리, 왜 그러니?

해리: 논평하다.

나: 뭐라고?

해리: 발언하다. 서술하다. 영탄하다. 제가 적어놓은 겁니다.

나: 아마 그 선생님은 여러분이 같은 단어를 반복하는 걸 피하게 하려고 하셨나 봐요. '말하다'라는 단어는 전혀 문제가 없어요.

루: 아무튼 작가가 이 사건에 관해 서술하기를—.

나: 아니, 줄거리 말고 주제를 말해야죠. 주제와 줄거리의 차이점을 아는 사람 있나요? 린다가 말해볼래?

린다: 줄거리는 책에서 인물이 무엇을 하느냐는 것이고 주제는 인물이 그것을 어떻게 행하는가 하는 것입니다.

나: 꼭 그렇지는 않아요. 주제란— 네, 비비안?

비비안: 주제란 그 뒤에 있는 것입니다.

나: 무엇 뒤에요?

비비안: 줄거리요.

나: 프랭크?

프랭크: 교훈이요.

나: 무슨 교훈? 완전한 문장으로 대답해줄래요?

프랭크: 작가가 가르쳐주려고 하는 것이에요. 책에 담긴 의욕이요.

나: 도덕이겠죠. 그것보다— 존, 발표하겠어요?

존: 그는 세 가지 사건을 언급해야 했습니다.

나: 하지만 우리는 그 이야기가— 해리?

해리: 개인적인 견해요.

나: 뭐라고?

해리: 그의 개인적인 견해를 말하지 않았습니다.

루: 난 아직 거기까지 하지도 못했는데.

나: 우리는 아직 줄거리와 주제의 차이점을 알아보려는 중이에요. 샐리?

샐리: 하나는 현실이고, 하나는 만들어낸 것입니다.

나: 글쎄요, 사실― 캐럴, 뭔가요?

캐럴: 아, 감사합니다! 전 선생님이 저를 다시는 안 부를 줄 알았어요! 작가가 이루려고 한 것은―.

나: 이루려고 했다고요? 그는 성공하지 못했나요?

캐럴: 그가 보여줘서 이루려고 한 것은―.

나: 그가 보여준 것은.

캐럴: 그는 야망을 품어서는 안 된다는 것을 보여줬습니다.

루: 묘사해야지.

나: 그가 야망은 나쁘다고 말했나요?

캐럴: 네.

나: 정말요? 야망은 좋은 것 아닌가요? 루, 어떻게 생각하니?

루: 좋기는 한데 지나치면 안 돼요.

나: 뭐가 지나치면 안 되는 거죠?

루: 너무 지나친 야망은 좋지 않아요.

나: 그 말은 지나친 야망은 재앙으로 이어질 수 있다는 말인가요?

루: 바로 그거예요.

나: 왜 그렇게 말하지 않았나요? 〈맥베스〉의 주제가 바로 지나치거나 너무 무자비한 야망은 재앙이 된다는 거예요. 그것이 말이 쓰이는 이유예요. 그런데 무자비하다는 게 무슨 뜻일까요? 에디?

에디: 짓밟는.

나: 문장으로 말해요.

에디: 그는 모두 짓밟았어요.

나: 러스티, 하고 싶은 말이 있니?

러스티: 맥베스 부인이 그를 밀었어요.

나: 밀었다니 무슨 말이죠?

러스티: 밀어낸다고요. 여자니까 그를 배척하는 거예요.

나: 그래, 존, 지금 손 든 거 맞니?

존: 전 같은 책을 읽었지만 제가 생각한 주제는 다릅니다.

나: 어떻게 다르죠?

존: 주제는 그가 자신의 이익을 위해 그를 죽였다는 겁니다.

걱정하지 마. 나의 이상이 너무 높아서 헛디디고 넘어질지도 모르지만 계속 노력해볼게!

11월 6일 금요일

사랑을 담아, 실

추신: 대학입시위원회의 영어과에서 고등학교 영어 교사 중 3분의 1이 영어를 가르치는 데 부적합하다는 사실을 밝힌 거 알아?

S.

의사소통 기술

발신: 오리엔테이션과 동기부여에 관한 교육 자료 및 특정한 평가와 선택을 위한 중앙 커리큘럼 적응 위원회

구술 독후감

읽기 능력 향상을 위한 발달 과정 수업과 의사소통 기술 중 꼭 필요한 언어 구사 능력의 실용적인 적용과 구술 표현 연습에 적합한 구술 독후감 수업을 통해 학생들이 지적이고 감성적인 경험을 공유하며 대화에 참여해 서로 자극을 받게 하여 그들의 지적 능력 향상을 도모해 주시기를 부탁드립니다.

7장

시간 기록판을 넘어

다음 교사는 100퍼센트 출석율을 달성하였기에 칭찬합니다:

- 없음

오늘 4교시가 끝날 즈음 소방 훈련을 시행할 예정이오니 그 시간에는 어떠한 시험도 치르지 마십시오.

학부모 총회일에 관한 공지가 선생님의 우편함에 들어있습니다. 자세히 확인하시고 지시에 따르시기 바랍니다.

분실물&습득물

분실: 남자용 검은 우산, 나무 손잡이 (맨하임)

분실: 검은색 신발 한 짝 (맨하임)

분실: 페이퍼백: 24시간 안에 금연하는 법 (보건실, 이건에게)

습득: 파란색 볼펜 (안 쓴 것은 교무실로)

오후에 카드를 찍기 위해 시간 기록판 앞에 줄을 선 선생님들 때문에 문 앞이 혼잡스럽습니다. 퇴근 종이 울릴 때까지 기다린 후 내려오시기 바랍니다.

JJ 맥헤이브

시간 기록판에 손을 대지 마십시오.

교무실 전화는 사적인 용도로 사용해서는 안 됩니다. 지하실에 있는 공중전화를 이용하시기 바랍니다.

오늘 점심시간 404호실에서 교직원위원회 모임이 있습니다. 부디 참석하시어 함께 식사하셨으면 합니다. 지난달에는 아무도 오지 않았습니다!

교사 동정

드레이퍼 선생님 부친상 관련: 장례식은 내일입니다. 고인의 명복을 빕니다.

제인 테슬러 선생님이 출산 휴가 중 몸무게 약 3킬로그램의 여자아이를 낳았습니다. 현재 로즈 병원 입원 중.

캘빈 쿨리지 졸업생 제나 홀이 새로운 뮤지컬 레뷰 '사랑에 빠지면'에 코러스로 출연 중입니다.

작년에 학교를 그만둔 세라 대니엘스 선생님이 선생님들의 소식을 듣고 싶다고 합니다. 연락처는 미드타운 호텔 611호.

학부모 총회

수신: 학부모님

11월 12일 목요일 오후 1~3시와 7~9시 사이에 학부모님들을 진심 어린 마음으로 학교에 초대합니다.

자녀의 담임 선생님을 쉽게 찾을 수 있도록 선생님의 이름과 교실이 적힌 프린트를 준비하여 보내드립니다. 만약 학교를 방문할 수 없는 경우에는 수업이나 자녀에 관한 질문을 동봉된 우편엽서에 써넣어 선생님에게 보내주십시오.

고감 제임스 J. 맥헤이브

학부모님께

저는 이번에 개최하는 학부모 총회가 학교가 학부모님들과 가깝게 소통할 수 있는 황금 같은 기회라고 생각합니다. 여러분들의 방문을 진심으로 환영합니다. 이번 행사의 완벽한 성공을 위하여는 모두 노력을 기울이고 서로가 협력해야 합니다. 학부모님과 교사가 서로 이해해야만 여러분의 자녀가 가장 큰 성과를 내고 목표에도 도달할 수 있기 때문입니다.

교장 맥스웰 E. 클라크

모든 교사에게

저는 여러분이 학부모 총회를 학생의 부모와 가깝게 소통할 수 있는 황금 같은 기회로 생각하고 환영할 것이라 자신합니다. 이번 행사의 완벽한 성공을 위하여 모든 노력을 기울이고 협력해야 합니다. 학부모님과 교사가 서로 이해해야만 자녀가 가장 큰 성과를 이루어 목표에 도달할 수 있기 때문입니다.

교장 맥스웰 E. 클라크

발신: 제임스 J. 맥헤이브 교감

수신: 모든 교사

학부모님들이 도착하기 전에 다음 사항을 각자 확인하시기 바랍니다.

- 교사가 자신의 책상에 올려둔 물건 (책 등등)
- 게시판에 학생이 수업한 내용을 붙여둔 것 (만점 시험지 등)
- 교실 꾸미기 (완벽하게)
- 수납장 (비우기)
- 바닥 (깨끗하게)
- 창문 (날씨에 따라 열거나 닫기)
- 의자 (줄 맞춰서)

가능한 한 많은 학부모를 만나기 위해 교사들은 학부모 한 명당 면담 시간을 5분 이상 할애하지 마십시오. 면담한 학부모 명단은 교무실에 보관할 예정입니다. 가장 많은 면담을 한 교사는 표창하겠습니다.

교사가 바로 학교의 얼굴입니다.

JJ 맥헤이브

수신: 모든 영어 교사

학교를 찾은 학부모들에게 의사소통 수단으로서의 영어의 중요성을 알려드려야 합니다.

칠판에 수업의 중요한 요점도 써놓으시고, 첨삭한 과제도 전시해두십시오.

교사가 바로 영어과의 얼굴입니다.

어학과 과장, 새뮤얼 베스터

수신: 모든 교사

학부모들과 면담할 때 학생의 영양 상태와 공부와의 관계를 상기시켜주세요.

보건교사, 프랜시스 이건

교내 우편

발신: H. 패스터필드

수신: S. 배릿, 304호

실비아에게

아이들이 쓴 작문 몇 개만 저희 반 게시판에 붙이게 빌려주실 수 있나요? 숙제를 낼 시간이 없어서요. 정말 고마워요!

헨리에타

교내 우편

발신: 508

수신: 304

실에게

힘든 일 있으면 언제든 도와달라고 해요. 아마 온갖 종류의 부모들을 만나게 될 거예요. 하지만 꼭 와야 할 사람은 오지 않더군요.

베아

교내 우편

발신: M. 루이스, 302

수신: S. 배릿, 304

실비아에게

혹시 대야와 스펀지 있나요? 걸레도 괜찮아요. 청소 담당자가 나타나질 않아서 제가 다 해야 하거든요!

메리

교내 우편

발신: P. 베링거, 309

수신: S. 배릿, 304

실비아!

학부모가 오면 되도록 빨리 내보내고 늘 보던 거기서 만나요.

폴

엽서

배릿 선생님께. 전 에드워드 윌리엄스의 엄마인데, 애 아빠도 저도 너무 골칫거리가 많아서 학교에 갈 시간이 없습니다. 에드워드가 집에서 도와줘야 할 일이 많으니 더 일찍 보내줄 수는 없나요?

G. 윌리엄스

배릿 선생님께

저희 딸 비비안이 제가 왔으면 좋겠다고 했지만, 달마다 모이는 모임이 있어서요. 저희 딸은 선생님 수업을 좋아해요. 그 애는 선생님을 따라 하려고 애쓰는데 별 성과는 없는 것 같아요. 다른 딸은 완전히 반대 타입이랍니다. 비비안이 너무 단것을 많이 먹지 않도록 해주세요, 피부에 이상한 것이 나거든요. 매번 얘기를 하는데 듣지를 않더군요.

엘시 페인 올림

교육위원회는 선생님이 〈호밀밭의 파수꾼〉 같은 더러운 책을 읽게 한 걸 알고 있나요? 그 책 대신 〈성경〉을 가르쳐야 할 텐데, 그건 또 법으로 금지해 놓았군요.

배릿 선생님께
맞춤법을 잘못 쓰는 건 저희 아들, 루의 잘못이 아니에요. 집안 환경이 별로 좋지 않거든요. 루는 나쁜 점수를 받으면 크게 상심하고 상처받아요. 또 다른 아이들보다 나이가 더 많아서 선생님들이 다 그냥 졸업시켜줄 거라고 했어요. 고작 맞춤법일 뿐이잖아요.

베스 마틴

제가 궁금한 건 린다가 방과 후에 누구와 만나냐는 거예요. 제가 물어보면 그냥 화만 내는데 그 애가 누군가와 사귄다는 건 알고 있다고요. 애 아빠한테 맞기까지 했는데도 계속 만나는 것 같더군요. 아이들에게 헌신했는데도 다른 두 딸까지 어긋나고 있어서 걱정이에요. 뭐라도 도와주실 수 없나요?

루실 로젠

배릿 선생님께

　앨리스가 저보고 오지 말라고 하더라고요. 전 선생님을 직접 만나서 기분이 더 나아지기를 바랐는데요. 전 앨리스가 왜 그렇게 우울해하는지 모르겠어요. 제가 그 애에게 무슨 잘못을 했는지도 모르겠어요.

마리안 블레이크

배릿 선생님께

　전 다른 선생님들과 면담을 하느라 선생님을 만날 시간이 없었어요. 선생님처럼 좋은 분과 직접 만났으면 좋았을 텐데요. 해리 A. 케이건이 저희 아들인데 선생님 이야기를 정

말 자주 해요. 저희 아이를 앞으로도 잘 이끌어주셨으면 좋
겠습니다.

앨버타 케이건 올림

B에게

저희 아들이 다니는 학교는 달라진 게 없더군요. 저 역시
공부를 싫어하지만, 교육이 필요하다는 건 압니다. 전 찰스
가 왜 고작 68점밖에 받지 못했는지 이해가 안 가요. 그 애
는 내키지 않을지도 모르지만 제가 고른 대학에 가려면 적어
도 평균 85점은 되어야 합니다. 저도 세금을 내고 있으니 잘
알아봐 주시기 바랍니다.

로저 로빈스

배릿 선생님!

초대해주셔서 감사하지만 전 직접 찾아가서 저희 아들 호
세에 대해 상담을 할 수가 없습니다. 전 낮에 일하고 나면, 밤
엔 공장에서 또 일해야 하거든요. 아이 엄마도 죽어서 갈 수가
없겠군요. 양해해 주시기를 부탁드립니다.

레이먼드 로드리게스 올림

당신은 선생님입니다

엘렌에게

학부모 총회를 마치고 집에 왔는데 너무 할 말이 많아!

난 시키는 대로 모든 일을 마쳤지만, 결과는 좋지 못했어. 벽을 장식하기 위해서 도서관에 있던 새로운 북 커버를 가져 왔고, 수납장을 치웠어. 왜 항상 수납장 바닥에는 운동화가 한 짝만 남겨져 있을까? 그리고 찢어진 채 널려 있는 노트는 뭐지? 그 속에서 우리 반 학생인 앨리스 블레이크의 노트를 발견했는데 온통 낙서로 가득하더라. 또 우리가 매일 아침 캘빈 쿨리지의 교가('충성스러운 아들딸들아'로 시작하는, 법으로 금지된 찬송가 대신 부르는 거)를 부르기 전에 '국기에 대한 경례'를 하기 위해 라디에이터에 국기가 잘 꽂혀 있는지도 확인했지.(전에 멍청한 제독이 그게 축 늘어져 있는 걸 봤거든.)

난 하루에 243명의 학생을 만나는데, 201명(자퇴해서 나가거나 새로 전학 온 학생을 정리하면)은 영어 수업을 듣고, 42명은 내가 담임을 맡은 반 애들이야. 하지만 학부모는 고작 몇 명밖에 오지 않았지. 면담을 오지 않은 부모 몇 명만이 나에게 엽서를 썼어. 나머지는 그냥 다 무시했고. 내가 특히 만나고 싶은 학부모는 한 명도 오지 않았어.

학기가 시작된 직후라 아이들에 대해 잘 알지도 못하는데 학부모 총회를 왜 하는지 모르겠어. 델라니 카드는 나에게 별로 도움이 되지 않았어. 거긴 아이들이 결석한 날과 지각한 시간, 그리고 몇 가지 체크 사항, X와 O밖에 보여주지 않으니까. 뭔가를 놓친 느낌이야. 준비되지 않은 숙제? 무례한 휘파람 소리? 불쾌한 속어?

한 아버지는 작업복 차림으로 와서는 학창 시절의 기억 때문인지 책상 위로 꼭 쥔 손을 올려놓고 있더라. 어머니들은 참을성 있게 기다리기도 하고, 근심 걱정에 찌들어 있거나, 자신감 없이 어리둥절하거나 호기심 많은 얼굴로 앉아서 자신의 지갑을 손에 쥐고 있었어. 그러면서 나에게 애원하거나, 달래거나, 불평하거나, 내게서 친절한 말을 들으려고 했지. 몇몇은 적대적으로 나오기도 했어. 그들은 예전에 자신을 가르쳤던 선생님에게 복수하려는 심정을 보이기도 하고, 자신의 아이에 대해 특별한 관리를 요구했고, 자신이 아이에게 실패한 일을 나에게 대신해달라고 부탁하기도 했어.

그리고 나는 이 어른들에게 그들의 자식에 대해 무엇을 말해줄 수 있었을까? 내가 뭘 안다고? 지침서에 나온 몇 가지 상투적인 표현밖에 할 수 없었어. "할 수 있는 만큼 공부하면 됩니다. 착한 아이예요." 아니면 "즐겁게 학교에 다니는 것 같습니다(매우 떠듦)." 혹은 "매우 활발하네요(창문을 깸)." 같은 몇 가지 완곡한 표현.

잠시 부모와 아이를 연결해서 생각해 보려고 했지만, 그들은 나를 흐릿한 눈으로 바라보는 낯선 사람들이었어.

어머니: 저희 아들은 어떤가요?

나: 자녀분 이름이 뭔가요?

어머니: 짐이요.

나: 성은요?

어머니: 스토바트요.

나: 아, 그러시군요.(그게 누구더라?) 자, 같이 보시죠.(권위적인 태도로 델라니 카드를 펼친다: 빠르게 훑어보지만 도움이 되지 않는다. 스토바트? 책상을 연필로 툭툭 두드리던 학생인가? 아니면 늘 머리를 빗으며 의자에 삐딱하게 앉아 몸을 기대고 있던 키가 작고 뺨이 붉은 학생? 아니면 절대 재킷을 벗지 않는 학생? 델라니 카드에서 그의 정보를 찾지 못했어. 아마 어머니가 단서를 줄지도 몰라.)

어머니: 선생님이 F를 줬잖아요.

나: 아, 네. 짐이 분명 최선을 다하지 않았기 때문이겠지요. (작문에서 F를 받은 학생이 틀림없어. 그때 '전 결석을 많이 해서 작문을 못 하겠습니다'라는 문장만 썼거든.) 짐은 더 열심히 해야 해요.

어머니: 낙제점을 주시지만 않는다면, 다시는 그러지 않을 거예요.

나: 그래서는 해결이 안 됩니다. 짐은 자신의 잠재력을 발휘하지 못할 거예요.

어머니: 걔가 멍청하단 말인가요?

나: 그런 뜻이 아닙니다!

어머니: 전 최선을 다했어요. (목소리에 난감함과 부끄러움이 담겨 있고 눈에는 눈물?) 제 부탁 좀 들어주세요. 낙제는 안 돼요.

나: 어머님은 왜 짐이 공부를 못한다고 생각하시나요?

어머니: 그쪽이 선생이잖아요!

나: 짐은 좀 설렁설렁하는 것 같더군요.

어머니: 조산한 아이라 어쩔 수 없어요. 다시는 그러지 않을 거예요.

나: 어머님하고 제가 신경 쓰면 되니까 괜찮아요. 집에서 더 칭찬을 많이 해주는 건 어떨까요? 아버님이….

어머니: 그 개자식은 지옥에서 썩는 게 나아요. 벌써 6년이
나 코빼기도 비치지 않았거든요(여전히 미안해하며 부
드럽게 애원하는 목소리로 말한다).

나: 그럼(내 시계로 5분이 경과) 와주셔서 감사합니다.(그러나
짐의 어머니는 일어서지 않음) 또 하실 말씀이 있는가요?

어머니: (눈물이 아니었다. 그 눈은 분노로 물들어 있다) 우리 애
를 통과시키려면 얼마를 내면 되죠? 숨길 것 없다
고요!

나: 안타깝게도 학업 수준이….

어머니: 절 봐서라도 학교에는 계속 다니게 해주세요. 저도
더는 못 참겠어요.

나: 그건 불가능합니다. 어머님은….

어머니: 하지만 선생님이시잖아요! 걘 선생님 말씀은 들
을 거예요!

나: 저희가 같이 공부를 더 열심히 하도록 노력할 수는 있
겠지만, 결석이 너무 많아서….

어머니: 선생님이 물리를 더 이해하기 쉽도록 가르쳐주면
그 애도 꼭 출석할 거예요.

나: 물리요? 전 영어를 가르치는데요!

어머니: 뭐라고요?

나: 어느 교실로 가셔야 하는지 확인해보시겠어요?

어머니: 306호요. 맨하임이라는 이름의 여자 선생님을 만나려고 했는데요.

나: 착오가 있으셨던 것 같네요. 그분은 남자 선생님이고, 제 이름은 배릿입니다. 여긴 304호실이고요.

어머니: 왜 그걸 진작 말하지 않은 거죠?

그래도 몇 가지를 배웠어. 한 학생이 자기 아버지의 서명을 받아오지 못한 이유는 아버지가 감옥에 있었기 때문이야. 또, 아이들이 항상 불평하는 급식이 그날의 유일한 식사인 학생도 있어. 수업 시간에 자는 어떤 남학생은 스포츠카를 사기 위해 정비소에서 밤새워 일하고 오는 거였고, 어떤 여학생은 숙제할 장소가 없어서 제대로 못 해오는 거였어.

난 아직 갈 길이 먼 것 같아. 얼른 답장을, 답장을 써줘. 너도 나에게 '현실'을 잠시나마 느낄 수 있게 해줘. 여기서는 우물 안 개구리가 되는 것 같거든.

11월 12일

사랑을 담아서, 실

추신. 방세를 내지 못한 가족들의 '잦은 이사' 때문에 어떤 학교들은 9월과 6월 사이에 학생 100퍼센트가 물갈이되는

거 알아?

S.

수신: 모든 교사

어제 있었던 학부모 총회가 성공적으로 마무리된 것을 축하드립니다. 학교와 가정 사이에 긴밀한 의사소통이 이루어지고 성과를 낼 수 있었던 것은 학부모와 교사가 직접 만나 논의한 덕분입니다.

11월 13일

맥스웰 E. 클라크 교장

지우지 마시오!!!

루이스 선생님 수업용

당신은 어제 <u>누구를</u> 만났습니까?

목적어

존은 /어제 /누구를 /만났다

부사

존 - 주어
그가 - 누가
그를 - 누구를

<u>월요일 숙제</u> :

다음 주제 가운데 하나를 골라 세 단락을 작문하시오.
그리고 주어에는 <u>한 번</u>, 목적어에는 <u>두 번</u> 밑줄을 그으시오.

미국인이 된다는 것의 의미
하수 처리
가을 해질녘
원자력 시대
우리집 정원

배릿 선생님 수업용

지우지 마시오!!!!

배릿 쌤, 저 결석으로 치지 마여.
교무실에 있느라 교실에 없던 거라구요.
캐럴

지우지 마시오!!!!

학교 추천 도서 목록 내 책상 위에 있음
가기 전에 하나씩 가져갈 것.

낙서장이

학교에서 인종통합 문제에 관해
자신의 느낀점을 쓰시오.

지우지 마시오!

인종 통합 정책

저의 경우는 백인이기에 이 문제와 상관이 없지만, 저는 인종 통합이 이루어져야 한다고 믿습니다. 우리는 구시대의 유물을 버리고 앞으로 나아가고 있으므로 다른 인종에게 좀 더 관대해져야 한다고 생각합니다. 그들도 인간으로서의 권리가 있고, 투표권 또한 있습니다. 제가 회장을 맡은 학생회는 민주주의 사회에서 사는 것이 자랑스럽습니다.

(학생이 선택한)

해리 A. 케이건

1. 얼마나 어리서글 수 있을까?
 − 멀리 떨어진 학교까지 아이들을 버스에 태워 보내는 것.
  · 그냥 재미 삼아 한다.

・ 그리고 더러운 슬럼가로 돌아간다.(방과 후)

2. 다른 색깔을 뒤섞어 놓을 수는 없다.

3. 시간이 걸린다.

  — 링컨(노예들)

  — 로마(하루아침에 만들어지지 않음)

십 대

제가 아프리카인이라는 건 자랑스럽지만, 푸에르토리코 인은 참을 수가 없어요.

익명

안녕하세요, 그들이 갑자기 일어났습니다! 그럴 때가 됐지요! 하지만 그들은 잘못된 곳에서 하고 있어요! 네, 네, 아무튼 모두 재미있는 일이고, 또 아이들에게 어떤 일도 하지 않을 기회를 주는 거죠. 그들이 학교에 오지 않도록 매일 항이를 해야 합니다!(하하, 농담!)

루 마틴

그들은 우리가 학교에서 서로 가까이 앉아 있으면 결혼하게 될 테고, 어떤 피부색의 아이가 나올지 두려워하는 것 같아요. 하지만 그런 건 모두 개인의 매력 때문이니 말도 안 되는 소리죠.

린다 로젠

밖에는 여전히 편견이 있고, 카드에도 담겨 있는데 뭐가 좋은지 모르겠습니다. 적어도 예전 학교는 집과 가까워서 잠을 더 잘 수 있었지만 그게 무슨 소용이란 말이에요.

에드워드 윌리엄스 올림

많은 감정이 주위를 날아다니는데 그걸 꽉 잡아야 합니다. 울분을 풀어야 해요.

낙서장이

이 학교는 65:35 비율로 백인이 더 우세하지만, 더 많은 유

색인종의 선생님이 생기고 비율이 반반이 되면 다른 방식으로 구조를 바꿀 수 있을 것입니다. 하지만 만약 35:65로 우리가 더 우세하다면 다시 시작하여 균형을 잡아야겠지요.

Mr. X

이 문제로 우리 동네에서 칼싸움까지 벌어졌습니다. 그건 학교에 대한 존경심을 더 잃게 할 뿐이고, 깜둥이나 유대인 놈 같은 나쁜 말만 더 많아진다고요.

세상은 너무 복잡하고 제 미래는 모두 엉망이 되었습니다. 선생님이 우리 집 부엌을 보셔야 해요. 다른 학교에 가도 소용이 없습니다. 슈영하기 위해 물에서 짝을 지어주는 것과 마찬가지죠. 그런 유형의 사람을 좋아하지 않는다면 같이 앉을 이유가 없잖아요? 그들은 그저 신문에 이름을 싣고 싶은 거예요.

서 있는 사람

왜 푸에르토리코인 선생님은 없습니까? 왜 푸에르토리코

인 회장은 없습니까(학생회의)? 아니면 교장 선생님은요? 답은 인종 통합입니다!

미국 시민

백인이 아니어도
권리는 있지만
싸워서는 안 된다.

시인

사람들은 일부 사람들에 대한 혐오감을 느끼고 태어나고, 오로지 희망에 기대어 법에 따라 더욱 관대해질 것을 강요할 수는 없다. 이 나라는 계층에게 존경을 받을 기회가 많은 용광로와 같습니다.

호세 로드리게스

'폭탄'이 올라가고, 우리의 '도덕'은 떨어지는 것이니 복잡할 거 없잖아요?

찰스 H. 로빈스

피부색이 흰색이든, 검은색이든, 갈색이든, 노란색이든 상관없이 모두 모여서 좌익빨갱이에 대항해야 한다고 생각합니다.

낙오자

문제는 우리가 다니는 학교가 아니라 사는 곳에서 시작됩니다. 지저분한 다새대 주택 말이에요.

프랭크 앨런

G. D.(우리 반에 있는 흑인)는 J. N.(계단에 있는 백인), C. B.(푸에르토리코인)과 C. R.(백인)과 포옹했습니다. 전 상관없지만, 제 부모님은 반대해요.

누구게

인종 통합은 너무 웃긴 얘기예요. 누굴 놀리러 드는 거예요? 직장은 어떻고요? 미래는 잊어버리시죠!

소수자

신은 우리 내면을 모두 똑같이 만들었습니다. 다른 건 오직 피부색뿐입니다. 우리는 악의적인 장애물에도 더 나아지도록 노력할 수 있습니다. 어떤 인종은 다른 인종보다 더욱 하찮습니다. 선생님이 와야 그분을 우러러보며 우리가 평등하다고 느끼게 됩니다. 이것이 제가 영어 교사가 되려는 이유입니다.

비비안 페인

그건 제가 상관할 바가 아니에요. 안 그래도 전 이미 문제가 많다고요.

러스티

저에겐 유색인종 친구, 베티가 있는데 그전에는 인종이 다르다는 것에 별생각이 없었어요. 어느 날 베티의 집에 처음 놀러 갔을 때 문을 열어주러 나온 베티네 아빠가 유색인종이라 깜작 놀랐어요. 평소엔 베티의 모습이 너무 익숙해져서 그냥 평범해 보였거든요.

게으른 메리

인종 통합을 하지 안은 예전 학교와 비교하면 이곳은 낮과 밤처럼 완전히 다릅니다. 여기 선생님들은 정말 할 수 있는 한 잘 가르쳐주려고 하고, 우리가 집에 가져갈 수 있는 책도 줍니다. 교실도 집처럼 편안해요.

전학생

아이들에게 맡겼다면 그런 일은 일어나지 않았겠죠.

카멜리타였던, 캐럴 블랑카

그들은 스스로 알아서 해야 합니다. 우리는 그들이 필요 없으니까요. 우리에게는 우리의 삶이 있습니다. 우리는 오랫동안 그들 없이 살았는데 왜 이제야 우리를 바꾸려는 겁니까? 그들은 그저 문제만 일으키는데요.

흑인 학생

사회 수업 시간에 우리 그걸 죽어라 말햇지만 이젠 모든 게 다 지긋지긋해요. 이게 제가 슨 마지막 글이에요!

매

개적으로 전 오래전부터 우리 반 모든 친구와 숙제를 바꿔왔기에 통합를 이루었습니다.

낙오자

제가 쓴 글로 제가 백인일지 아닐지 알 수 있나요?

수줍음 많은 익명

잉크로 깔끔하게

NOTEBOOK

앨리스 블레이크	캘빈 쿨리지 고등학교
담임: 배릿 선생님	교실- 304호

모든 내용은 노트에 적는다. 잉크로 깔끔하게 쓴다. 4센티미터의 여백을 남긴다.

> "내가 만들지 않은 세계에서
> 나는 이방인이기에 두렵다."

정말 옳은 말이다! 작가는 어떻게 알았을까?

금요일까지 문장을 고치시오.

1. 호수에서 노를 젓는 달은 낭만적이었다.

・교정: 호수에서 노를 저으면서 보는 달은 낭만적이
　　　　었다?

2. 창밖을 내다보는 것은 나무였다.
　　・교정: 창밖을 내다보니 나무 한 그루가 시야에 나타났다.

3. 나는 복도에서 어슬렁거리는 연필을 발견했다.
　　・교정: 나는 복도에서 어슬렁거리다가 연필을 발견했다.
　　・능동형 어휘– 세 번은 써봐야 나의 것이 된다.
　　・수동형 어휘– 세 번씩 쓰면 안 된다.

단어를 넣어서 문장 만들기
　・불가사의하다: 그녀는 매우 불가사의했다.
　・앙심을 품다: 그녀는 앙심을 품었다.
　・동요하다: 그녀는 매우 동요했다.

내일 제출할 것: 역사, 수학
전쟁이 일어난 때와 사건들을 찾고 외우기.

14강 문제에 답 쓰기. 책 뒤의 1–10.
아마 내일 시험.(결석하자!)

"4월은 어떤 것과 욕망을 뒤섞은 가장 잔인한 달이다….'

새겨두기− 베링거 선생님이 읽은 모든 시를 외우자.

그의 목소리… 그의 눈썹이 올라가는 모양… 그의 손등에
난 털… 그건 너무나… 너무나 참기 힘든….

여기에 엄마 사인

학부모 동의서

저는 _____에게 _____의 티켓 구입을 허락합니다.
저는 이 작품이 주로 미성년자가 아닌 성인을 대상으로 한다
는 것을 인식하고 있습니다.

부모 혹은 보호자 사인:

날짜:

캐럴, 너 〈패니 힐〉 읽어봤어? _앨리스

　　난 〈북회귀선〉 읽었는데, 쉽더라. _캐럴

네 수학 숙제 보여줘. _앨리스

　　나 그거 안 했어. 지금 4일이나 늦어져서 미칠 것 같아! _캐럴

무슨 소리야? 너 경험도 없잖아! _앨리스

그건 네 생각이고! HR이 길어질까? _캐럴

네 글씨를 못 알아보겠어… 쪽지 쓰지 말고 귓속말로 해. _앨리스

그건 안 돼. 배릿 선생님이 이쪽을 보고 있잖아! _캐럴

저 선생님은 괜찮아. _앨리스

너 선생님 싫어하는 거 같애. _캐럴

너 미쳤구나! _앨리스

선생님은 베링거를 좋아해. _캐럴

너 미쳤구나! _앨리스

저 선생님 섹시한 거 같아? _캐럴

아직 결혼도 안 했잖아. _앨리스

바보같이 굴지 마! _캐럴

선생님은 귀여워. _앨리스

너 선생님 싫어하지. _캐럴

너 미쳤구나. 난 선생님이 웃는 게 좋아… 꾸며낸 게 아니라서. _앨리스

넌 아무튼 선생님을 싫어해. 너 9번 문제 풀었어? x가 뭐야? _캐럴

5.3갤런. _앨리스

어떻게 풀었어? _캐럴

책 뒤에 나와 있어. _앨리스

오, 나의 사랑… 오직 나만 알고… 나를 알아주기를…
내가 309호에 처음 들어왔을 때, 나의 마음에 운명이 말

했노라… 당신이 나를 보았을 때, 당신이 아닌 이 세상 누구도 나의 가슴 속에 있는 마음을 이해하지 못하고… 나의 유일한 사랑… 만약… 지난주 일요일에 내가 전철을 타고 당신의

캐럴, 저 선생님 옷 괜찮은 거 같아? 배릿 말이야. 저 색깔. _앨리스

　　　성적 매력이 느껴지지. _캐럴

화장이 너무 진하잖아. _앨리스

　　　립스틱만 발랐는데 뭐. 선생님은 베링거를 좋아해. _캐럴

내 노트에 자꾸 그런 거 쓸래? _앨리스

　　　네가 먼저 시작했잖아. _캐럴

그야 우린 알파벳순으로 앉았으니까… 내 뒤엔 아무도 없잖아. _앨리스

　　　넌 천재야. 블레이크 뒤에는 블랑키인 거 알지? _캐럴

귓속말로 해. _앨리스

주의: T. S. 엘리엇의 시 찾아보기.
　　　'어스레하다' 단어 찾아보기.

숙제: 수학− p.51 문제3
　　　　p.60 문제 1, 7, 10
　　　프랑스어− 두 번째 단락 번역. 시험 준비로 동사 복

습 (결석하자!)

물리–??? 맨하임이 또 숙제 내주는 걸 까먹음!!!

(카페에서 폴과 배릿 선생님을 보고 느낀 괴로움을 일기에 쓰자….
또 그가 나를 위해 문을 열어주었고, 그의 옷소매가 내 팔에 어떻게 닿
았는지… 그 황홀함을 어떻게 묘사해야 할까?…)

준비– 노트 3권. 수학은 하드 커버에 6x4 크기 무지 노트.
연필로만 쓸 것. 영어는 8x10 크기에 낱장으로 분리되는 것.
프랑스어 노트는 어형 변화를 쓰기 위해 소프트커버로. 사
회는 색깔이 다른 인덱스 필요.

"4월은 가장 잔인한 달…." (찾아보고 외우기)

A+= 98–100 (가망 없음!)

A = 94–97

A–= 90–93

D = 66–69

F = 0–65

종 언제 쳐? _캐럴

급한 일 있어? _앨리스

HR 시간 완전 저질이야. _캐럴

너 미쳤구나. _앨리스

이 학교는 다 저질이야. _캐럴

남자는 저질이야. 특히 페론. _앨리스

걘 배릿 선생님한테 푹 빠졌어. _캐럴

너 미쳤구나. 내 책에 낙서하지 마. _앨리스

학교에서 읽으라고 하는 책들도 저질이야!

두 도시 이야기

사일러스 마너

잊지 말 것: 학부모 총회 목요일(엄마한테 오지 말라고 하기!)

전철 승강장 같은 데서 너를 위한 나타난 듯한 어떤 사람을 봤는데, 그 사람이 다른 전철을 타러 간다면 어떻게 할 거야? 그리고 다시는 못 만난다면? _앨리스

너 운명을 믿어? _캐럴

난 숙명을 믿어. _앨리스

나도. _캐럴

동사 활용

형태 변화 프랑스어로 쓰기

매캐런 빌 찾아보고 토론 준비

앨리스 블레이크- 결혼

폴 베링거 - 우정

사랑-증오-우정-결혼

앨리스 블레이크- 결혼

폴리 베링거- 역시 결혼함!!!

폴리 베링거 부인. 앨리스 베링거

앨리스 B. 베링거 부인.

베링거 앨리스

 내가 좋아하는 책 목록:

1. 이것이 나의 사랑

2. 호밀밭의 파수꾼

3. 영원한 사랑의 시

4. 결혼 설명서

5. 선(禪)

새로운 달, 달의 어두움.

보름달: 보름달을 보고 시를 쓰자!

내 생일: 황소자리. 폴의 생일은?

4월 탄생석: 다이아몬드. 꽃: 스위트피.

5월 탄생석: 에메랄드. 꽃: 은방울꽃.

선생님이 우리에게 말을 걸면 항상 다른 애들이 방해해. 너 케이건한테
추수감사절 댄스파티 표 살 거야? _앨리스

　　　대체 누가 해리 케이건을 뽑은 거야? 걔 재수없는데. _캐럴

걔 완전 재수없다니까. 근데 너 갈 거야? _앨리스

　　　걔는 진짜 진심 완전히 재수없어. 프랭크가 같이 가자더라. 넌
　　　갈 거야? _캐럴

넌 내 노트에 맨날 낙서만 하는구나! _앨리스

　　　네가 먼저 시작했거든. _캐럴

나

· 키: 158센티미터

· 몸무게– 49킬로그램이어야 하는데 54킬로그램

· 머리색– 짙은 갈색

· 눈 색깔– 회색이 섞인 파란색 또는 파란색이 섞인 회색

· 내 이름 우리 집 주소 전화번호 친척 학교 담임 선생님 이름 혈액

형 알레르기

좋아하는 색깔 행운의 숫자 내가 좋아하는 것 내가 싫어하는 것

·칼로리– 베이컨 95cal

햄버거 245cal

군 감자 145cal

아이스크림(바닐라) 200cal

콜라 80cal

피자 ?

중요: 자세 바르게. '어스레하다' 찾아보기.

세계의 거대 도시들 도쿄 런던 뉴욕

세계의 여자 베스트드레서

세계의 유명한 영화배우

오, 나의 사랑, 당신을 알고 있었더라면… 나는 그렇게 가까이 있고, 또 그렇게 멀리… 바로 이곳에서 두근거리는 마음으로… 준비를… 당신을 위해 모든 준비를 하였습니다…. 지난 일요일 나는 전철을 타고 당신이 사는 곳(출퇴근 카드에 주소가 쓰여 있어요)에서 내려 당신의 집 앞 거리를 오갔는데… 이리저리… 그저 당신이 사는 곳을 보고 싶었고, 그

때 창문 너머로 당신을 보았습니다…. 그러나 당신이 아니었을지도 몰라요. 나의 가슴은 사랑과 슬픔으로 고동쳤습니다…. 당신을 위해 죽을 수 있다면. 당신이 우리에게 읽어준 〈샬럿의 여인〉처럼 창문 아래의 강에서 죽은 채 떠다닐 테지만, 랜슬롯은 절대 모르겠지요… 절대 몰라요… 그저 "사랑스러웠던 그녀, 샬럿이여."라고 말하겠지요.

이 편지를 감히 당신에게 줄 수 있을지… 당신의 손에 편지를 쥐여주고… 당신이 진정한 나를 소유하도록…. 그러면 나를 보고 나를 알게 되겠지요… 나를 알겠지요. '앨리스'라고 부를 거예요, "사랑스러운 앨리스, 네가 309호로 처음 들어왔을 때 나는 알았어… 이것이 운명임을…." 폴, 나의 사랑, 나 역시 운명을 감지하고 나의 내면이 온통 두근거리는 것을 느낍니다. 당신이 나를 위해 문을 열어주었을 때, 당신의 옷깃이 나의 팔꿈치에 닿은 것 기억하나요?

때때로 나는 세상에 나밖에 없다고 느끼고, 심지어 우주에서 나밖에 없다고 느끼곤 합니다…. 나 혼자뿐이라는 생각에 나는 하늘 높이 뛰고, 또 더 높이 뛰고, 나의 팔을 휘두르며 미친 듯이 울부짖고 싶기도 합니다…. 뭔지 모르겠지만 참을 수가 없어요. "그림자는 이제 지겨워, 라고 샬럿이 말했지요…." 그날 아침 배럿 선생님과 카페에서 만나고 있는 것을 보았을 때, 난 죽어버리거나 혹은 그녀를 죽이고 싶었습니다. 그분은 무척 좋은 선생님이지만요. 밤에 침대에 누워 천장을 보며 기도합니다. 천장아, 그가 나를 사랑하게 하거나 수업 시간에 나를 의식하게 해줘…. 그에게 걸맞은 사람이 되게 해줘…. 그와 두근거리는 포옹을 할 수 있게 해줘! … 갈라진 천장을 보며 이 모든 것이 얼마나 추악하고 비현실적인가 생각해요. 우리 집, 부모님…. 현실은 다른 곳에 있고… 달빛이 비치는 테라스에… 열대지방의 정원… 외국 도시… 어스레한 나무들…. 우리가 함께 어스레한 언덕 위에 서 있고, 그대의 갈망하는 입술이….

물에 아세틸렌을 더하면 무엇이?

· 칼륨

· 수산

· 보일의 법칙

자주 틀리는 단어

노트에 세 번씩 쓰기. 잉크로 깔끔하게:

alright

alright

alright

Je me porte tres bien et vous? (난 잘 지내는데, 넌?)

Merci. Je aussi. (고마워. 나도.)

중요: 분홍색 편지지를 새로 준비해서 제일 예쁜 글씨로 베링거에 편지를 다시 써서 우편함에 넣을 것. 용기를 내자!

화요일. 조회는 수요일로 연기. 음악 공연. 예의 바르게 듣기. 발을 구르거나 손뼉 치지 말기.

사람에게 말할 때는 따옴표.

사물에게(간접적으로) 말할 때는 따옴표 없음.

스콜라스틱 책 살 돈 가져오기(누구한테 구하지???)

캐럴, 어제 별일 없었어? _앨리스

대단하신 교장이 훈화했어. 맨날 똑같은 말. 그리고 개자식이 우리 영어 수업을 참관했고, 대피 훈련 때문에 물리는 반은 못 했어. 숙제 같은 건 없으니 괜찮아.

_캐럴

학생을 위한 직업 설명 초청 연사

· 고고학

· 영양학

· 임학

· 법학

· 의학

· 의류

· 냉동

· 종교 활동

· 교직

사랑하는 그대… 지난 일요일 내가 그대가 사는 곳으로 가는 전철을 탔을 때, 그대는 조금도 알지 못하고….

중요: 치마&구두 가게 잊지 말기.

　　　내일 폴 베링거의 우편함에 편지를 넣고 결석!

A.B.B.

P.B.

앨리스 블레이크 베링거– A. B. B.

(A. B. – 결혼하기 전인데 머리글자는 같음!!!)

캐럴, 전체주의 국가 숙제했어? _ 앨리스

　　맥헤이브는 독재자야! _ 캐럴

더러운 놈이지. _ 앨리스

　　패스터필드도 그래. 그 여자는 너도 아는 애한테 미쳤어! _캐럴

하지만 걘 그 여자네 반 학생이잖아! _ 앨리스

　　그게 뭐? 그 여자는 완전 필사적이던데! _캐럴

난 밥이 린다의 남자친구인 줄 알았는데. _앨리스

　　남자친구 중 하나지. 걔도 미쳤어. _캐럴

걔는 괜찮아. _앨리스

　　내 생각에 폴 베링거는 실비아 배릿을 좋아하는 것 같아. _캐럴

너 미쳤구나! 그리고 내 노트에 그만 써! _앨리스

너무나 사랑하는 그대여, 나의 심장은 큰 외로움으로 욱
신거리고

미국 노동당

자유 방임주의 자본주의

만약 면 $X = \dfrac{2Y}{4}$

중요: 그만 들고 다니고 행동해!!!

앨리스, 너 무슨 일 있어? 어디 아파서 나갔던 거야? _ 캐럴

우편함에서 가져올 게 있어서. _앨리스

네가? _캐럴

이미 늦었지만. _앨리스

아, 세상에 내가 무슨 짓을 한 거지! 그는 지금 내 편지가 있겠지…. 내 영혼이 고스란히 그의 손에…. 죽어야 해… 난 그냥 죽어야 해…….

베링거 선생님께(…가 너무 많음)

지난 일요일, 전 출퇴근 카드를 보고 선생님이 내리는 전철역을 알아내어 전철을 타고 갔습니다….(문장 정확하게)[31] 마음대로 봤다고 불쾌하게 생각하지 마세요…. 전 선생님의 집 앞을 왔다 갔다 걸어 다녔어요…. 거기서 선생님 같은 실루엣을 발견하고 가슴이 두근거렸지요….

선생님이 교실에서 읽어준 시의 아름다움과 진정한 의미를 더욱 깊이 알게 되었고요….

---

31 앨리스가 쓴 편지를 폴 베링거 선생님이 교정을 본 것.(편집자 주)

저는 특히… "샬럿의 여인[32]처럼 사랑스러운 얼굴이여…." 라는 부분이 좋아요.

저는 항상 선생님만 생각한답니다…. 밤에도, 어스레해도 (표현 어색), 저는 오직 선생님에게 어울리는 사람이 되기를 기도해요…. 전 서로 이해하기를 바라고, 그 외에 다른 사람(것)은 필요가 없어요…. 만약 선생님이 죽으라고 한다면 전 기쁘게 죽을 거예요….

선생님이 절 주제 넘는다고 생각하지 않았으면 좋겠고, 이게 저의 진심입니다… 오직 진심만을 전했어요….

앨리스 블레이크 올림

앨리스

편지 고마워요. 맞춤법과 구두점을 주의하도록 하세요. 특히 말줄임표를 너무 남발하는 경향이 있고, 같은 말을 반복하기도 하며 상투적인 표현도 있군요.

테니슨의 시 〈왕의 목가〉로 맞춤법을 공부하면 좋겠어요.

폴 베링거

---

32 미국의 시인 알프레드 테니슨이 지은 'The Lady of Shalott(1888)'의 구절. 레이디 샬럿(일레인)은 아더왕의 기사인 랜슬럿을 사랑했지만, 랜슬럿의 마음은 기네비어 왕비에게로 향해 있었다. 이에 일레인은 배를 타고 랜슬럿을 찾아가지만, 가는 도중 쓸쓸히 배 위에서 죽어갔다.

불상사

배릿 선생님께

정말 감사합니다….

그건 선생님 잘못이 아니에요…. 저는 선생님이 행복하기를 바라고, 또 선생님은 그럴 자격이 있어요…. 언젠가 다들 알아주겠지요…. 부디 건강하시고…. 잘 지내세요.

앨리스 블레이크 올림

교내 우편

발신: H. 패스터필드, 307호

수신: S. 배릿, 304호

실비아에게

남는 분필 몇 개만 줄 수 있나요?

밖은 왜 저 난리인 거죠?

헨리에타

교내 우편

발신: 메리 루이스, 교무실

수신: S. 배럿, 304호

실비아— 너무 끔찍해요! 어쩌다 이런 일이 벌어졌는지 모르겠어요! 제가 여기 온 이래 이런 일은 처음이거든요.

폴은 어디에 있죠? 그의 출퇴근 카드는 찍혔는데 아무도 본 사람이 없어요. 그의 교실에서 이런 일이 생기다니 너무 안됐네요!

메리

(교무실은 난리가 났어요. 핀치가 신경질을 내고 있는데 이런 모습은 처음 봐요!)

교내 우편

발신: 마커스 맨하임, 306호

수신: 실비아 배럿, 304호

배릿 선생님에게

전 309호를 지나쳤을 뿐 진짜 본 것이 없는데도 증언을 해달라고 하더군요. 혹시 수업이 없다면 제가 서류에 서명하는 동안 몇 분만 저희 반을 맡아주실 수 있습니까? 고맙습니다.

S. 맨하임

발신: 교감 제임스 J. 맥헤이브
수신: 모든 교사

모든 교사와 학생들은 구급차가 올 때까지 종소리를 무시하고 교실 안에 그대로 있으시기 바랍니다.

JJ 맥헤이브

배릿 선생님께

앨리스 블레이크의 건강기록카드를 가져다주세요.(긴급!)

또 사고 보고서 서식 있으신가요? 전 다 썼거든요.(긴급!)

그리고 베링거 선생님 어디 계신지 아세요?(긴급!)

보건교사 프랜시스 이건

교내 우편

발신: 508

수신: 304

실에게

무서운 일이란 건 알지만 애들이 그쪽에 신경 쓰지 않도록 노력해 봐요.

폴하고 연락이 되나요? 그 애가 폴의 책상에 편지를 둔 것 같거든요.

베아

발신: 교감 제임스 J. 맥헤이브

수신: 모든 교사

불행한 사건이 일어났습니다. 학교 안에 있는 경찰이나 외부인들에게 이 일에 대해 발설하지 마시기 바랍니다. 우리는 우리 학교의 대외적인 이미지를 이런 문제로 훼손되게 해서는 안 됩니다.

JJ 맥헤이브

배릿 선생님께

동봉한 앨리스 블레이크의 PRC의 빨간색 선 위에 '뛰어넘음 혹은 넘어짐'이라고 기재하시기 바랍니다.

지난 4학기 동안 앨리스의 CC를 보면 얼마나 훌륭한 학생인지 아실 거예요.

 · **1학기:** 열심히 하고 협동성이 있다.

 · **2학기:** 지도력이 있음.

 · **3학기:** 믿음직한 학생 – 칠판 담당

 · **4학기: 착한 학생 :** 예의 바르게 행동합니다.

이런 안정적인 PPP를 유지한 학생이 너무 뜻밖의 행동을 하기는 했지만, 우리가 모든 요소를 통제할 수는 없으니까요.

생활 지도 교사, 엘라 프리덴버그

배릿 선생님께

동봉한 비상사태용 서식을 작성하여 주십시오:

확인: 부모 혹은 보호자

 연락됨

 연락 안 됨

 전화 연락＿＿＿＿＿＿＿＿＿＿＿

전보 연락 ＿＿＿＿＿＿＿＿＿＿＿＿

수신: 부모 혹은 보호자＿＿＿＿＿＿＿＿＿＿

　　　유감스럽게도 ＿＿＿＿＿ 학생의 일로 연락드

리고자 합니다.

교내 우편

발신: 508

수신: 304

실에게

제가 도와줄 일 없나요?

베아

발신: 교감 제임스 J. 맥헤이브

수신: 모든 교사

　　만약 선생님 중 이 사건을 직접 목격하신 분이 있으시면

교무실로 와주십시오. 경찰에게 사건 발생에 관해 사실대로

말씀하셔야겠지만, 학교와 상의한 후 대응해주시기를 부탁

드립니다.

JJ 맥헤이브

교내 우편

발신: H. 패스터필드, 307호

수신: S. 배릿, 304호

실비아에게

새로운 소식 없어요? 폴은 아직도 나타나지 않았고요?
그 여학생이 폴에게 연애편지를 썼다면서요! 성욕을 억제하
면 이런 일이 벌어진다니까요. 이 모든 일을 외부에 알려야
해요.

헨리에타

발신: 교감 제임스 J. 맥헤이브

수신: 모든 교사

불상사로 인해 1교시가 연장되었으므로, 다음 두 교시는
각각 38분으로 단축하여 수업을 진행하겠습니다.

앞으로 부정한 일이 생기는 것을 막기 위해 교사들은 항
상 경계심을 늦추지 말아야 합니다. 사용하지 않는 교실은
항시 점검 부탁드립니다.

JJ 맥헤이브

종소리를 무시하십시오.

교무실장 새디 핀치

전화 메시지

수신자: 배릿 선생님, 304호

선생님이 병원에 문의하신 내용에 대해 답변 드립니다. 환자의 상태에는 변화가 없다는 연락이 왔습니다.

배릿 선생님께

시간 있으시면 잠시 보건실에 와서 저 좀 도와줄래요? 전 잠깐 누워서 쉬어야겠거든요.

보건교사 프랜시스 이건

교내 우편

발신: 메리 루이스, 교무실

수신: S. 배릿, 304호

실비아에게

폴이 지금 막 나타났어요!

누가 매일 아침 그의 출퇴근 카드를 찍어준 줄 알아요? 새디 핀치였다니까요!

메리

배릿 선생님께

이번 일은 우리 모두에게, 특히 선생님처럼 그 아이를 아는 사람에게는 특히 충격이 클 겁니다. 혹시 수업하기 힘드시면 제가 대신 봐 드리지요.

진심을 담아, 새뮤얼 베스터

실비아!

지금 막 벌집으로 들어왔습니다.

전 아주 통속극의 악역이 되어있더군요.

제가 마음이 불안정한 청소년을 격려해주었어야 합니까?

저의 유일한 죄는 1교시에 수업이 없더라도 교실에 있어야 했는데 그 자리에 없었다는 겁니다. 대체 그 애가 교실에 들어와 그런 짓을 할 줄 어떻게 알았겠습니까?

다행히 창문 아래턱에 걸려 바닥에 바로 추락하는 건 면했다고 하더군요. 작은 자비를 베풀어주신 신께 감사드립니다!

그 애는 저에게 구두점과 포기로 가득한 쪽지를 남겼더군요. 그건 그 애가 저에게 보낸 연애편지와 관련이 있었는데, 제가 할 수 있는 유일한 방법으로 처리할 수밖에 없었습니다.

한잔하고 싶군요.

점심에 만날래요?

폴

발신: 교감 제임스 J. 맥헤이브

수신: 모든 교사

그 사건에 대해 언급하지 말고 평소처럼 수업을 진행하시기 바랍니다. 학생들의 병적인 호기심에 말려들지 마십시오.

JJ 맥헤이브

배릿 선생님, 병원에 있는 앨리스에게 꽃을 보내기 위해 다른 과목 수업을 듣고 있는 우리 반 애들에게 성금을 받아도 될까요? 앨리스가 회복되었다는 전제에서요. 앨리스와 저는 항상 앞뒤로 앉았던 사이거든요.

캐럴 블랑카

대변 차변

엘렌에게

전에 너에게 편지를 쓴 이후로 너무 많은 일이 일어나서 어디부터 설명해야 할지 모르겠어. 어린 앨리스 블레이크가 랜슬럿을 향한 사랑의 감정 때문에 창밖으로 몸을 던지는 사고가 생겼거든. 그의 교실 창문 밑으로 창백하게 질린, 마치 레이디 샬럿처럼 사랑스러운 모습으로 떠내려가는 대신에 (이건 내가 앨리스의 공책을 발견했을 때 언뜻 본 상상 중 하나였어), 그녀는 부목을 대고 몸을 고정한 채 병원에 누워 있지. 의사 말에 의하면, 엉덩이뼈를 맞추는 수술을 해야 할지도 모른대. 수술에 성공하더라도 앞으로 평생 다리를 절 수도 있다고 해. 앨리스는 아직 학교에서 문병 오는 걸 거부하고 있어.

이 사건과 관련해서 미친 듯이 지시가 많이 내려오고 있어. 맥헤이브는 우리 학교의 대외적인 이미지를 지키길 원해. 물론 학생들을 자리에 앉히라고 난리지.

베스터는 영어 교사들에게 창문은 위쪽만 열라고 지시했어. 난 그러겠다고 대답했지만, 아래쪽이 깨진 창문은 그렇게 하지 못할 것 같아.

교장도 담임 교사, 교과목 교사, 고문, 행정 관리, 사무 직원, 코치, 관리인 등 모든 교직원에게 민주주의 사회에서 우리가 다해야 할 책임을 의식하라는 공지를 돌렸어.

폴은 나에게 학생이 보낸 연애편지를 어떻게 처리해야 했느냐고 묻더라. 난 모르겠어. 이야기를 들어줘야만 했던 걸까. 나도 잘 모르겠어.

우리가 서로의 말을 들어주지 않는 것은 너무 슬픈 일이야.

중요한 일들은 사소한 것, 즉 부조리에 의한 재앙 속에 잠기게 돼. 폴의 출퇴근 카드를 대신 찍어주며 그를 감싸주던 사람에게도 약간의 곤란한 일이 생겼어.

하지만 적어도 앨리스는 적극적인 태도로 자신의 사랑을 증명했지. 잠시 의외의 감정이 폭발한 후, 그녀는 여느 때와 마찬가지로 사랑의 감정을 기록하고 있겠지.

이번 주는 정말 격정적인 나날이었어. 활달한 성격의 소유자로 학생들과 친한 헨리에타 패스터필드는 자신이 가장 총애하는 제자, 밥이 린다 로젠과 함께 아무도 없는 교재실에 있는 광경을 목격했어. 우리는 화를 주체하지 못하는 그녀를 집으로 돌려보내야 했지. 나는 헨리에타가 무엇을 보았는지를 추측하고 싶지 않아. 분명 아이들은 '애정 행각'을 하고 있었겠지. 애정 행각의 범위가 어디까지일지는 정확히 상상할 수도 없고, 아이들 역시 자신들이 한 행위가 어디까지 용납이 되는 수준인지 알고 있는지 모르겠어. 아무튼, 불쌍한 헨리에타는 "그 여자애는 맞춤법도 틀리는데."라며 흐느끼면서 자꾸 숨을 몰아쉬었어. "밥은 수필대회에서 상을 탔지만, 그 여학생은 맞춤법도 모른다고."

그녀는 그 이후로 학교로 돌아오지 않았고, 우리는 대신 수업을 해줄 임시교사를 구했어. 헨리에타는 직업 학교에서 신발에 대해 가르치는 걸 그녀의 마지막 직업으로 삼겠대. 그녀는 영어 교사 자격증이 있는데도 패션을 전공했고, 신데렐라부터 장화 신은 고양이까지, 그리고 골즈워디(Galsworthy)[33]의 작품과 현대 광고에 이르기까지 온갖 신발의 역사를 공부했대. "그들은 최고의 신발 수업을 받은 거예요." 그녀가 기뻐하며 내게 말했었지. 물론 학교에 경찰이 들어와 "선생님,

---

33 옥스퍼드에서 법학을 전공한 시인이며 소설가인 존 골즈워디(John Galsworthy, 1867-1933)는 1906년 첫 희곡 〈은상자〉를 발표, 극작가로서의 활동을 시작했다. 1932년 노벨 문학상을 탄 20세기 초엽의 가장 성공한 극작가의 한 사람으로, 〈포사이트가 이야기〉와 〈투쟁〉, 〈정의〉 등의 작품이 유명하다.

저 아이를 데려가야겠습니다."라고 말하며 아이들에게 쇠고랑을 채우기 전까지만. 헨리에타에게는 캘빈 쿨리지야말로 낙원이었어.

헨리에타는 진실과 맞닥뜨렸던 순간으로부터 회복하고 있고, 앨리스가 병원에 누워 있는 동안에도 현실의 삶은 계속되고 있어. 우리는 이제 중간고사와 추수감사절 댄스파티를 준비해야 하거든.

하지만 앨리스의 자살 시도는 헛되지 않았어. 교사들은 출퇴근 카드를 찍는 데 좀 더 신중해졌고, 폴은 자신이 교실에 없을 때 교실을 지키고 있을 학생을 뽑았으니까.

넌 페론과 윌로우데일에 대해서도 물었지. 난 윌로우데일의 부서장에게 근사한 편지를 받았어. 그는 나를, 마치 고귀한 사람이자 학자(바로 내가!)로 대하며 12월에 면접을 보러 오라고 했어.

그리고 페론은 여전히 속임수를 쓰거나 나를 시험하고, 또 시험하고 있어. 내 말을 못 들었다는 듯 말을 다시 반복하게 시킨다니까. 그 애는 또 큰소리가 나도록 책을 떨어뜨리고, 느릿느릿 다시 주운 다음 또 떨어뜨리기를 반복해. 그리고 지각을 하고서는 하품하며 문가에 서 있지. 그러고는 공손한 척하는 태도로, "네, 선생님. 물론 선생님 말씀을 들어야죠."라고 말해. 말은 그렇게 하지만 여전히 주머니에 손을 넣은 채 입에는 이쑤시개를 입에 물고 건들거리지.

"전 숙제가 없는데요."

"왜?"

"안 했으니까요."

"어째서?"

"전 숙제 안 해요."

"그러면서 좋은 점수를 받길 바라니?"

"전 제 방식대로 할 겁니다. 제 경쟁 상대는 저니까요. 하지만 아쉽게도 전 딱히 열심히 할 마음이 없거든요!"

내가 왜 이런 고생을 사서 하는 거지? 그건 그 애를 구제할 가치가 있기 때문이고, 또 나에게 썼던 편지 때문이야. "선생님을 믿을 수 있기를 바랍니다."라고 그 아이가 쓴 구절이 나를 붙잡고 있지.

그 애는 수업에 자주 나오지도 않아. 그레이슨과 같이 지내려고 자꾸 수업을 빼먹거든. 난 거기서 페론이 무슨 일을 하는지 전혀 몰라. 그레이슨이 자금 유용 문제를 일으킨 뒤로 난 지하실 전체를 경계하는 시선으로 보고 있어. 물론 그와 관련된 지침도 내려왔고. "학생들은 지하실로 내려가는 계단을 이용해서는 안 된다."

한 곳을 제외하고 모든 계단은 지하실로 이어지기는 하지만.

그런데 너무 답답해서 학교를 그만두어야겠다고 생각할 때마다 예상치 못한 일들이 일어나. 어떤 여학생은 교실로 들어올 때 얼굴이 환해지고, 어떤 남학생은 학습지에 쓰인 말을 이해하기 시작했어. 또 수업이 끝나는 종이 울리면 반 아이들이 아쉬워하는 소리를 내기도 하지.

일이 힘들 때마다 이러한 보상을 기억하기 위해 나는 대변과 차변을 기록하기로 했어.

차변	대변
페론(아직 마음이 통하지 않음)	호세 로드리게스가 '나'라고 사인하지 않음!
에디 윌리엄스 (" ")	비비안 페인의 체중이 줄어 자신을 더 좋아하게 됨.
해리 케이건 (" ")	루 마틴은 까불다가도 질문에 대답하려 손을 듦.
맥헤이브 (!!!!!!)	4명의 아이가 처음으로 공공도서관 카드를 만듦!!!
가벼운 방광염 증상 (이건 직업병인데 그냥 화장실에 갈 시간이 없어서 그래!)	35년간 근무하면 은퇴를 기대할 수 있다. 법에는 70세라 정해져 있으니!
자꾸만 쌓이는 업무!	
11월 교사 회의: 과도한 업무, 과밀학급, 자퇴생, 인종 통합, 교사 파업, 임금 인상, 교사 교육, 학교와 관련된 추문 등의 문제는 9월, 10월과 마찬가지로 '시간 부족' 때문에 유보. 점심시간 오전 10시 17분. 불충분한 책, 분필, 수업 시간, 인내심…. 기타 등등!	

맞아, 엄마는 아직도 나에게 끔찍한 기사들을 보내줘. 그러면서 주변에 괜찮은 젊은 남자가 없는지 소상하게 캐묻는다니까. 난 엄마에게 많이 있다고 말해줬어. 그것도 백 명도 넘게 있다고.

내가 보낸 생일선물을 수지가 좋아한다니 기뻐. 두 명의 작은 소녀를 위해 쇼핑하는 건 정말 즐거운 일이야. 그러니 제발 잔소리는 하지 말아줘. 난 선생이긴 하지만 그렇게 가난하진 않다고!

너희는 추수감사절을 어떻게 보낼 거야? 난 폴과 저녁을 먹기로 했지만, 연애편지를 교정하는 남자와 칠면조의 위시본[34]에 대고 소원을 빌 수 있을까?

11월 17일

사랑을 담아, 실

추신. 뉴욕시 교사 중 3분의 1이 대리교사라는 거 알아?

---

34 목과 가슴 사이에 있는 V자형 뼈. 위시본의 양 끝을 두 사람이 잡고 서로 잡아당겨 갈라지면, 두 사람 중 긴 쪽을 가진 사람의 소원이 이루어진다고 한다.

의견함에서

저는 비리와 부패를 없애고 조회와 점심시간에 일어설 필요가 없는 학교를 만들 것을 제안합니다. 우리는 시위를 해야 하는데 앉을 자리가 없습니다.(하하, 농담이에요!)

루 마틴

1. 전 선생님의 '끝내는' 방식이 좋아요.(줄리어스 시저)
2. 학부모 총회는 잘못됐어요!
3. 우리가 다 아는 사실을 군이 숨기지 않아도 됩니다.
   – 왜 그 애가 자살하려구 했는가!
     · 학생과 교사 사이의 감정적 오해
     · 아이와 부모 사이의 감정적 오해

십 대

선생님은 제 이름을 거의 부르지 않네요.

커터

친구들 대부분은 선생님들을 싫어해요. 특별히 착하거나 나쁘기 때문이 아니라 그저 '선생님'이기 때문에 싫은 겁니다. 선생님은 우리를 그런 선생님들처럼 대하지 않기 때문에 다릅니다. 이제 인간적인 측면을 보자면, 선생님은 늙은 할망구처럼 보이지 않고 정말 아름답습니다. 저를 죽일 셈인가요! 학교에서 이런 기분을 느낀 것은 제 평생 처음입니다. 선생님이 가시는 길로 따라가고 싶습니다. 올바른 마음을 잃지 마시길 바랍니다!

이 '괴로운 시간'에 전 세계는 언제라도 '폭발'할 수 있기에 저는 '시'를 즐깁니다. 선생님의 목소리가 슬픔이나 행복, 혹은 '시'에 따라 어울리는 것으로 바뀌는 것을, 전 듣습니다. 전 학교 '도서간'에 가서 더 많은 '프로스트'의 작품을 찾아보려고 했지만 닫혀 있더군요.

찰스 H. 로빈스

　만약 선생님이 여자 대신 남자가 될 수 있다면, 이 학교에서 유일하게 괜찮은 선생님으로 그레이슨 씨와 선생님을 함께 뽑을 수 있을 겁니다. 물론 그레이슨 씨는 선생님에 한참 못 미치지만.

러스티

　전 선생님이 책을 너무 감정적으로 읽는 방식이 마음에 들지 않습니다.

당신의 적

　선생님은 저에게 책을 읽을 용기를 주셨습니다.

독자

　줄리어스 시이져가 친애하는 부루투스에게 '잘못은 우리 별에 없다'라고 했을 때, 브루투스가 유색인종이 아니라고 탓할 수 있는 것은 오직 우리 자신마너라는 것을 의미합니다.

에드워드 윌리엄스 올림

절대 변하지 마세요! 선생님의 옷차림(빨간 정장)을 보는 게 즐겁거든요. 선생님과 함께라면 종일 영어만 할 수도 있어요.

수줍음 많은 익명

돈 때문에 당신에게서 악취가 나.

 독

저는 지금까지 시를 써본 적이 없는데 선생님이 큰소리로 시를 낭독하면 시구 하나하나가 생생하게 살아납니다. 만약 모든 사람이 선생님처럼 읽는다면 아무도 시를 싫어하지 않을 거예요. 다른 시도 추천해주시겠습니까?

호세 로드리게스

저에게는 영어를 위한 수학 선생님과 생태학을 위한 타이핑 선생님과 HR 시간을 위한 배릿 선생님과 계속 바뀌고 있

는 프랑스어 선생님이 있습니다. 그들 중 반이라도 저를 만나준다면 저는 기꺼이 최선을 다할 거예요.

진정한 학생

숙제가 너무 많은데 어차피 안 할 거니 신경 쓰지 않습니다. 그리고 더이상 선생님을 위해 쓰지 안을 거예요.

매

제가 선생님을 좋아하는 이유는 선생님이 똑똑하기 때문입니다. 좋게 말씀드리죠. 전 언제나 선생님과 잘 지내기를 바랐지만, 학교를 그만두고 일하러 가야 하기에 진심으로 작별을 고합니다.

낙오자

다른 선생님들이 선생님처럼 젊고 매력적으로 보인다면 다들 남을 염탐하지 않고 잘 지내는 연인이나 부부에게 문제를 일으킬 일도 없겠죠. 남의 사생활이나 캐려는 염탐꾼들

은 공부하기 어렵게 만든다고요.

린다 로젠

월요일에 구술시험이 있고 화요일과 목요일도 마찬가지입니다. 그것은 대중 앞에서 말할 때 부끄러움을 극복하게 해줍니다.

마크 앤서니

저는 잠을 많이 자고 싶으니 교실이 더 조용해졌으면 합니다.

꿀잠

월요일마다 우리가 무슨 연설가라두 된다는 거야, 뭐야?

짜증남

남자 화장실이 모자라다니 인류에 먹칠하는 사건입니다! 중앙에 있는 화장시른 관계자 모두에게 큰 위안을 줄 것입니다.

2학년

사람들이 이용하려 들 테니 너무 친절하게 굴지 마세요. 예를 들어 제가 숙제를 안 했는데도, 마지막에는 내일까지 해오라며 그걸 저에게 건네주며 그냥 봐주셨지요. 전 매우 빠르게 도망가긴 했지만 다른 누군가가 같이 있었다면 선생님의 입장이 더 난처했을지도 모르잖아요. 너무 어렵게 생각하지 마세요.

Mr. X

전 선생님이 빨간색 정장이나 다른 옷을 입으면 얼마나 날씬해 보이는지를 보았고 그것에 자극을 받아 서둘러 살을 빼고 있어요. 선생님은 제 동생보다 훨씬 예뻐요. 선생님은 제 롤 모델이에요.

비비안 페인

(선생님이 예쁘다고 저에게 말해주신 이후로 제가 뒷머리를 어떻게 꾸미는지 아시나요?)

저는 선생님이 아주 훌륭한 적임자라고 생각합니다. 아무리 지루한 수업일지라도 항상 재미있게 만들기 때문입니다.

저는 선생님이 즐거울 뿐만 아니라 교육적으로도 도움되는 수업을 계속해주시기 바랍니다.

(학생들이 선택한)

해리 A. 케이건

전 선생님 반 학생이 아니지만, 아무튼 안녕하세요.

벤 케이시 박사

제가 답을 모를 때는 제 이름을 부르지 마세요. 교실 앞에서 답을 못하면, 제가 멍청하게 보이잖아요. 대답이 뭔지 아는 사람을 시키세요.

에드워드 윌리엄스 올림

저는 어른스러워 보이지만 사실은 그 반대예요.

 낙서장이

전 솔직히 윌리엄 셰익스피어의 〈줄리어스 시이저〉가 싫었습니다. 좋은 부분이 있기는 하지만 다른 부분은 저에게 와 닿지 않았거든요. 전 줄리어스 시이저가 좀 더 유머러스했으면 좋겠어요. 그건 너무 슬퍼요.

셰익스피어에게 불만이 있는 학생

패—드와 바*은 학생인 ㅂ과 ㅈ을 사랑하고, 핀*는 배** 와 사랑하고, 앨리스 블—* 또한, 배**의 아*를 가졌다.

누구게?

선생님은 정말 〈줄리어스 시저〉를 끝까지 분석하도록 했습니다.

서 있는 사람

저희의 95%는 선생님과 같은 생각이에요. 걱정하지 마세요.

베스터 선생님은 학과 사무실에 계실 때에 비해 교실에서는 태도도 다르고 굉장히 좋은데, 왜 선생님은 그분을 보고도 그 사실을 전혀 모르는 거죠?

게으른 메리

교재실에서 비도덕적인 행위를 용납해서는 안 됩니다.

익명

선생님은 제가 아는 사람 중 가장 이해심이 넓고 모든 과목을 포함해서 최고의 영어 선생님이에요. 이건 빈말이 아니라 진심입니다.

캐럴 블랑카

선생님들이 미국을 망치고 있습니다.

빵점

9장

칠면조를 실컷 드실 계획입니까?

엘렌에게

어제는 기억에 남을 만한 날이었어. 온갖 사건이 벌어졌거든. 교육용어로는 '경험의 스펙트럼'이라는 것을 제공하는 날이었지. 아침에 난 내가 선동하여 폭동이 일어난 카페테리아의 한가운데에 있었고, 저녁에는 몇 시간 일찍 춤을 추고 있었어.

사건의 시발점은 내 수업이었어. 몇몇 아이들이 점심을 먹고 바로 영어 수업을 들으러 왔고, 난 그들이 학교 카페테리아에 대해 불평하는 걸 들었거든.

그들의 이야기를 들은 내가 교육위원회에 편지를 써서 기존의 상황을 설명하고 카페테리아가 더 나은 시설이 되도록 개선해달라는 요구를 하자고 제안했어. 우리는 예비 토론을 했고, 나는 곧 오래도록 억눌려 있던 판도라의 상자를 열어 버렸다는 걸 깨달았지. "우리는 20분마다 교대로 점심을 허겁지겁 먹어야 한다….", "우리는 서서 먹어야 한다….", "움직일 수 없다… 다른 걸 할 수가 없다… 대화도 못 하고 귓속말을 해야 한다… 형편없는 음식… 그들은 우리를 소처럼 대한다…." 등등의 이야기들이 터져 나왔어.

수업이 없는 다음 시간에 난 커피를 마시려고 교사용 식당으로 가는 길에 학생용 카페테리아를 지나쳤어. 카페테리아에 배정된 보조 직원은 근무 중이 아니었지. 아이들로 꽉 차 있었고, 그중에 반은 서 있더라. 거긴 답답하고, 시끄럽고, 나무 테이블 위에는 쟁반이 가득 쌓여서 지저분했고, 종이봉투에 우유 통, 콜라병, 사탕 껍질이 널려 있었어. 벽에 붙은 '정숙'이라는 경고문 아래에는 조 페론이 거만하게 기대어 서 있었지.

"슬럼가를 구경하러 오셨나요?"라고 그가 말했어.

"남는 의자를 가져다 앉는 게 좋겠어."라고 난 얼빠진 소리로 대답했어.

"교사용 식당에는 의자가 많죠." 그가 다시 말했어.

그건 사실이야. 그 시간에는 식당에 선생님이 거의 없거든.

"우리도 선생님처럼 편하게 앉아야 하지 않겠습니까? 선생님들 의자를 가져다 써도 되죠?"

"그럼." 내가 말했어. "점심시간이 끝날 때 다시 갖다 놓기만 한다면야. 남학생 몇 명이 나서서—."

내가 말을 끝내기도 전에 아이들이 교사용 식당으로 우르르 몰려가기 시작했어. 남학생들은 밀치고, 떠밀고, 소리치고, 의자를 질질 끌고, 의자를 머리 위에서 흔들고, 자리 때문에 싸우고….

갑자기 날카로운 호루라기 소리가 울렸어. 제독이 분 거였지.

"조용히 해! 조용히 하라고 했다!" 그는 몹시 화가 났어. "여기서는 어떤 말도 해서는 안 돼. 누가 입을 열기라도 하면 늘 문제만 일으키니까. 아무 소리도 내지 마!"

아이들은 복종했어. 모든 말이 중단되었지. 다들 한마디도 하지 않았어. 그리고 천천히, 체계적으로, 불길하고 무서운 침묵 속에서 마치 짠 것처럼 일어나 접시를 부수고, 병을 깨뜨리고, 책과 쟁반, 종이들을 바닥에 던지고, 벽에 음식물을 던졌어. 그러면서 계속 말소리는 하나도 내지 않았고. 이어서 떼를 지어 테이블 사이를 오가며 안을 거침없이 돌아다녔고, 들리는 소리라고는 오직 발을 구르는 소리, 유리가 으스러지고 깨지는 소리와 맥헤이브가 힘없이 부는 호루라기 소리뿐이었지.

그건 정말이지 무서운 광경이었어. 누가 경찰을 불렀는지는 모르지만 경찰은 무척이나 빨리 왔고, 그들을 발견한 순간 그들은 이미 아이들에게 달려들고 있었지. 잠시 후 그들은 음침한 침묵을 지키며 제자리로 돌아와 무표정한 얼굴로 대기했어.

경찰의 행동은 마치 무슨 연극 리허설이나 공연을 해치우는 배우들 같았어. 종이 울리자 아이들은 마치 아무 일도 없었다는 듯 떠나버렸지.

"제가 잘못했습니다, 교감 선생님." 내가 입을 열었어.

"그래요. 선생님 잘못입니다. 제가 학교를 이상만으로 운영하면 어떻게 될지 경고하지 않았습니까. 선생님은 제 말을 믿지 않았습니다만. 아마 이제는 믿겠군요."

그러고는 문서, 공지, 지시사항들을 빠르게 쏟아내면서 크게 화를 내기 시작했어. "처벌용 조처….", "단호한 조치….", "식당에 있던 학생의 명단….", "수치스러운 행위….", "미연의 사태를 방지하기 위해…." 등 그런 지루한 단어와 문장이 필연적으로 이어졌지.

그리고 이 사태가 벌어지는 동안 페론은 조롱하는 눈으로 나를 지그시 응시하고 있었어.

나는 카페테리아의 환경을 개선할 수 없는 이유를 알아내려고 노력했어. 아이들의 불평은 분명 정당했고. 그런데 왜 밖에 나가서 사 먹지는 않는 걸까? 조사해보니 아이들에게도 문제가 있지 뭐야. 여기 대답 중에 일부를 첨부할게.

　전에는 길 건너 분식집과 길모퉁이에 있는 경양식집을 저희도 이용할 수 있었어요. 하지만 저희가 너무 말썽을 부려서 다른 손님들의 식사를 방해하고 말았죠. 그래서 이제는 이용할 수 없게 되었답니다.

　만약 우리가 학교에서 사고를 당하면 문제가 많이 생겨요. 점심을 먹으러 가다 차에 치이기라도 하면 어떡하죠? 작년에 한 선생님이 어떤 남학생에게 진통제를 사 오라며 내보냈다가 학생이 차에 치이는 바람에 학교에 소송을 걸었다고요. 이제 우리는 그것 때문에 고통을 겪고 있고요.

　학교 밖에서 점심을 먹으면 너무 비쌉니다. 그래도 허락을 해줘야 해요. 우리도 인간이니까요.

　소금을 쏟거나 서로 밀쳐서 무언가를 엎지르거나 식당에

서 시끄럽게 떠드는 게 뭐 어쨌다는 거죠? 그게 죄는 아니잖아요?

변명하고 또 변명하고, 이유에 이유를 갖다 붙이기만 하는데 전 절대 믿지 않습니다.

실제로 30분 동안 온전히 점심을 먹을 수 있도록 10분의 추가 점심시간을 만들려고 노력했지만, 이 시간 때문에 다른 시간이 줄어들었어요. 선생님들은 HR 시간에서 2분도 빼줄 수가 없다고 했습니다.

한 가지 아이디어가 있는데 우리가 집에서 도시락을 싸와서 강당에서 먹는 거예요. 하지만 그러면 후식으로 우유나 아이스크림 같은 걸 먹고 싶어도 그럴 수가 없겠네요. 강당에서 점심을 먹으면 카페테리아처럼 지저분해지겠고요. 강당을 지저분하게 쓰지 않도록 지켜볼 선생님을 또 구해야겠네요.

테이블부터 충분하지 않은데 앉을 의자를 찾아봐야 무슨 소용이 있단 말입니까?

나는 맥헤이브가 처리해야 할 문제들을 깨닫기 시작했어.

그는 징계 조치로 저녁때 체육관에서 열릴 추수감사절 댄스파티를 취소하고 싶었지만 그러질 못했어. 이미 입장권 판매가 끝났고, 학교 오케스트라가 리허설도 했고, 음료수도 준비했고, 또 소수의 잘못에 다수가 함께 처벌을 받는 것이 비민주적일 뿐만 아니라 아이들이 또 다른 '부적절한 폭동'을 일으킬지도 모른다는 염려 때문이었지.

그날 오후 나는 책상 위에서 녹아내린 칠면조 모양 초콜릿과 카드를 발견했어.

"즐거운 추수감사절이 되시기를 - 304호 학생 일동-!"

그리고 그날 저녁 댄스파티에서(난 보호자로 참석) 말끔하게 머리를 빗고, 몸을 치장한 그 예의 바른 아이들은 카페테리아를 엉망으로 만들어버린 당사자들이라고는 생각할 수 없을 정도였어.

체육관은 화려한 끈과 풍선, 종이로 만든 리본 등으로 장식되었고, 농구 골대와 조명 기구 주변도 화사해졌어. 평행봉과 매트 등은 벽으로 밀어뒀고…. 한쪽 구석에는 학교 오케스트라가 자리를 잡았는데 연주자들은 학교 이니셜인 CC를 금색으로 넣은 보라색 재킷을 입고 있었고, 북 주위에도 보라색과 금색으로 꾸민 학교 이름이 걸려 있었지. 다른 쪽에는 테이블에 걸쭉한 주스와 종이컵, 그리고 간단한 과자가 놓여 있었어.

다른 선생님들도 참석했는데 베아는 다정하게 미소를 지었고, 메리는 다른 일을 하면서도 주스를 따라줬어. 댄스파티에 한 번도 결석한 적이 없다던 헨리에타는 오지 않았지만. 폴도 역시 불참했고.

놀라웠던 건 아이들이었어. 여학생은 학교에 올 때 깔끔하게 꾸미고 오는 사람이 많아서 덜했지만, 남학생들은 몰라볼 정도였지. 남학생들이 넥타이를 맨 정장 차림에 반짝거리도록 닦은 구두를 신은 건 처음 봤지 뭐야. 그 아이들은 각자 주황색 호박 모양 종이(작년 핼러윈에 쓰고 남은 것)에 이름을 써서 옷깃에 달고 하나같이 조용하고 엄숙하게 말했지.

"안녕하십니까, 선생님."

가장 예의 바르고 또 수줍게 인사한 사람은 우리 반 개그맨인 루 마틴이었어. 그 애는 나에게 다가와 춤을 신청했지. 다만 긴장해서 몸은 경직되어 있고, 지나치게 예의를 지키느라 몸이 약간 기울어 있었지만.

"저와 한 곡 추시겠습니까?"

그는 마치 내가 비눗방울이라도 되는 것처럼 나의 어깨 끝에만 살짝 손을 대고 춤을 추었어. 땀을 흘리며 집중하면서 발로 스텝을 밟는 것보다 더 초조한 얼굴로 정중하게 말을 걸더라.

"칠면조를 실컷 드실 계획인가요? …이 체육관은 상당히 재미있게 꾸몄군요…. 이곳에서 수업하는 건 즐거우십니까? …선생님은 춤을 대단히 잘 추시네요."

페론은 거기 없었고, 에디 윌리엄스와 비비안 페인도 없었지만, 이번 댄스파티를 주최한 것도 그가 회장직을 맡은 학생회였기에 학생들이 선택한 해리 A. 케이건은 바쁘게 돌아다니고 있었지.

"이런 행사는 좀 유치한 것 같습니다. 제 개인적인 생각이지만요." 그가 당당하게 체육관 안을 안내해주며 털어놓았어. "하지만 학생회의 일이니까요."

아이들끼리 춤을 추기 시작하니 격렬하게 돌고, 빠르게 뛰고, 빙그르르 구르고, 골반을 흔들고 곡예를 부리듯이 무릎으로 쓸면서 난리가 났어. 루 마틴과 캐럴 블랑카가 서로 짝을 이루었고, 한쪽에서는 린다와 밥이 함께 춤을 추었어.

저녁 내내 아이들은 정말 사랑스러웠어. 특히 춤은 추지 않았지만 75센트나 써서 입장권을 산 후에 가장 좋은 옷을 차려입은 채 나와 이야기할 기회를 기다리며 혼자 서 있던 호세 로드리게스가 그랬지. 밖으로 나가기 전에 그 애는 심호흡하고 나에게 다가와 말했어.

"제가 영어 수업을 어떻게 생각하는지 말씀드리고 싶어서요. 전 지금까지 배운 수업 중 영어 수업이 가장 훌륭하다고 생각합니다. 전 그냥… 그냥 선생님이 그걸 알았으면 해서요."

이럴 때 정말 일하는 보람을 느껴.

하지만 지금은 정말 피곤하고, 난 다음 주를 위해 힘을 아껴둬야 해. 중간고사 시험지를 집에 가져가서 추수감사절 연휴 나흘 동안 채점해야 하니까.

> 11월 21일 토요일
> 즐거운 연휴 보내기를
> 사랑을 담아, 실

추신. 뉴욕에 있는 전체 미군 병사보다 전체 학생 수가 더 많다는 거 알아?

부정행위가 아니에요, 전 왼손잡이라고요

발신: 교감 제임스 J. 맥헤이브

수신: 모든 교사

제목: 중간고사

올해 추수감사절 일정 관계로 중간고사에 차질이 빚어지고 있습니다. 기말고사는 치러지지 않을 예정이므로 중간고사 점수는 기말고사의 2/3로 계산됩니다. 가능한 한 고득점을 받아야 할 필요성을 학생들에게 잘 설명해주시기 바랍니다. 또한, 시험 기간 내내 철저하게 감독해야 학생들도 부정행위의 유혹에서 벗어날 수 있습니다.

시험 감독 지시사항

1. 교실 좌석은 한 줄씩 띄어서 배치하고, 앞뒤로 앉도록

합니다. 좌석이 제대로 정렬되지 않으면 다른 사람의 답안지를 마음껏 볼 수 있게 됩니다.

2. 학생들은 자신의 책, 공책, 수첩과 개인 소지품을 모두 교실 앞에 내놓아야 합니다.

3. 시험지와 답안지는 책상 한가운데에 직각이 되도록 엎어놓았다가, 종이 울리면 동시에 뒤집도록 합니다.

4. 어떠한 사유가 있더라도 학생이 자리를 뜨게 해서는 안 됩니다. 감독관이 직접 다가가 시험지를 배부하거나 질문에 답해주시기 바랍니다.

5. 감독관은 시험 문제에 대한 어떤 질문에도 대답할 수 없습니다.

6. 화장실에 가고 싶은 학생이 있으면 교실 감독관이 직접 화장실 앞까지 데려갈 수 있도록 복도 감독관을 부릅니다. 감독관은 학생이 화장실에서 일을 마칠 때까지 대기해야 합니다. 이때 남자 교사는 남학생을, 여자 교사는 여학생을 담당합니다. 그리고 복도 감독관은 학생을 다시 시험을 보고 있던 교실로 안내하여 교실 감독관에게 인계합니다.

7. 시험을 치르는 동안 교사는 학생들을 세심하게 관찰하며 다음 사항을 경계해야 합니다.

   - 두리번거리는 것

- 입술을 움직이는 것
- 왼팔로 시험지를 가리지 않는 것
- 신발 끈을 묶거나 떨어진 물건을 줍기 위해 몸을 굽히는 것
- 코를 풀거나, 하품하거나, 너무 요란한 재채기
- 주머니에 손을 넣는 것
- 종이쪽지를 구겨서 뭉치는 것
- 다리를 너무 멀리 뻗는 것
- 손톱이나 손목 안쪽을 들여다보는 것

학생들에게 높은 윤리적 기준의 중요성을 일깨워주셔서 부정행위가 자기 자신을 속이는 행위임을 깨닫게 해주십시오. 부정행위를 하다 적발되면 감독관 역시 방만한 행동에 책임을 져야 합니다.

교내 우편

발신: 304호

수신: 508호

베아에게

방금 제독이 보낸 중간고사 감독에 관한 지시를 확인했는

데 점수와 부정행위 방지에 중점을 두고 있더군요. 너무 미리 의심부터 하는 것 아닌가요? 아무튼, 전 저희 반 아이들에게 점수와 시험에 대해 어떻게 생각하는지 써달라고 부탁했어요. 아이들의 생각이 궁금해서요.

제가 보기에 본인이 부정행위를 저지를 의사가 없더라도 그 정도로 빡빡하게 감시하면 감독관을 이기고 싶은 유혹이 생길 수도 있을 것 같아요. 명예 제도를 시행해 본 적 있나요? 전 아이들이 신뢰를 받는다고 느끼면 그 기대에 부응할 거라는 생각이 들어요.

참, 저는 3개의 교실 감독을 맡게 되었어요. 복도 감독관이 아니라 정말 다행이에요!

그런데 책상 위에 지시대로 시험지를 왼팔로 가리지 않는 학생이 있으면 어떻게 해야 할까요?

실

교내 우편

발신: 508

수신: 304

실에게

선생님이나 아이 둘 중 하나가 망하겠죠.

명예 제도는 여기서 결코 제대로 굴러가지 않을 거예요. 높은 점수는 아이의 대학 진학 여부를 결정하고, 부모의 압박과 졸업반 편성에도 큰 영향을 미치니까요. 따라서 이건 학구적인 학생은 물론이고, 그렇지 않은 학생조차도 부정행위를 재미나 허세로 하거나, 혹은 학급에서 자신의 지위를 공고히 하기 위해 저지를 거예요. 부정행위를 하지 않는 건 고지식하다고 보니까요.

그런데 요즘은 부정행위의 양상도 많이 달라져서 개인적으로 하던 것에서 팀을 짜서 하는 것으로 변했어요. 발각되면 그들은 이타주의, 페어플레이 정신이라고 변명하죠. 심지어 "전 부정행위를 한 게 아니라 왼손잡이라고요!"라고 둘러대는 아이도 있답니다.

아이들은 선생님에게 책임을 지우려고 해요. "10점쯤 더 주면 어때서요?", "왜 저를 낙제시킨 거죠? 전 아무 짓도 안 했는데요!"라고 말하죠. 대답은 물론 하나예요. "그럴 만하니까."라는.

학생들이 적은 내용에 대해 어떤 것을 깨달으셨는지 궁금하네요. 선생님은 참 용감한 사람이에요. 우리는 선생님에게 경의를 표해야 한다니까요!

베아로부터

점수에 관해

점수는 스스로를 더 나아지게 할 수도 있고, 더 나빠지게 할 수도 있습니다. 선생님의 질문에 어떻게 대답하는지, 선생님이 학생이 대답할 수 있는 질문을 하는지에 따라 점수는 공평해지거나 불공평해집니다.

(학생들이 선택한) 해리 A. 케이건

낙제하지 않을 합격 점수는 65점이 아니라 50점이어야 합니다. 저는 성경상 신경 쓰지 않지만, '부모님'이 걱정하시거든요.

찰스 H. 로빈스

1. 찬성하는 쪽에서 보면 점수는 선생님에게 좋습니다. 그 학생이 선생님의 말씀을 얼마나 잘 듣는지 보여주니까요.

2. 반대하는 쪽에서 보면 점수는 학생에게 나쁩니다. 시험을 잘 보지 못한다면요.

십 대

점수 때문에 부정행위를 하지 않을 수 없지요.

커닝 단골

선생님들은 점수를 너무 짜게 주고, 공평하지도 않습니다. 질문은 너무 편견에 차 있고 시험이 너무 어려워요.

에드워드 윌리엄스 올림

좋은 성적을 받지 않아도 사회생활을 하는 데는 지장이 없으니 점수를 매기지 않아도 될 것 같습니다.

린다 로젠

대학이나 직장에서 평균 점수를 원하기 때문이다. 그러려면 과목별로 평균 점수를 받아야 하고, 나아가 학기마다 평균 점수를 받아야 하므로 점수는 중요하다.

벼락치기

에— 윌—는 프랑스어에서 프** 알*의 답을 베꼈고, 루마*과 린* 로*을 비롯한 다른 아이들도 마찬가집니다!

누구게

전 가끔 숙제를 제출하는데 선생님이 채점조차 안 하거나, 혹은 제가 교실에서 암송해도 알아주지 않으면 그냥 시간 낭비잖아요. 제가 잘못된 부분을 공부했을 때처럼요.

진정한 학생

왜 하룻밤 동안 여럿 과목을 공부하는 데신에 나누어서 볼 수는 없나요?

낙제생

떠들거나 소란을 피웠다고 해서 그걸 점수에 번영해서는 안 된다고 생각합니다. 선생님도 인간이니 그 사람이 싫으면 행동에 빵점을 줄지도 몰라요, 하하! 떠들었다고 빵점을 하나 받으면 전체 평균 점수가 내려가겠죠! 하지만 상관없습니다. 언젠간 진급할 테니까요!

루 마틴

저는 지난 학기에 제가 수업을 듣던 두 명의 다른 선생님에게 똑같은 독후감을 써서 냈습니다. 그런데 하나는 91점, 다른 하나는 72점을 받았어요. 진짜라니까요!

저는 시험이 아니라 학급 토의가 점수에 들어가야 한다고 생각합니다. 왜냐하면, 진정한 자기 생각을 말해야지, 그들이 원하는 답을 말해서는 안 되기 때문입니다.

캐럴 블랑카

전 부정행위를 하지 않지만, 점수는 우리에게 부정행위를 하도록 부추깁니다.

정직한 에이브

통과하거나, 낙제하거나 두 가지 길밖에 없습니다.

빵점

부정행위를 하거나 주입식으로 달달 외운 사람이 좋은 점수를 받는 거죠. 점수는 암기력에 의존하는 것이지, 누군가의 실제 지식과는 상관이 없습니다. 시험을 위해 벼락치기를 하여 높은 점수를 받을 수도 있겠지만 다음 날이 되면 다 잊어버립니다. 그것은 교육이 아니죠. 저는 학기 말 성적표에 '잘했음'과 '부족함'이라고만 표시할 것을 제안합니다. 아니면 아무것도 쓰지 말던가요.

프랭크 앨런

제 점수가 낮은 이유는 제가 답을 모룰 때만 선생님이 시

키고, 답을 알면 시키지 않기 때문입니다.

짜증남

시험 은 학생 개개인이 아니라 종이만 가득 보여줄 뿐입니다.

선생님들은 학생들에게 앙심을 품고 화풀이를 하려고 시험을 보게 하는 것입니다. 아니면 그냥 수업 시간에 조용하게 만들려고요.(선생님에게 답장을 쓰으는 건 이게 마지막이에요!)

 매

선생님들은 평소 수업을 바탕으로 줘야지, 신경이 예민할 때 치른 시험으로 주어져서는 안 됩니다. 수업 시간에 발표하거나 선생님이 제 말을 들을 때면 저는 말할 용기가 생기거든요.

호세 로드리게스

저는 공부한 것의 10퍼센트, 혹은 그 이하밖에 안 씁니다. 다 쓰면 낭비잖아요.

낙오자

부정행위(cheat)는 가르치는 것(teach)을 거꾸로 한 말이다!!!

낙서장이

수신: 모든 교사

발신: 교감 제임스 J. 맥헤이브

각 반의 중간고사 점수에 따라 백분위 수 곡선 그래프를 그려 제출하시기 바랍니다. 만약 선생님이 담당한 학급의 곡선이 할당된 점수보다 아래로 떨어지면 그 선생님의 실력이 의심받을 것입니다. 높은 점수를 받은 학생이 많은 반의 선생님은 표창하겠습니다.

JJ 맥헤이브

화장실까지의 동반자

엘렌에게

난 학교의 방침을 지키지 않아서 해고될지도 몰라. 왜냐하면, 내가 조 페론과 화장실까지 같이 가줄 사람을 구하지 못했거든. 말도 안 되지? 정말로 말이 안 되는 일이야.

하지만 처음부터 차근차근 말해볼게. 오늘 아침부터 중간고사가 시작되었어. 중간고사는 사실상 기말고사나 마찬가지야. 11월에 치를 것을 적극적으로 권장하고 있거든. 교실 앞에는 책을 쌓아놓고, 자리는 줄을 맞추고, 아이들은 "베껴도 되나?", "2번 문제의 답은 뭐지?", "뭐야, 이거 안 배운 건데!"라며 난리가 났고, 추수감사절 바구니를 위해 돈을 모으느라 혼란스럽지. 또, 중간고사 시험지가 잘못 와서 혼란스러우며, 시험 감독관 업무 때문에 혼란스럽고, 늘 그렇듯 종소리 때문에 혼란스러웠어. 그러다 순간 조용해지며 펜으로 글 쓰는 소리와 발을 움직이는 소리 외에는 들리지 않게 되었어.

그런데 갑자기 문제가 생긴 거야. 페론이 교실에서 나가야 한다고 말했어. 나는 그를 문까지 데리고 갔지만, 복도 감독관이 보이지 않았어. 그런데 학생은 감독관을 동반하지 않고는 혼자서 나갈 수 없거든. 그럼 어떻게 해야 하지? 그는 화장실이 급하다는 신호를 보냈고, 우리는 문가에 서서 잠시 서로를 시험하는 눈으로 마주 보았어. 정말 난처했지. 이건 그의 신뢰를 얻을 수 있는 마지막 기회일지도 모른다는 생각이 들었어. 나는 다른 아이들을 방해하지 않기 위해 작은 목소리로 혼자 갈 것을 허락했어. 화장실을 원래 용도 외에 다른 방식으로 사용해서는 안 되며, 몰래 참고서를 꺼내 보지도 않고, 담배 한 대도 피우지 않기로 그는 나에게 자신의 명예를 걸고 약속했어.

그가 나간 다음 나는 다시 시험 감독을 위해 교실 뒤에 있는 나의 자리로 돌아갔어(내가 누구를 보고 있는지 알 수 없도록 하라고 명청한 제독이 조언해줬거든!). 몇 분이 지나 제독이 분노하여 하얗게 질린 얼굴로 나타났고, 그 옆에는 페론이 서 있었지. 적들은 서로에게 검을 들이댄 채로 노려보았지만, 이 대결을 지켜보는 관객이 있으므로 목소리를 낮췄어.

맥헤이브: 이게 무슨 짓입니까?

나: 뭐가요?

맥헤이브: 동반자도 없이 교실 밖으로 내보내다니요?

나: 너무 급하다고 해서요.

맥헤이브: 동반자도 없이?

나: 복도 감독관이 없었어요.

맥헤이브: 그럼 기다렸어야지요.

나: 기다릴 상황이 아니었어요.

맥헤이브: 이 학생의 시험지가 무효가 될 수 있다는 건 알고 있습니까?

나: 왜죠?

맥헤이브: 답을 찾아봤을지도 모르지 않습니까!

나: 전 그렇게 생각하지 않습니다. 페론은 저에게 그런 행동을 하지 않겠다고 했어요.

맥헤이브: 그렇게 말했다고요?

나: 네.

맥헤이브: 그 말을 믿습니까?

나: 전 믿어요.

맥헤이브: 네 자리로 돌아가라. 배릿 선생님, 지금은 사태의 중대성을 설명할 때도 아니고, 장소도 적합하지 않군요. 선생님은 분명 지시를 받았고, 그것을 어

겼습니다. 나중에 다시 말하도록 하죠. 일단 시험이 끝나면 저 학생의 답안지를 따로 빼놓으세요. 그가 치른 시험 결과는 선생님에게 직접적인 영향을 줄 겁니다. 아시겠습니까?

나: 네.

맥헤이브: 세 번째 줄 두 번째 자리에 앉은 여학생! 네 시험지나 봐!

그리고 제독은 퇴장했지.

페론과 나는 서로를 마주 보았어. 페론은 무표정이었지. 그가 나를 감싸기 위해 시험에 낙제할까? 사실 그 애는 매우 총명해서 자신의 선택으로 일부러 낙제점을 받곤 했거든.

갑자기 그는 나와 운명을 함께할 도덕적 문제의 주체가 되어버렸어. 그 화장실 사건은 맥헤이브에 대한 가치관의 충돌이라 할 수 있었으니까. 학교는 학생에게 주입식 교육을 하고, 학생을 무척 엄격하게 대하면서 나의 직업적 품위와 학생까지 모욕했잖아. 난 그저 형편없는 관료주의에 대항하며 잘 가르치고 싶을 뿐이야.

난 유머 감각을 잃어버린 것 같아. 여기서는 그렇게 되기 쉬워. 하지만, 아직 이런 부조리한 시스템을 당연하게 여길 만큼 찌들진 않았어. 맥헤이브가 계속 방해하지 않는다면 난 산을 몇 개쯤 옮길 수도 있을 것 같아.

이제 나흘간의 추수감사절 연휴 동안 201개의 답안지를 채점해야 해. 각각 다섯 개의 파트로 나뉘어 있고, 두 개의 작문이 포함되어 있어.

나—페론—맥헤이브의 화장실 사건에 진전이 있으면 다시 알려줄게. 그동안 바깥세상의 날씨는 어떤지 말해줘.

11월 25일 수요일

사랑을 담아, 실

추신. 전국 영어교사협의회의 발표에 따르면 작문 하나를 채점하는 데 6분에서 10분이 걸리고, 도시의 교사는 한 학기당 150에서 200명의 학생을 담당해야 하는 거 알아?

S.

$$
\begin{array}{r}
20+ \\
60\,\overline{)1206} \\
120 \\
\hline
6
\end{array}
$$

$$
\begin{array}{r}
201 \\
\times \quad 6\,\text{min}. \\
\hline
1206
\end{array}
$$

작문 채점에 20시간 이상

나의 관심을 끌다

발신: 캘빈 쿨리지 고등학교 교장실

참조: 맥헤이브, 베스터

배릿 선생님께

선생님이 중간고사 감독을 맡던 중 안이한 행동을 하여 우리 학생 중 한 명이 부정행위를 한 혐의를 받고 있다는 것을 알았습니다. 이것은 도덕적이고 윤리적으로 높은 수준을 유지해 온 우리 학생들의 사기를 떨어뜨리고 어긋나게 하는 영향을 줄 수 있습니다.

맥스웰 E. 클라크 교장

배릿 선생님

조 페론의 답안지를 채점하는 대로 제 사무실로 가져오십시오. 저는 그가 지난 두 학기 동안 영어 점수가 형편없던 것을 알고 있습니다.

어학과 과장 새뮤얼 베스터

교내 우편

발신: 304

수신: 508

베아에게

페론의 답안지 채점이 끝나고 백분위 등급을 냈는데 89퍼센트가 나왔어요.

전 재판에 회부될까요?

실

의견함에서

다른 선생님들은 수업을 너무 많이 하시다가 이상해지던데 선생님은 그렇지 않네요. 어떻게 된 일이죠? 다들 선생님을 떠받드러야만 해요.

수줍음 많은 익명의 학생

맥헤이브 선생님을 몰아네고 선생님과 그레이슨 선생님이 함께 학교를 운영했으면 좋겠습니다. 그럼, 여기가 정말 좋은 곳이 될 거예요.

MR. X

(중간 고사에서 제가 낙제한 까닭은 질문을 이해하지 못했기 때문입니다.)

저희가 카페테리아 전체를 엉망으로 만들어서 그들도(부서진 접시들) 올바른 길로 갈 기회를 줬습니다. 만약 계속해서 저를 억압한다면 또 같은 짓을 벌일 겁니다. 이건 제가 쓰는 마지막 경고입니다.

매

전에는 여자 교사한테서 절대 영어 수업을 받을 수 없다고 생각했지만, 전 지금 여기에 있습니다. 이 모든 것은 선생님 덕분입니다.

러스티

점수가 너무 짧습니다. 80점은 주세요.

55점

나의 제안 1. 용기 있는 선생님을 더 많이.
      A. 우리 편을 들어주셔야 함.
        – 선생님이 조 페론을 감싸는 것처럼.
    2. 그리고 맥헤이브와 싸울 것.

3. 성격 – 훌륭하고 겁이 없을 것.

4. 아름다운 파란색 눈.

십 대

전 저의 중간고사 성적에 대해 이미 항의했습니다. 그래도 여전히 점수가 낮으면 인종통합이 무슨 소용이 있다는 거죠?

에드워드 윌리엄스 올림

우리를 신경 써주는 선생님이 없었는데 선생님은 다르네요. 우리를 떠나지 마세요. 학교를 졸업할 때까지 같이 있었으면 좋겠어요.

캐럴 블랑카

아직도 악취가 납니다.

전 '셰익스피어'와 같은 전쟁 소설을 읽는 게 아니라 체육관에서 '춤'을 추고 싶었는데 선생님과 '춤'을 추지 못했네요. '다음'에는 출 수 있으면 좋겠어요.

찰스 H. 로빈스

선생님께서는 제 답안지에 철자, 문장부오, 어휘력에 대해 엄청나게 지적을 많이 하셨더라고요. 선생님도 제 나이 때는 이런 일을 겪고 싶지 않았을걸요.

빵점

전 선생님의 솔직한 태도도 좋고, 수업하는 스타일과 패션 감각도 좋아해요. 또 친절한 태도와 성격 모두 다 마음에 들어요. 전 선생님이 참 좋다고 생각합니다. 전에 대학 생활을 이야기해 주신 것처럼 다른 이야기도 저희에게 말해주세요. 그럼 선생님을 더 인간적으로 느끼게 될 테고, 저희도 선생님처럼 될 수 있을 테니까요.(전 살도 많이 뺐답니다!) 전 집에서는 우울하지만, 영어 시간에는 달라요. 그래서 전 영어 선생님이 되고 싶다는 새로운 꿈을 꾸게 되었어요. 선생님이 어떻게 선생님이 돼었는지 알려주시면 안 될까요?

선생님을 존경하는, 비비안 페인

선생님은 제가 본 사람 중에 제일 유머 감각이 좋으세요. 수업이 너무 재미있어요.

세 번째 줄

선생님은 교사답지 않게 옷을 너무 화려하게 입는 것 같다. 좀 자중해야 하고, 점수도 짜게 주신다.

당신의 적 적

제가 영어 시간을 좋아하는 이유는 선생님이 실생활에서 활용할 수 있을 만한 영어를 가르쳐주기 때문입니다. 선생님의 수업은 다른 영어 수업과 달리 재미있어요. 또 독서처럼 제가 싫어하는 걸 좋아하게 만들었고요. 선생님은 너무 빠르지도, 느리지도 않게, 완벽하게 가르쳐줍니다. 그리고 항상 책을 읽고 난 우리의 감상을 잘 들어주세요. 또 말하러 가도 될까요?

호세 로드리게스

전 중간고사 때 누가 부정행위를 하고도 안 들켰는지 압니다.

누구게?

제가 무엇을 하던 저희 어머니는 매번 잔소리만 해요.

낙서장이

전 선생님 반은 아니지만 언제 데이트 한번 하실래요? 전 선생님과 무척 말이 잘 통하는 친구거든요. 키는 보통이고, 짙은 갈색 눈에 통통한 얼굴, 그리고 허리 부분에 약간 살집이 있습니다. 제가 누군지 이미 알고 있으신가요!

지나가던 사람

중간고사 때 영어 문제는 매우 흥미롭기는 했으나, 저의 평소 실력으로는 풀기 힘들었습니다. 그런데 재미있게 읽고 쓸 수 있는 독후감을 제출하면 추가 점수를 주신다고 선생님

께서 제안해주셔서 감사드립니다.

(학생들이 선택한)

해리 A. 케이건

전 숙제가 너무 많다는 말은 하지 않겠지만, 그렇다고 적다고도 말하지 않겠습니다. 하지만 선생님을 위해서라면 그 두 배라도 기꺼이 하겠어요.

프랭크 앨런

저는 자퇴하려고 했지만, 마음을 바꿨습니다. 선생님은 추가로 독후감을 제출해서 대단한 점수(하하!)를 받을 수 있다고 했지만, 지금까지 저에게 그런 말을 하면서 희망을 준 선생님은 없었거든요!

루 마틴

선생님을 쳐다보느라 처음으로 낙제하는 즐거움을 누렸네요.

칠판을 닦았는데도 추가 점수가 많지 않던데요!

짜증남

저와 결혼해주시겠습니까?

10장

나의 독서 생활

배릿 선생님께

추가 점수를 위해 제가 쓴 독후감을 제출합니다. 이것으로 점수가 오르면 좋겠네요. 전에는 항상 영어 점수가 좋았거든요.

(학생들이 선택한)

해리 A. 케이건

나의 독서 생활

나의 독서 생활은 매우 다양하고 보편적인 학생들보다 폭이 넓고 넓다. 나는 훌륭한 문학 작품과 소설을 모두 즐겨 읽곤 한다. 헤밍웨이의 작품을 읽고는, 헤밍웨이라는 작가에게 호감을 느끼게 되었다. 다른사람에게도 추천하고 싶다. 내가 그리 관심이 없는 작가는 포크너다. 나는 그의 작품에서 어떠한 재미도 느끼지 못했다. 또한, 톨스토이의 〈전쟁과 평화〉 역시 그리 즐기지 못했다. 읽기에 너무 길고 비슷한 이름도 너무 많기 때문이다. 나는 여기에 언급하지 않은 소설을 꽤 많이 읽었다. 나의 유용한 취미 중 하나인 독서에 대해 더 많이 생각해 보기로 했다.

배릿 선생님, 학교 밖에서 읽은 책으로 독후감을 써서 의견함에 내면 중간고사 점수에 반영이 된다고 했죠? 전 점수를 원해요! 점수를 요구합니다! 하하, 농담이에요! 하지만 작은 것 하나하나가 다 도움이 되겠죠!

루 마틴

세 가지 중요한 신화

1. 한때 소년과 소녀가 있었지만, 그들의 가족은 항상 다투고 있어서 두 아이나 사람들은 자연스럽게 몰래 만나곤 했다. 어느 날 피를 흘리는 사자가 다가왔다. 그녀는 무서워서 스카프를 두고 도망쳤다! 사자는 잠시 그것을 가지고 놀다 떠나버렸다. 소년이 돌아와서 피가 흐르는 스카프를 보고 그녀가 살해되었다고 생각했다. 결

국, 그는 자신의 칼로 목숨을 끊었다! 소녀는 그녀의 남자친구 가 죽은 것을 발견하고는 자신도 자살하기로 했다. 사랑하는 아이들이 죽은 것을 본 두 가죽은 자신들이 얼마나 어리석은지 그제야 깨닫고 친구가 되었다. 같은 갈등이 셰이크스피어의 글에도 등장한다.

2. 피그마리온은 조각품과 관련된 신화다. 그는 여자를 좋아하지 않는 유형의 남자였지만 이 이야기는 다르다. 어느 날 그는 그가 원하는 모든 것을 담아 자신의 아내로 만족할 만한 여자 동상을 만들었고, 동상과 사랑에 빠지고 말았다. 조각을 다 끝낸 후 그녀와 결혼하고 싶었지만, 조각품이었기에 그럴 수 없었다. 어떻게 하면 좋을까? 물론 그녀가 살아나도록 기도한 것이다! 이것으로 우리는 〈마이 페어 레이디〉를 비롯한 여러 가지를 얻었다.

3. 아도니스는 아시아 광부 출신의 잘생긴 청년이었고 비너스는 사랑의 신이었다. 둘은 사냥과 낚시, 그리고 다른 스포츠를 하며 시간을 보내곤 햇다. '인생의 모든 남성성'을 배출하는 일들! 어느 날 아도니스가 사냥하러 갔다가 한 야생 멧돼지에게 죽임을 당했고, 모든 신은 비너스를 불쌍하게 여겨 죽음으로부터 아도니스를 되살릴 것을 허락했고, 이후 그녀의 '시간제 남편'으로 살도록 햇다. 그가 방문하는 몇 달을 우리는 봄이라고 부르고 있다.

제가 없는 동안 어땠어요?

교내 우편

발신: 508

수신: 304

실에게

다시 온 것을 환영해요! 선생님이 어제 오지 않아 다들 그리워했어요! 폴은 선생님을 위해 시구를 계속 고쳐 썼어요. 선생님네 반의 조 페론도 맥이 빠져 통행증도 없이 방황하다 오후 출석을 부르기도 전에 학교에서 나가버렸고요. 선생님 대신 왔던 임시교사가 불안해하면서 맥헤이브를 찾았다니까요. 불안해한 것은 선생님 반 아이들도 그랬고, 물론 저도요.

별일 없죠? 이상한 소문이 도는데 1. 사랑의 도피를 했다.

2. 서류에 깔렸다. 3. 낮에 영화를 보러 갔다! 세 가지 중 어느 것인가요?

교내 우편

발신: 304

수신: 508

베아에게

하나를 골라야 한다면 3번을 선택할게요.

사실 전 윌로우데일 대학에서 2월부터 일할 수 있다는 연락을 받고, 면접을 보고 왔어요. 정말 끌리는 자리더군요.

돌아와 보니 마침내 문이 고쳐져 있네요. 이제 여닫을 수 있어요. 하지만 의자 두 개가 부서졌군요. 공평한 교환이에요!

그런데 CC는 PRC의 파란 선 오른쪽인가요, 왼쪽인가요?

실

교내 우편

발신: 508

수신: 304

실에게

세상에, 윌로우데일이라니! 선생님이 이곳에 얼마나 필요한 존재인지 몰라요? 선생님이 돌아왔을 때 아이들이 오래도록 손뼉까지 쳤잖아요.

아무튼, 종합 평가는 파란 선 오른쪽에 쓰면 돼요. 10월 교사 회의를 잘 들었어야죠. 전 제 기록부에서 CC나 최종 점수를 어떻게 써야 할지 몰려 모르겠는 남학생을 발견했어요. 전 정말 그 애를 이전에 본 적이 없다고요! 그 애는 학기 초부터 무슨 벌을 받느라 교무실에만 앉아 있어서 영어 시간에 나오지를 않았는데 무슨 일로 불려간 건지 아무도 기억이 안 난대요!

베아

교내 우편

발신: 304

수신: 508

베아에게

저의 문제는 출석한 아이들의 CC를 어떻게 쓰냐는 거예요. 그냥 솔직하게 쓸 수 있으면 좋겠어요.

"아첨하는 성격, 까다로운 편, 기분 나쁜 인간. 온갖 것을 건드리며 사고를 침."

혹은 "프랑스어 동사를 배워서 무얼 하겠다는 거죠? 얼른 결혼이나 하지!"

혹은 "기회의 평등 같은 거짓말을 하지 맙시다!"

하지만 다른 사람처럼 저도 타협을 해야죠.

"잠재적인 지도력이 있음."

"열심히 공부함."

"더 노력해야 함."

윌로우데일에는 맥헤이브 같은 사람이 없을 거예요. 얼마 전에 선생님들에게 보낸 '접착제 낭비'를 경고하는 공지를 베아도 받았나요? 그리고 거기엔 누구보다 열심히 남의 출퇴근 카드를 찍어주는 새디 핀치도 없고요.

전 거기서 영어를 가르칠 거예요!

실

교내 우편

발신: 508

수신: 304

실에게

맥헤이브와 핀치 같은 사람은 대학에도 있을 거예요. 남의 떡이 커 보이는 법이잖아요. 심지어 사립 고등학교와 소위 '더 좋은' 공립 고등학교에도 많은 압박이 있고, 아이비리그 대학에도 학교위원회의 압박이며 사회적 압박 등이 있죠. 학생의 수준 차이는 어디나 비슷합니다. 학교로 차를 끌고 와서는 선생님이 돈도 없고 지위도 낮다고 얕볼 거예요.

또, 선생님이 떠난다면 제 로비 업무에 활기를 주는 교내 우편을 누구와 주고받겠어요?

게다가 선생님은 우리의 기폭제이자 마스코트, 대변인, 투사라고요.

그리고 요즘에는 이 학교에도 적응이 됐잖아요.

점수를 따려고 이런 말을 하는 게 아니에요.

떠나지 말아요!

베아

교내 우편

발신: 304

수신: 508

친절한 말씀 고마워요. 전 제가 할 수 있는 건 다 해보고 싶어요.

저 혼자 정한다고 되는 것도 아니지만요. 지금까지 감점을 받았으니, 클라크에게 평가를 낮게 받을 거예요.

어제 제가 없는 동안엔 어땠어요?

실

교내 우편

발신: 508

수신: 304

실에게

학기 말 평가는 걱정하지 마세요. '교사의 업무 적합성에 대한 교장의 평가'는 오직 한 가지만 문제가 되는데, '그 사람은 이상한가?'예요. 그리고 선생님은 뭐가 됐든 이상하지 않아요.

어제의 특별한 일이라면 12월 교사 회의가 있었다는 거예요. 선생님도 잘 알다시피 정말로 중요한 의제는 시간이 부족하여 연기되었죠. 그리고 회의에서는,

두 개의 새로운 위원회가 구성됨.

조회시간엔 찬송가 대신 민요를 부르기로 함.

맥헤이브는 반달리즘, 외설 행위, 지각, 흡연, 그리고 교직원

발표를 비난.

전 회의록을 작성해서 잘 알아요.

폴은 선생님에게 줄 시를 쓰면서 시간을 보냈고요.

그가 제 옆자리에 앉아 있었거든요.

그를 용서해주었나요?

베아

교내 우편

발신: 304

수신: 508

베아에게

용서할 건 아무것도 없어요. 그는 잘못했다고 스스로 인정하지 않으니까요.

그는 PRC식 표현대로 '열심히 노력'하고 있고, 제 우편함에 계속 미끼를 던지고 있어요.

"심사숙고한 질문: 금욕은 마음을 애틋하게 합니까?"

체육 선생님이 방금 앨리스 블레이크의 결석 사유서를 보내왔어요. 보아하니 오늘에서야 출석을 불렀나 봐요. 분명 아무도 델라니 카드에서 앨리스의 이름을 삭제하지 않았을 거예요.

전 그 애의 어머니와 계속 연락을 해왔어요. 앨리스는 다른 병원으로 옮겼고, 여전히 학교에서 자신을 찾아오지 않기를 바란대요.

그런데 '일일 교사'에 대해 왜 그렇게 난리가 난 거죠?

실

교내 우편

발신: 508

수신: 304

실에게

그날은 아이들이 우리 대신 교단에 서는 날이에요. 크리스마스 직전에 매년 개최하는 행사인데 책임감 있는 선배들이 하루 동안 학교를 운영하는 기회를 받는 거죠. 학생회 회장이 교장이 되고, 선택받은 선배들은 하급생을 가르치기 위해 수업을 준비하는 건전한 일이에요.

하지만 해마다 짓궂은 아이들이 등장하고 있어 좋은 의도마저 퇴색되고 있어요. 아이들이 저를 교단에서 쫓아내고는 선생님 흉내를 내며 장난을 치는데 이걸 더 적극적으로 부추기는 무리가 있거든요. 그들은 이것을 '교육의 밝은 측면'이라고 부르죠.

확실히 월로우데일에서는 그런 걸 볼 일이 없겠죠!
무슨 일 있어요? 좀 질리신 것 같은데요.

베아

교내 우편

발신: 304

수신: 508

베아에게

사실 질린 정도가 아니에요.

전에 수업 시간에 '인간은 자신의 능력을 초월해야 한다. 아니면 천국이 무엇을 위해 있겠는가?'라는 걸 가르친 적이 있어요. 하지만 전 이 말이 옳은지 확신할 수가 없고, 더 높은 이상을 추구할수록 실패만 더하고 있어요.

선생님은 어떻게 극복했나요?

실

교내 우편

발신: 508

수신: 304

실에게

지금 이 편지를 전달해준 천사 같은 아이를 봐요. 자세히 보세요. 이보다 더 사랑스러운 미소를 본 적이 있나요? 더 당당한 태도는요? 그녀는 얼마 전에 우등생 그룹에 들어갔어요. 하지만 작년까지만 해도 학교를 그만두려고 했죠.

복도를 걸어 봐요. 교실 문에 귀를 대 보세요. 그리스 비극의 본질에 관한 수업을 하는 소리가 들리죠. 다른 반에서는 '누가', '누구를'을 문장에 맞게 넣는 연습을 하죠. 또 다른 반에서는 프랑스 말의 격변화를 외우는 웅성거림이, 슬럼가를 없애는 것과 관련해 보고하는 소리도 들려요. 물론 수학 시험을 보느라 조용한 교실도 있죠.

시간의 낭비와 교사와 학생의 어리석음과 미숙함 등, 어떤 문제와 좌절이 있더라도 매우 흥미진진한 일 또한 벌어지고 있어요. 각 교실, 모든 층마다 동시에 수업이 이루어지고 있다는 것도 흥미롭죠. 어떤 형태로든, 또 모든 비난에도 불구하고 아이들은 교육에 노출되어 있어요.

그래서 저는 간신히 극복할 수 있었죠.

그렇기에 선생님도 극복할 수 있을 거예요.

3시에 만나요. 일이 너무 많으면 이따 지하철역까지 같이 가요.

베아

윌로우데일

엘렌에게

너희 가족과의 일상, 그리고 쪼그라든 칠면조 이야기는 정말 재미있었어. 나에겐 웃음이 필요했거든.

크리스마스를 너희 집에서 함께 보내자는 초대장은 매우 고맙지만, 그럴 수 없을 것 같아. 엄마에게도 가지 않을 거고. 엄마는 이제 방향성을 바꾸어서 결혼에 관한 기사를 보내고 있거든. 아니, 그건 네가 조심스럽게 표현한 '사치스러운 도피'가 아니야. 난 10시 17분에 도저히 식욕이 일지 않아서 점심값을 많이 절약했어. 학교를 떠날 때까지 비록 한 달쯤 남았지만, '빠른 기록을 위해서' 휴일이 지나면 학기 기록, 보고서, 학생 평가와 최종 성적을 제출해야 해.

더 효율적으로 일하거나 경험이 많은 선생님들은 시간을

잘 활용하는 것 같아. 몇몇은(월급을 다 털어서?) 유람선 여행 까지 간다니까!

하지만 나는 201명의 학생에게 영어 같은 과목에서 어떻 게 점수를 숫자로 줘야 할지 모르겠어. 무엇을 기준으로 하 지? 평균 점수? 수업 태도? 노력? 출석? 타고난 능력? 암기 력? 감성적인 문제? 부모님이 아이들에게 접하게 한 책의 종류?

헨리에타의 교재실 사건에 대해: 그녀는 고전을 통해 학생 의 수준을 끌어올릴 방법을 고안하였다며 전보다 더 활기찬 모습으로 돌아왔어. 그 방법이란 위대한 시를 자극적인 주간 지 기사의 헤드라인처럼 만드는 거였어. 우리 반 아이 두 명 이 직접 증거를 가져오지 않았다면 난 믿지 않았을 거야.

심야의 기수 적을 경고
선원이 새를 쏘는 죄를 지어
아내가 스페인어로 러브레터를 말하다
한 남자가 말하는 까마귀를 신고

페론과 화장실 동반에 관한 일은 아무런 말도 없이 지나 갔어. 페론은 부정행위도 하지 않았고, 낙제도 하지 않았어. 그는 89점을 받았거든. 시험을 보던 날, 베스터와 나는 그의 답안지를 철저하게 검토했어. 그리고 추수감사절 이후 맥헤이브가 재차 확인했지. 페론이 부정행위를 한 증거는 어디에도 없었어. 하지만, 맥헤이브는 페론이나 나에게 사과하지도 않았지.

대신 페론이 드디어 방과 후에 나를 만나주기로 했어. 그는 다음 주에 올 거야. 이 일이 왜 이렇게 중요하게 느껴지는지 모르겠어. 다른 아이들에게는 그만큼 잘 해주지 못하는데.

내가 아무리 많은 증거와 주장을 보여주어도 백인 사회가 그에게 불리하다고 느끼는 에디 윌리엄스의 확신을 바꾸지 못했어. 그가 더 잘 알고 있으니까. 또 항상 알고 있으니까.

그리고 난 어떤 식으로든 해리 케이건에게서 아첨을 떠는 정치적인 모습이 아닌, 그 속에 숨겨진 소년을 찾으려고 했지만 실패했어. 아마 그런 모습이 전혀 없을지도 모르지.

또 루 마틴을 위해서도 많은 것을 해주지 못했어. 그 애는 남의 시선을 끌기 위해 너무 과한 행동을 많이 하는데 말이야.

내가 성과를 거둔 학생들은 몇 안 되는데, 자신의 소중함을 배운 호세 로드리게스, 자신의 훌륭함을 배운 비비안 페인, 그리고 쉼표와 마침표를 어디에 찍어야 할지를 터득한 몇 명 정도야.

그들 모두 나처럼 소통하고, 접촉하고, 사랑받는 방법을 찾은 것 같아.

"어라, 쌤 돌아왔네요?" 한 남학생이 나에게 인사했어.

"전 쌤이 아니라 선생님이에요. 그리고 이름도 있어요. 제가 학생을 '요 녀석!'이라고 부르면 어떻겠어요?"

"좋아요."

"왜죠?"

"친해진 것 같잖아요."

나도 '친해지고' 싶지만 그러기 위해서는 구체적인 증거가 필요해. 그레이슨처럼.

전에 우연한 기회에, 난 그레이슨의 비밀을 알게 됐어(아이들은 비밀을 지키겠다고 맹세했어). 그는 지하실에서 무료 식당, 대출 은행, 마약 치료 센터, 간이 숙박, 직업소개소 같은 것을 운영하고 있었어.

다른 선생님들이 도표를 만들고 학생들을 평가하느라 바쁜 사이에 그는 아이들에게 샌드위치를 주고, 돈을 빌려주고, 방과 후에 할 만한 일자리를 구하도록 도와주었어. 또한, 거리를 떠돌지 않게 하거나 '쓰레기'에서 멀어지게 했고, 때로는 일시적으로 집을 잃은 사람들이 지하실에서 몰래 하룻밤을 잘 수 있도록 내버려 두었지.

페론과 다른 몇몇 아이들이 그에게서 얻은 것은 교육학의 헛소리, 개념과 교훈, 회의와 면담, 간청이나 협박, 말 같은 것이 아닌(전혀 말만 하지 않았지), 당장 필요한 용기, 음식, 돈, 그리고 직장이었어.

순간적으로 너무 놀라 고통스러울 지경이었어. 나는 그들에게 어떤 것을 제공할 수 있을까?

윌로우데일에서라면, 이러한 일들이 더 쉬울지도 몰라.

놀라운 일이야. 윌로우데일과 캘빈 쿨리지 고등학교 모두 배움의 터전이었다니! 정말 대조적이긴 하지만 말이야. 난 윌로우데일의 영어과장과 한가롭게 차를 마셨어. 사무실과 휴게실에서 몇몇 교직원들이 둘러앉아 차를 마시고, 책을 읽고, 담배를 피우는 모습을 보았어. 커다란 창문 너머로 앙상한 나뭇가지가 부드럽게 흔들리는 것도 보았고(내가 가르치는 학생 중 하나가 '나무가 보이는 창문이 있는!' 꿈같은 학교에 대해 애절한 글을 썼지). 그 외에도 낡은 가죽 의자, 책꽂이가 늘어선 벽, 세련되고 밝은 분위기, 고상한 웃음소리 등이 인상적인 곳이었어.

이곳도 다른 곳에서처럼, 서로가 험담하거나 직위를 얻으려고 경쟁하더라도(그런 일이 있다는 건 알아) 나의 방문을 반가워한다는 것 외에는 아무것도 느끼지 못했어. 만약 양쪽이 모두 만족한다면 나는 하루에 세 시간씩 일주일에 세 번 수업하고, 나머지 이틀은 학생과의 개별적인 면담을 하며 시간을 보내게 될 거야.

학급 규모도 작고. 비록 1학년의 작문만 들여다보게 될지라도(과장이 미안한 듯 어깨를 으쓱했어) 시험지 채점은 조교가 맡겠지. 난 수업 말고는 아무 일도 하지 않을 거야. 초서 세미나를 열 수 있을지도 몰라. 그리고 내가 박사 과정을 마칠 수 있도록 가능한 한 많은 시간을 줄 거고, 그러면 난 '학교의 사다리를 빠르게 올라가게' 될 거야.

캘빈 쿨리지 304호실의 실비아 배릿은 내 본연의 언어로 이야기하고, 내 직업의 존엄성을 의식했고, 호세 로드리게스처럼 내가 '진짜'임을 느꼈어.

나도 잘 알아. 내가 낭만적인 경향이 있다고 폴도 계속 말하더라고. 하지만 정말 교육에 관심이 있는 사람이라면 캘빈 쿨리지가 아니라 윌로우데일에 있으려고 하지 않을까?

베아는 동의하지 않았어. 난 때때로 그녀가 옳다고 생각해.

자리를 하루 비웠다가 다시 나의 수업으로 돌아오니 아이들은 날 보고 진심으로 기뻐하는 듯했지만, 대신 수업해준 선생님을 놀리는 것에도 똑같이 기뻐했을 거야. 그 선생님은 전날 다른 학교에서 한 남학생에게 칼로 위협을 받았기 때문에 신경이 예민해진 상태로 왔던 모양이야.

"우리가 그 선생님을 신경쇠약에 걸리게 했죠." 루가 으스대며 말하더라.

그리고 폴은 나에게 그레이의 〈엘레지〉를 패러디한, 새로운 시를 보여주었어.

학교 종이 울려 하루의 시작을 알리니
아, 누구를 위해 종이 울리냐고 묻지 마라! 나는 알고 있느니라
학생들은 계단에서 소리를 지르며 떠밀어대고
아아, 그 종은 나와 그대를 위해 울리노라!

그는 시로 나의 환심을 사려는 일을 포기하지 않았어.

그리고 그는 아직 자신의 색다른 원고를 출판하려는 마음 또한 포기하지 않았지. 새로운 출판사가 관심을 보이고 있어서 폴은 소식을 기다리며 싸울 준비를 하고 있어. 시간을 보내기 위해 그는 매년 크리스마스 일주일 전에 선생님과 학생들이 역할을 바꾸는 '일일 교사'를 위한 글을 쓰는 중이야. 난 메리 루이스가 학생 흉내를 내는 게 너무 보고 싶어.

윌로우데일에서 연락이 오기를 고대하고 있어.

캘빈 쿨리지의 학교 시스템에서 하루라도 빨리 벗어나기를 고대하고 있어.

정말 그럴까?

난 너무 지쳤어. 크리스마스트리와 난롯가의 불이 느껴지

는 편지로 날 위로해줘.

12월 11일 금요일

사랑을 담아, 실

추신. 도시의 학교에서 학생이 교사를 공격하는 일이 하루 평균 한 번꼴로 일어난다는 사실 알아?

교육의 밝은 면

수신: 모든 교사

크리스마스가 일주일 앞으로 다가왔습니다. 교직원 모두가 즐거운 축제 분위기를 즐기고 있는 것 같군요. 우리 학교에서 전통적으로 개최되고 있는 행사, '일일 교사'의 핵심인 '쿨리지의 길버트와 설리번'이 내일 개최됩니다. 저는 이 행사에 참여하는 사람과 그러지 않는 사람 모두 교육의 밝은 면을 온전히 즐기는 일에 동참해주시기를 바라고, 또 그럴 것이라 믿습니다.

또한, 여러분 모두 즐거운 성탄절을 보내시고 행복하게 새해를 맞이하시기를 바랍니다.

맥스웰 E. 클라크 고장

수신: 캘빈 쿨리지 고등학교 교직원

친애하는 선생님께

크리스마스 휴가 기간 추가 수당을 벌고 싶다면, 크리스마스 봉투를 팔거나 보내는 일자리가 몇 자리 남아 있습니다. 동봉된 신청서를 잘 읽어 보십시오. 서두르셔야 합니다!

린다 로젠에게

배릿 선생님의 우편함에 넣어주세요!!!

린다!!! 너 돈이 없는 거니, 아니면 손을 못 쓰는 거니, 아니면 편지지가 없는 거니? 왜 내 편지에 답장을 안 해? 너희 엄마가 내용을 엿들으니 전화도 못 하는 거 알지? Je me porte tres bien et j'espere que vous etes le meme. Vous comprenez ma language???? Voulez vous venir a ma noel party avec Bob? Mes parents ne serons pasdans la maison!!!! Nous voulons avoir un grand temps comme le dernier foi, parce que I got le "stuff" vous me comprenez, pour devenir haut!!!! N'est pas???? (난 잘 지내고 있고, 너도 그랬으면 좋겠어. 이거 맞는 문장인가???? 우리 집 크리스

마스 파티에 밥이랑 올래? 우리 부모님은 집에 없을 거야!!! 내가 "물건"을 구했으니 저번처럼 재미있게 놀자. 알았지????)

말보다 행동이 중요하니 여기까지 쓸게.

로즈

공지 No. 99B

제목: 일일 교사의 날

모든 공지는 순서대로 파일에 보관하시기 바랍니다.

12월 18일 내일은 '일일 교사'의 날로 지정된 날입니다. 오직 높은 수준의 진지한 의도와 실행만이 용인될 것입니다. 이 행사에 진지하게 임하지 않아 발생하는 모든 규율 위반 사례는 맥헤이브 선생님에게 보고하십시오.

배릿 선생님께

저는 다음 학기 학생회장 선거에 재출마하기 때문에 이 편지를 씁니다. 저의 PRC에 투표에 중요한 제 경력을 써넣어 주시기를 부탁드립니다. 선생님의 기억을 돕기 위해 제가 한 일을 말씀드리겠습니다.

학생회장

카페테리아 순찰반장

엘리베이터 팀

학생회 상점 감독관

친목회 부회장

합창단 총무

클라리온 후원사

이건 선생님은 아침마다 보건실에서 붕대와 면봉들을 채워 넣으면 공로를 인정해줄 수 있다고 했지만, 아마 다른 일 때문에 못 할 것 같습니다.

(학생들이 다시 선택할)

해리 A. 케이건

수신: 모든 교사

교직원위원회는 크리스마스 연휴가 시작되는 하루 전 정오에 수업을 마치고 기념 오찬을 열 계획입니다. 1인당 참가비는 합리적인 가격인 2달러 25센트입니다.

아래의 표에 참석 의사를 표시하여 주시기 바랍니다. 만약 참석한다면 고기나 생선의 왼쪽에 원하는 음식을 표시하여 주십시오.

나는 식사에 참석하겠습니다.(　　　)

참석하지 않겠습니다.(　　　)

딸기로 아름답게 장식한 신선한 과일 모둠

크루통을 곁들인 버섯크림수프

화이트소스를 더한 치킨 스테이크, 부드러운 완두콩

대체 생선 요리

감자와 껍질콩을 곁들인, 바삭하게 구운 필렛

바닐라, 초콜릿 아이스크림 중 선택

디저트

커피-차-우유

교내 우편

발신: 508

수신: 304

실에게

선생님의 우편함은 늘 그렇듯 꽉꽉 차 있던데 이 편지가 제대로 들어가 있으면 좋겠네요!

오늘 HR 시간 동안 304호에서 선생님을 꾀어내기로 선생님 반의 천사들과 약속했어요! 아이들이 선생님을 위해 크리스마스 코르사주를 살 돈을 모으고 싶어 하거든요. 그건 매년 일어나는 전통 같은 것이고, 선생님들은 매년 놀라는 척을 하며 받곤 해요(가장 큰 코르사주를 받은 사람이 승리자예요!). 그러니 핑계를 대고 저에게 오세요.

내일은 굉장할 거예요! 오늘 방과 후에 한잔하며 마음을 다지는 것도 좋겠지만, 오후에 페론을 만나는 걸 잊고 있어요. 연휴 동안 만날 계획을 짜도록 해요. 전 소극장 공연을 본 적이 없는 아이들을 데리고 체험학습을 하러 가는 며칠 정도를 빼고는 거의 일정이 없거든요.

일단 내일 일일 교사부터 잘해 봐요!

베아

배릿 선생님,

선생님 반의 앨리스 블레이크가 도서관에서 대여한 후 연체하고 있는 알프레드 테니슨의 〈왕의 목가〉에 대해 총 49센트를 납부해야 합니다. 이 금액을 내고 7일 이내에 책을 반납하지 않는 한 그 학생을 도서관 블랙리스트에 올리겠습니다.

배릿 선생님께

낙제를 확실하게 면하기 위해 제가 아는 또 다른 신화에
관해 쓴 작문을 추가하려고 합니다! 영웅과 리언도르가 갑자
기 머릿속에 떠오른 건 영웅이 여자였다는 걸 열심히 외워뒀
기 때문입니다! 하지만 나머지 부분은 잘 기억이 나지 않아
서 프시케 이야기를 하겠습니다. 그녀보다 미모가 훨씬 뒤
떨어지는 두 언니는 일찍이 좋은 배필을 만나 혼인을 했습니
다. 하지만 프시케는 한 명의 구혼자도 없이 고독을 느끼며
신세를 한탄하며 살았습니다. 어느 날 큐피드가 와서 그녀
의 남편이 되었지만, 대신 절대 자신의 얼굴을 쳐다보지 말
라고 했습니다!

"프시케여, 나를 굳이 눈으로 확인할 생각 말고 그냥 날
믿고 느끼시오. 명심하시오, 당신이 만약 내 얼굴을 한 번이
라도 보는 날에는 다시는 이 얼굴을 보지 못할 것이오!"

그녀의 자매들은 프시케에게 남편의 얼굴을 몰래 확인한
뒤 그가 괴물이면 죽이고, 아니면 놔두라고 했습니다! 그녀
가 남편의 얼굴을 확인하자 그는 깨어나서 도망쳤습니다.
프시케는 자살 시도를 했고, 이후 비너스에게로 가서 하녀
가 되었습니다. 몇 가지 일을 한 뒤 그녀는 불멸의 삶을 얻
게 되었고, 아이를 두 명 낳았습니다. 다른 선생님들은 모두

저를 통과시켜줄 거예요, 하하! 왜냐하면, 전 반에서 제일 나이가 많거든요. 선생님이 저에게 추가 점수를 더 주셨으면 좋겠네요!

루 마틴 드림

배릿 선생님께

병원에 있는 앨리스에게 크리스마스 선물을 보낼 돈을 HR 시간에 모금할 수 있도록 허락해주세오. 선생님도 참여하실래요? 전 제 앞자리에 앉아 있던 앨리스를 늘 생각해요. 우리가 앨리스를 잊지 않았다는 걸 보여주기 위해 우리 이름을 쓴 커다란 동물 인형을 준비하려고 해요. 판다나 캥거루우 같은 거요.

캐럴 블랑카 올림

나를 사랑해줘!

엘렌에게

지금은 새벽 3시 30분이야. 잠이 오지 않아. 너에게 할 말이 있어. 오늘 오후에 무슨 일이 있었는지 정확히 말해주고 싶어.

페론이 너무 늦게 오는 바람에 나는 오래도록 기다려야 했어. 책상 위의 서류를 정리하고, 또 정리하고, 립스틱을 다시 바르고, 겨울의 어둠을 몰아내기 위해 불을 켰어. 차들이 지나가는 소리와 도로에서 공사하는 소리, 그리고 갑자기 그가 문가에 서 있었던 게 기억나.

그는 들어와 문을 살며시 닫은 후 문에 기대어 서 있었어. 그 애는 우리의 면담을 위해 몸가짐을 단정하게 하고, 이쑤시개도 물지 않았고, 머리도 깔끔하게 빗었어.

나는 일어나서 미소를 지었어. 만나서 기쁘다고 했지. 난 줄곧 이렇게 만나기를 원했으니까. 그도 알고 있다고 했어. 나의 소원이 이루어져 그가 여기 있는 거라고.

페론이 권위적인 것에 대해 반감이 있다는 것을 알기에 난 책상에서 일어나 델라니 장부를 들고는 우리 사이의 거리를 좁히기 위해 학생용 의자에 앉았어. 그리고 그에게도 내 옆에 앉으라고 손짓을 했어. 그와 어떤 이야기를 해야 할지 난 정확히 알고 있었어. 학교에 다니는 이유, 대학 진학의 가능성, 떨어진 점수를 올리는 것, 출석, 수업 태도 등. 난 그의 능력과 결과의 차이를 지적하고, 그의 문제를 이해할 준비를 해두었지.

그는 껄렁대는 태도로 내 옆자리에 앉지는 않았어. 가죽 재킷의 지퍼를 열고, 다리를 떨면서 나를 내려다보았지만, 눈을 마주치지는 않았지.

나는 모든 이름을 잉크로 또박또박 적은 종이들을 끼워둔 델라니 카드를 방패처럼 가슴 앞에 놓았어. 그는 내가 무슨 말을 할지 안다고 했지. 그는 내가 자신을 위해 맥헤이브로부터 감싸주었던 날의 사건부터 그에게 베풀었던 나의 친절한 행동을 상기시켰어. 그리고 지갑 사건이나 칼이 발견되었을 때, 그리고 중간고사에 대해서도 말을 하더라.

그에게 자꾸 말을 건 까닭은 내가 그와 단둘이 만나고 싶기 때문이라는 거야. 그리고 결국 우린 이렇게 만났고.

도로의 굴착기 소리가 잠시 멈췄던 모양이야. 갑자기 그 소리가 크게 들린 게 기억나거든. 이후에는 더 시끄럽고 끈질기게 울려댔어. 그리고 난 델라니 카드의 딱딱한 붉은색 표지에 닿은 가슴이 크게 뛰는 것이 느껴졌어. 난 그를 이해하려고 노력해야 한다고 말했었지. 그는 내가 원했던 유일한, 내가 원했던….

그는 나의 말을 듣고 있지 않았어. 그는 나에게 다가오기 시작했고, 우리 사이의 시간이 뒤바뀌어 난 앉아서 자신 없이 교훈적인 말을 읊조리는 여학생이나 마찬가지였지. 나의 말은 그에게 전해지지 않았어. 난 수많은 조약돌이 닫힌 창문에 부딪혀 하나둘 떨어지는 소리를 들을 수 있었어.

물속에서 묵직하지만 부드럽게 움직여지는 느낌을 알아? 난 어느새 서 있었어. 마치 물 위로 올라오는 것처럼 힘겹게 일어났지. 난 이름이 적힌 카드들이 쏟아지지 않도록 얼마나 조심스럽게 델라니 카드를 의자 팔걸이 위에 올려놓았는지 기억해. 그리고 무장해제가 된 맨몸으로 그의 앞에 서게 된 거지. 우리를 에워싸고 있는 버려진 건물, 빈 교실과 비석처럼 버려져 아무도 앉지 않은 조용한 의자들, 아무런 가치가 없이 바닥에 흩어진 종잇조각들, 부서진 선반 위에 놓여 있는 묵직한 책들, 그리고 글자들로 부풀어 오르고 있는 내 책상 위의 서류들을 의식하게 되었어. 나는 뒤로 천천히 물러나기 시작했어. 그러자 그가 그림자처럼 망설임 없이 나를 향해 천천히 다가왔어.

잠시 뒤 나의 등이 벽에 닿았어. 더는 도망칠 곳이 없게 된 거야. 침묵이 흐르기 전까지 내 목소리는 마치 고장 난 축음기에서 흘러나오는 오디오처럼 들렸어. 밖에서 공사하던 소리는 어느새 다시 넣어 있었고. 그는 매우 가까이에 있었어. 나는 깨달음을 얻고 약간 충격을 받으며 그를 보았어.

전에는 오로지 사진으로만 보고 아는 것이나 마찬가지였지만, 지금은 페론이라는 인간 자체를 실제로 보게 된 거야. 응, 바로 그걸 깨닫고 만 거야.

어디선가 자동차 경적이 울렸어. 그때 그가 나를 향해 움직였던 것 같아. 아니, 아닐지도 모르지. 나는 그를 바라보았고 나의 감정을 억누를 만한 말이 남아 있지 않았어.

나는 맹목적으로 팔을 뻗었어. 나의 손이 그의 얼굴에 닿았지. 그 무서울 만큼 부드러운 감촉을 뭐라고 표현하면 될까. 그에게 일어난 모든 일에 대해 마치 어린아이를 대하듯이 위로해주고 싶었어. 지옥에 있는 페르세포네처럼 말해주고 싶었어. 얘야, 얘야, 여긴 그렇게 무섭지 않단다. 난 그렇게 말하고 싶었고, 그가 알아주기를 바랐어. 하지만 이것을 표현할 말이 없었고, 난 그저 그의 얼굴에 손을 대고 있었어.

우리가 얼마나 오랫동안 침묵한 채 가만히 있었는지 모르
겠어. 한순간 그의 얼굴이 나의 손에 강하게 저항하는 듯했
고, 한편으로는 내 손길에 산산이 부서지는 것 같았어. 그는
금방이라도 몸을 비틀어 피할 것 같은 표정이었지만, 행동
으로 옮기지는 않았어. 대신 당장이라도 덤빌 듯한 권투 선
수처럼 나를 바라보았지.

그의 눈이 마치 점자를 읽듯이 나를 살폈어. 나를 시험해
본 거야. 나에게 무엇을 원했던 걸까?

그는 목적이 있어서 왔어. 그는(스스로 생각하기에) 그것 또
한, 나의 목적이라고 생각했지. 그것은 그가 인간적인 친밀
함을 느낄 수 있는 유일한 방법이었던 거야. 또한, 나를 약
하게 하고, 벌을 주는 방법이었지.

이 교실 밖에서 벌어진 그의 삶은 내게 낯선 일이었어. 나
는 상상조차 할 수 없고, 추측도 하지 못했지. 하지만 난 그
를 알아. 그의 얼굴이 내게 모든 것을 말해줬으니까. 조용한
투쟁, 감정과 감정의 충돌, 경멸과 갈망, 좌절과 분노. 그가
알고 있는 모든 긍정적인 것. 매달리고 뿌리치고, 무릎을 꿇
고 더러워지는 것을 감수할 필요성.

그는 신호를 기다렸어.

살아남기 위해서 사랑이 증오에 못지않게 강하고 믿을 수

있는 감정이라는 걸 어떻게 표현하면 좋았을까? 나를 만나기 이전의 그가 경험했던 세계는 그를 잘 가르쳐왔잖아.

오직 나의 손길만이 말하고 있었어. 난 네가 걱정돼. 네가 아주 많이 걱정된다고.

그의 눈이 굳어버리고 입술이 움직였지.

"저리 꺼져."라고 말한 후 그는 몸을 돌려 교실에서 뛰쳐나가고 말았어. 문이 열렸다가 닫히고, 밖에서는 큰 소리로 공사장 소음이 들렸고, 교실에는 책상과 서류, 시간만이 남아 있었지. 난 문득 시계를 보았어.

그 아이가 울고 있었나?

만약 그랬다면 그는 절대 날 용서하지 않을 거야.

하지만 운 건 나였어. 난 책상에 앉아 나의 팔에 얼굴을 파묻고 울었어.

왜 그랬을까?

질문과 답변 시간은 나중에 있을 거야. 사지선다, ○×퀴즈, 스스로 '증명'하는 문제 그리고 설명, 해석, 내가 불가피하게 저지를 왜곡.

벌써 몇 시간이 지나 내가 그때 페론에게 느낀 감정, 지금 느끼는 감정, 이 편지에 표현하는 감정, 그리고 네가 이것을 읽으며 느낄 것들은 모두 다를 거야.

"무엇이 진실인가?" 빌라도는 익살을 떨고는 대답도 듣지 않은 채 떠났어. 하지만 농담을 잘하는 실비아는 떠나지 못하고, 진실을 농담으로 넘길 거야. 나는 유머 감각을 발휘하면서 그것을 균형 감각, 관점이라고 불렀어. 하지만 관점이란 결국, 거리감이야. 또 내가 표면적으로 페론에게 관여한 거리는 나와 우리 학생들 사이에 유지되어 온 것과 같아. 폴의 풍자처럼, 루가 나에게 쓴 편지에 "하하" 웃는 표현을 넣는 것처럼 그건 나를 감정으로부터 분리하여 안전하게 해주었어.

난 아마 다음 편지나 그다음 문단에서 또다시 '재미있는 측면'을 보여줄지도 모르고, 내 기억이 경솔하게 바뀌는 모습을 보여줄지도 모르지. 그러나 한순간이나 한 시간, 혹은 성장하는 데 필요한 시간이 얼마나 되든 결국 페론과 나는 인간 대 인간으로서 서로 통하게 되었어.

사랑은 성장이기 때문이야. 궁극적인 헌신이지. 사랑은 책임을 부과하고 고통을 감수하게 해. 난 나의 델라니 카드의 가장 위에 있는(앨런) 사람부터 제일 아래(월조)까지의 모든 아이로부터 사랑을 원했어. 그러나 정작 나는 진정으로 사랑을 주었던 적이 없어. 아, 날 사랑해줘, 날 사랑해달라니까! 그들은 모두 울었지. 앨리스와 비비안을 비롯한 모두가. 그리고 이제는 나도 할 수 있을 것 같아.

페론이 나에게 가르쳐주었어. 우리의 역할이 바뀐 거지.

그가 나에게 다가왔고, 그를 필요로 했던 사람은 바로 나였던 거야.

어떻게 하면 좋을까? 전에 교무실에 있는 분실물 보관함에서 어느 여학생의 공책을 본 적이 있는데 크레용으로 경고를 써놨더라. "건드리지 마시오!!! 보지 마시오!!! 사적인 내용! 보면 혼남!!!" 건드릴 때의 처벌이 너무 컸어. 교실에서날 기다리는 모든 페론 같은 아이들을 위한 사랑은 너무 부담스러워서 짊어지고 싶지 않아. 그보다는 윌로우데일의 강단에 서서 나의 정돈된 노트를 읽는 게 나아.

난 지쳤어.

너에게 무슨 일이 일어났는지 정확하게 말하려고 했어. 하지만 난 이 글을 쓰는 사람이니 무의식적으로 무엇을 선택하고, 생략하고, 강조하며 편집하고 있을지 어떻게 알겠어? 나는 왜 내가 돌보는 모든 하얀 양들보다 한 마리의 검은 양(페론이 쓰던 상투적인 표현이야)에 더 관심이 있었을까? 내가왜(빨간 정장을 입고) 그를 어린아이라고 했을까? 내가 질문을 하여 순수한 것을 왜곡한 것은 아닐까? 마음에는 나름대로이유가 있겠지만, 머리로는 의심을 해봐야겠지.

넌 내가 이 학교에 온 초창기부터 나의 편지를 읽어왔지. 내가 얼마나 미숙했고, 얼마나 안달을 내고 편협했으며 어리숙하고 현실과 동떨어진 행동을 하며 남에게 잘 넘어갔는지 봤을 거야. 또 얼마나 실수투성이였는지.

거의 아침이 밝았어. 알람은 6시 30분으로 맞춰져 있고. 난 글을 쓰고 또 쓰고 있어. "우리가 가진 것은 말뿐이다." 내가 언젠가 말했지. 또 틀리고 말았어. 사랑을 부르는 말은 많지만, 침묵처럼 말로 표현하지 않아도 되고, 손길로 단순하게 표현할 수도 있어.

잠깐이라도 자야겠어. 내일은 선생님은 아이로, 아이는 선생님으로 변하는 모든 게 뒤죽박죽인 날이야. 지금 상황에 딱 어울리는 클라이맥스지.

12월 17일 목요일

사랑을 담아, 실

추신. 그간 내가 헛다리를 짚어왔을 확률이 50퍼센트나 되는 거 알아?

일일 교사의 날

교내 우편

발신: H. 패스터필드

수신: S. 배릿

실비아에게

재미있지 않아요?

이 시간에 일일 교사를 할 아이가 있나요? 전 수업을 아이들에게 맡기고 '고양이'라는 글자를 못 쓰는 척을 하는 게 좋아요!

저희 교실에서 열린 파티에 참여할래요? 선생님 반의 아이들을 데리고 와요! 우리는 '책상 돌리기'를 하고 있어요!

헨리에타

교내 우편

발신: 508

수신: 304

실에게

어때요? 오늘 아침에 표정이 너무 안 좋던데요! 복도가 소란스러워도 너무 겁먹지 말아요. 크게 낄낄대거나 괴상한 모자를 쓰고, 지각 통행증을 달라는 고함 같은 건 다들 들떠서 그런 거니까요.

하지만 일부는 악의를 갖고 행동해요. 오늘은 복수를 위한 날이니까요. 루미스가 수학에서 빵점을 받았다고 하더군요. 그 반 아이 중 한 명이 몇 주 동안 기초를 닦느라 시간을 보냈는데, 버클리 대학에서 수학 박사 학위를 받은 사람이 어려운 질문을 받았다고 하더라고요.

어제 페론과 한 면담은 어땠어요?

오늘 오후에 만나요!

베아

배릿 선생님께

선생님 반의 조셉 페론이 결석했습니다만, 선생님은 통지서 No. 1(결석 이유) 작성을 등한시했더군요.

고무실장 새디 핀치

실비아에게

혹시 아스피린 갖고 있나요?

있으면 보건실로 보내주세요. 보건 선생님이 누워 있는 동안 저 보고 여길 맡고 있으래요.

메리

발신: 교감 제임스 J. 맥헤이브

수신: 모든 교사

오늘의 비일상적인 일정을 소화하는 동안 교사들은 혼란을 최소한으로 줄이도록 애써주시기 바랍니다.

단축 수업을 알리는 종소리가 한 번에 세 번씩 총 네 차례 울리게 될 것입니다.

'교사 공연'은 그 이후에 시작됩니다.

교사들은 정규 시간 전에 출퇴근 카드를 찍으시면 안 됩니다.

JJ 맥헤이브

실비아!

선생님의 축음기를 빌릴 수 있을까요? 학교 축음기가 작동이 안 돼서요.

또 무대 커튼이 엉켰어요. 커튼을 당기도록 키 큰 아이 두어 명을 보내주지 않을래요?

전 선생님이 공연을 좋아했으면 좋겠습니다. 여긴 모든게 다 이상하지만요. 음악, 조명, 소품, 의상 등 제대로 된일이 하나도 없어요. 맨하임은 대사를 다 잊어버렸고, 냠냠이는 결석했고, (우리 아이들이 아닌) 불량배들이 강당에 어슬렁거리고 있어요.

좋은 징조군요—.

폴

발신: 교감 제임스 J. 맥헤이브

수신: 모든 교사

특수한 상황 때문에 허가받지 않은 방문객을 막기 위하여 복도와 출입구를 순찰할 사람이 전혀 없습니다. 자유 시간이 있는 교사들은 순찰 근무를 위해 교무실에 보고해야 합니다.

JJ 맥헤이브

실비아!

긴급! 선생님 반 아이 중 한 명에게 일본식 부채와 헤어스프레이를 빌릴 수 있을까요? 부채가 없으면 탁구 라켓이라도 좋아요.

마음이 급한 폴

(무대 뒤로 와서 분장을 도와줄 수 있어요?)

수신: 모든 교사

오늘 종소리 일정에 대한 이전의 지침을 무시하십시오. 대신 단축 수업을 알리기 위해 네 번씩 두 차례 종을 울리겠습니다.

세 번씩 네 차례 울리는 종소리는 화재 대피 훈련용이므로 혼란을 피하기 위함입니다.

교무실장 새디 핀치

실비아!

배경을 잡아두기 위한 남학생을 두 명 더(건장한) 보내주실 수 있습니까? 접착한 게 떨어져서요. 또 띠도 필요한데 혹시 누구 가진 거 없나 알아봐 주십시오. 저희는 몇 분이면 준비가 끝날 것 같습니다. "작가님, 작가님!" 하고 외쳐줘요.

폴

(아니면 넓은 허리띠라도요.)

수신: 모든 교사

종소리를 무시하십시오. 교사들의 발표가 지연되었습니다. 추가 공지가 있을 때까지 학생들이 교실에 있도록 지도하여 주십시오.

고무실장 새디 핀치

수신: 모든 교사

학생 대다수가 현재 강당에 있으므로 종소리를 무시하라는 이전 공지를 무시하시기 바랍니다.

고무실장 새디 핀치

발신: 교감 제임스 J. 맥헤이브
수신: 모든 교사

교실에서 일어난 혼란 때문에 오늘 공지된 단축 수업이 예상보다 더 줄어들었습니다. 교사들은 즉시 강당으로 모이십시오.

JJ 맥헤이브

11장

내려가는 계단을 올라가며

엘렌에게

난 발에 골절상을 입고 병원에 누워서 이 편지를 쓰고 있어. 많이 다치지는 않았는데 이번 학기에서 제일 바빠질 시간, 즉 연휴 동안 누워 있어야 하니 그게 문제지.

학교에서 너무 열심히 일하다 다쳤지 뭐야. 탑 위에 올려놨던 문이 흔들거리다 떨어졌거든.

피습을 당하거나 칼에 찔린 건 아니야. 어떤 이념 때문에 싸우지도 않았고, 아무것도 안 했어. 그저 강당의 무대 뒤에서 선생님들이 공연하는 동안 폴을 도우러 갔을 뿐이야.

그날 오후 내내 그로테스크한 대단원을 향해 나아가는 섬

뜩한 뉴스 필름(News Reel)의 마르디 그라(Mardi Gras)[35]처럼 이상했어. 해리 케이건은 클라크처럼 연단에 서서 점잖은 척했고, 선생님들은 청바지에 운동화를 신고 커다란 막대사탕을 빨거나 혹은 쾌활한 척을 하며 풍선껌을 씹느라 입을 과장되게 움직였어. 라이언스 홀에 있던, 이름이 뭐더라, 아무튼 우리와 같다는 걸 보여준다며 셔츠에 멜빵을 하고 창턱에 걸터앉아 샌드위치를 먹던 교수 기억나? 여기도 그와 비슷한 가짜 동지애가 있었는데 그게 점점 더 과격해졌어. 선생님들은 줄넘기하고, 풍선과 요요를 갖고 놀고, 기모노를 입고는 옻칠한 머리에 연필을 꽂아 패러디극을 펼치며 노래와 춤을 췄는데 이게 베링거가 준비한 '황제'라는 공연이었어. 강당에 모인 아이들이 발을 구르고 휘파람을 불자 맥헤이브 역시 필사적으로 호루라기를 불었지. 쓰레기를 던지는 동안에 벌어진 일이야.

동네 불량배, 정학당한 학생, 자퇴생 등 외부인이 학교에서 공연이 진행 중이라는 사실을 알고, 강당까지 들어와 쓰레기를 이리저리 던지고 있었거든. 아마 무대를 노리고 던

---

35 부활절 전 40일간(일요일 제외)을 사순절이라고 하며 금욕기간으로 정하고 있다. 이 사순절에 들어가기 전날, 즉 '재의 수요일' 전 화요일이 바로 '참회의 화요일'로 알려진 마르디 그라(Mardi Gras) 데이이다. 이날을 기념하는 색깔은 보라색, 녹색, 황금색이다.

졌겠지. 하지만 그 쓰레기들은 관객석, 즉 우리 아이들에게 떨어졌어. 당연히 아이들은 그걸 다시 뒤로 던졌고, 그들은 또 우리에게 되던지기를 반복됐어. 그러는 사이 점점 악취가 퍼졌고, 창문도 없이 X2와 Y2 구역 아이들로 가득한 강당은 숨이 막힐 지경이었어. 결국, 방문객들은 쫓겨났고, 쓰레기는 짓밟혔으며 공연은 계속되었지.

난 교사들이 부르던 노래들이 멋있었을 거라 확신하지만, 너무 소란스러워서 제대로 들을 수는 없었어. 이때쯤 무대 뒤에 있었는데, 바로 그 순간 탑이 내 발 위로 떨어졌어. 아니 정확히 말하면 빨간색과 금색으로 칠한 탑 위의 검은색으로 칠한 문이 떨어졌다고 해야겠지. 원래 어디에서 쓰던 문인지는 모르겠어. 아마 은행 아닐까? 꼭 철처럼 무거워서 너무 아팠거든.

의사는 내가 운이 좋았다고 해. '다섯 번째 발허리뼈 부분의 단순 골절' 대신 발등이 으스러졌을 수도 있대. 발에 몇 주 동안 깁스를 해야 하지만, 윌로우데일에서 새 학기를 잘 맞이하는 데는 지장이 없겠지.

지금 좀 혼란스러운 상태야. 서류 실수와 비효율적인 관료주의 때문에 난 공식적으로 캘빈 쿨리지를 그만둔 것도 아니고, 윌로우데일에 들어간 것도 아니야. 유일하게 확실한 것은 내가 대낮에 뻔뻔하게도 침대에 누워 있다는 사실이고, 어디선가 종소리가 울리며 아이들이 수업을 기다리고 있다는 거야. 도시를 비롯한 전국 각지의 학교에서 조회시간, 복도, 교실, 운동장 여기저기서 수십만 명이 오른손을 가슴에 대고 성조기를 향해 충성을 맹세하고, 또 목소리를 모아 "…하느님 아래 분리될 수 없는 하나의 국가…"라고 웅성거리고, 시험을 치르면서 얼굴을 찡그리고, 펜을 꽉 쥐고, 연필을 씹으면서 생각하고 있겠지. 또는 수업 시간에 했던 토론을 두고 버스나 지하철에서 말다툼을 벌이고, 혼자 도서관에서 책에 몰두하고 있을 거야.

그게 없으니 그리운 기분이야. 고된 일과 낭비 또한 잊지 말아야겠지. 보답도 없이 거듭된 좌절감과 패배, 세 시의 피로, 학생의 비애(2학년의 슬럼프와 졸업반의 슬픔). 그리고 겨울에는 예비 종이 울리기 전에 일찍 출근해서 불을 켜고 출근 카드를 찍고, 칠판에 쓰인 상스러운 낙서를 지우고, 창문 고정대를 찾아내고, 또 한 시 전에, 두 시 전에, 세 시 전에 서류를 제출하기 위해 애쓰고….

또한, '감정의 오해(난 정말 학생들의 말을 자주 인용하는 것 같아!)'와 말도 안 되는 소리, 교육적인 단어, 글이 끝없이 쓰인 서류들.

페론과 말없이 마주 보던 순간, 진실한 감정을 느낀 순간, 난 우산이고 뭐고 다 놓치고 줄타기를 하다 떨어졌어.

페론 그 애는 어디에 있고, 앞으로 어떻게 될까?

그가 그 이야기를 어떻게 말할지, 어떻게 회상할지 궁금해. "어느 겨울 오후에 어떤 선생님과 한 번 만났는데 말이야…."

그가 나에게 했던 말이 자꾸 생각나. "선생님이 뭐라고 그렇게 특별하다고 느끼는 겁니까? 선생님이라는 이유 하나만으로?" 그가 진짜 하려던 말은 이거야. 당신은 정말 특별한 사람이다. 당신은 나의 선생님이다. 그러니 가르쳐줘. 도와줘. 선생이잖아요. 난 길을 잃었어. 대체 어느 쪽으로 가야하지? 난 내려가는 계단을 거슬러 오르는 것에 지쳤어.

나도 마찬가지야.

내가 원했던 것이 무엇일까? 정말 좋은 질문이야. 강의 계획서에서 요구하는 대로 흥미롭고, 도전적이며 생각을 자극하는 것. '인간적인 동기에 관한 감상을 향한' 핵심적인 질문이고, 내가 좋아하지 않을지도 모르는 대답을 끌어낼 거야.

난 적어도 한 아이에게 영원한 변화를 일으키고 싶었어. '내가 절대 잊지 못할 선생님'이 되고 싶었던 거였을까? 맞아.

나의 열정을 그들과 나누고 싶었고, 그들이 부응해주기를 바랐어. 나를 사랑해줬으면 해서? 맞아.

난 마음을 만들고, 영혼을 다듬고, 우리 아이들을 영어뿐만이 아니라 그 이상으로 이끌고 싶었어. 신이라도 되려는 거였을까? 비슷해.

가르치는 데 방해가 되는 불평등한 모든 것과 싸우고 싶었어. 내가 해온 흔적을 남기기 위해서? 그렇지.

하지만 이제 그만두려고 해.

난 또 다른 낙오자인가?

델라니 장부에 담긴 카드 한 장이라는 형태로 왔다가 떠날 새로운 아이들을 생각해봤어. 같은 아이들이지만 다른 이름을 가진 그들에게 나는 똑같은 방법으로 똑같은 실수를 저지르겠지. 심지어 진짜로 사랑하는 마음을 지닌 어떤 누구라도 실제로 할 수 있는 일은 극히 적을 거야.

윌로우데일에 가고 싶어. 그 창문! 나무가 보이던 그 창문! 결국, 난 그리 특별하지 않은 것 같아.

다섯 번째 발허리뼈 골절로 여기 혼자 누워 있으니 생각할 시간이 더 많은 듯하네.

방금 나에게 온 편지를 한가득 받았어.

병원으로 편지 보내줘(엄마나 가족 누구에게도 다친 걸 말하지 않았어). 내가 보낸 움직이는 토끼 인형이 트리에 장식할 시간에 맞춰 수지에게 도착했는지, 너만의 에그노그 요리법은 무엇인지 알려줘. 즐거운 크리스마스 보내!

12월 22일

사랑을 담아, 실

추신. 어떤 통계를 말해야 할까?

학교에서 여성이 사고를 당하는 평균 나이가 48.2세인 거 알아? 그리고 사고가 주로 계단에서 일어난다는 건?

나에겐 들어맞지 않았네.

S.

병문안 편지

선생님이 얼른 나아서 돌아오시기를 바랍니다. 저희가 임시로 온 선생님을 얼마나 괴롭혔는지 아시면 놀라실 거예요. 아마 다시는 우리 학교 근처로도 오지 않을걸요. 그 선생님이 교무실에서 신경질을 내는 동안 저희는, 애들이 많이 결석하기는 했지만, 선생님의 수업 방법이 얼마나 공정하고 올바른지 적기 위해 이름 순서대로 롤링페이퍼를 돌리고 있어요. 제가 할 수 있는 일이 있다면 기꺼이 하겠습니다. 새해 복 많이 받으세요.

프랭크 앨런

엘리자베스 엘리스가 말하기를, 선생님이 우리가 신념을

위해 용기를 내도록 가리켜주었다는 걸 보여주기 위해 실명으로 서명해야 한다고 했습니다. 자, 그럼 쓰겠습니다. 인간은 그의 숨이 막히는 것을 뛰어너머야 한다는 것은 인생의 진리이며 전 이 말을 자주 인용합니다. 이것은 선생님이 준 교훈이 깊이 새겨졌다는 것을 증명하고, 선생님은 아무 의미 없이 우리 머리에 주입한 것이 아닙니다. 빨리 회복되시기를 바라며 또 한 번 책에 열중하시기를 바랍니다.

앤드루 알바레스

(전에는 잉명이라고 썼음)

누군가 선생님이 돌아오지 않을 거라는 끔찍한 소문을 말해주었어요. 우린 선생님이 너무 보고 싶어요. 지금 크리스마스 전인데도 반 전체가 즐거워하지도 안아요. 제발, 제발 돌아와 주시면 선생님을 위해 무엇이든 할게요. 〈줄리어스 시자〉라도 읽겠어요.

재닛 앰더

크리스마스 선물이 꼭 물건일 필요는 없습니다. 선생님이 이번 학기에 어떤 도움을 주었는지 알려주는 것도 선물이 될

수 있으니 그렇게 하기로 다 같이 정했습니다. 선생님 덕분에 저는 전보다 학교를 좋아하게 되었습니다. 선생님이 다친 것은 정말 안타깝지만, 곧 괜찮아질 거라고 하더군요. 만약 앨리스가 제 앞자리에 앉았다면 그 아이도 자기 이름에 서명할 테니 지금은 제가 대신 서명할게요.

즐거운 크리스마스 보내세요.

캐럴 블랑카 & 앨리스 블레이크

난 여기 서명하지 않겠다.

독

영어를 잘하지 못해서 죄송해요. 영어 공부를 더 열심히 했다면 다른 애들처럼 멋진 편지를 슬 수 있었을 텐대요. 만약 선생님이 제가 슨 편지를 읽는다면 선생님의 수업이 제 인생에서 행복한 시간이었다는 걸 알게 될 거예요.

진짜 이름, 마빈 체르톡

선생님이 돌아오지 않는다니 믿을 수가 없어요. 선생님이 없으면 학교는 학교가 아니에요. 선생님이 교실(304)에 들어

올 때마다 전 항상 선생님을 훑어보았는데 나쁜 뜻이 있었던 건 아니에요. 친구들에게 선생님 얘기를 하면 다들 절 부러워했거든요. 선생님은 수업을 너무 헷갈리게 하지도 않고, 너무 어렵게 하지도 않아서 많이 배웠어요. 나와 제 가족 모두 선생님이 어서 영어로 회복하시기를 바랍니다.

게리 대니얼스

(수줍음 많은 익명의 학생이 누군지 이제 알겠죠!)

전 작가가 장래희망이지만, 어떤 것들은 말로 표현할 수 없다는 사실을 알고 있습니다. 하지만 제가 "감사합니다."라고만 해도 무슨 뜻인지 아시겠죠.

엘리자베스 엘리스

선생님과 로잔(저의 상상 속 쌍둥이 자매)은 저의 유일한 친구고 둘 다 외모가 아름답습니다. 병원에서 나쁜 일이 생기지 않도록 조심하세요. 다른 반에서 영어 수업을 들으면 전 짜증이 날 만큼 고통스러운 두통을 겪곤 했어요. 하지만 선생님이 돌아오신다면 전 다른 선생님들이 저에게 하루에 스무 번씩 영어 수업을 들어야 한다고 해도 괜찮아요. 진심이에요.

선생님을 흠모하는 프랜신 가드너

선생님이 시를 읽겠다고 했을 때 전 우스운 표정을 지었어요. 전 그게 진짜 싫었거든요. 선생님을 직접 만나지 못한다면, 발이 빨리 낫길 기도할게요. 발을 다쳐서 목발을 집어야 하는 어떤 사람을 알거든요.

전 '누구게'라고 서명해왔어요. 누구라고 생각하셨나요?

레이철 고든?

선생님의 쾌유와 새해를 바랍니다. 선생님은 저에게 피그말리언이나 다른 사람들을 깊이 이해할 수 있도록 해주었습니다.

샘 하퍼

(전에는 미스터 X라고 했었죠.)

선생님은 저의 가장 기억에 남는 선생님이고, 선생님은 공부가 빨리 머리에 들어가 남아 있도록 가르쳐주었습니다.

그리고 선생님은 유머 감각과 선생님다운 사랑의 손길을 지닌 분입니다.

자해 경험자, 제리 하이엄스

제 개인과 업무적인 부분뿐만 아니라 교육으로도 도움을 주신 배릿 선생님이 행복한 성탄절 보내시기를 바랍니다.

(학생들이 다시 선택할) 해리 A. 케이건

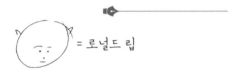

이제 말할 수 있겠군요, 그건 저였어요!

저는 이 롤링페이퍼를 통해 저의 마음을 말하고 싶습니다. 선생님은 바다의 보석과 같아요. 제 아이들에게 선생님과 함께 보낸 나날을 말해주려고 합니다. 저의 좌우명은 '절대로 잊지 말자'라니까요. 선생님이 없으니 하루하루가 지루하기만 합니다. 선생님이 있으면 이렇게 긴 HR 시간도 날개를 달고 날아가는 것처럼 빠르게 지나갔는데요. 심지어 선생님은 패션도 눈에 띄고 세련되었어요. 앞으로도 제 능력보다 더 성취할 수 있도록 노력하겠습니다.

로니

선생님은 그들만큼 나쁘지 안습니다.

당신의 친구

당신의 적이라고 썼던 S. 마리노

즐거운 연휴! 그리고 메리 크리스마스! 새해 복 많이 받으세요! 그리고 더욱 행복한 영어 수업을 위해 돌아오기를! 선생님은 제 돌머리에 무언가를 집어넣은 첫 번째 선생님이에요, 하하! "이건 가장 매정한 상처야." 선생님의 남자친구인 셰익스퍼(줄리어스 사이저)를 인용해봤어요. 혹시 모르시진 않겠죠! 그러니 얼른 나으세요! 그리고 건강하고 행복하게 돌아와 우리에게 더 많은 것을 가르쳐주세요! 이제 선생님이 절 어떻게 도와주셨나 쓸게요. 전 요즘 그렇게 장난을 치지 않아요. 가끔은 치지만!

루 마틴

하느님이 선생님을 낫게 해준다면 전 다시는 않해오는 일(숙제)이 없을 거예요. 제가 의견함에 써서 넣은 글은 진심이 아니에요. 전 의자에서 떨어진 첫날부터(기억하시나요?) 선생님이 좋았지만 표현할 수 없었어요.

 매

(전 사실 레니 노이마르크입니다!)

　선생님은 왕처럼 행동하지 않은 것으로 절 도와주었습니다.

낙서장이, 질 노리스

　전 여전히 여자가 싫지만, 선생님은 예외입니다. 이것은 저와 결석한 열여섯 명을 포함한 학급 전체에 적용됩니다. 선생님은 돌아올 수 있습니다. 하지만 제가 있을지는 모르겠군요.

러스티 오브라이언

　선생님이 다시 돌아와 우리를 가르쳐주신다면 캘빈 쿨리지에서 새해를 행복하게 맞이할 것 같습니다. 전 지금까지 살면서 선생님 같은 분을 만난 적이 없어요. 전 선생님이 무

슨 옷을 입고, 무엇을 할지 보기 위해 매일 내일이 오기를 기다렸어요. 선생님은 제가 껍데기를 벗고 더 날씬한 몸이 되도록 하였어요. 제 동생은 저보다 더 날씬하고 다리가 가늘지만요. 죽는 날까지 선생님을 사랑할게요.

비비안 페인

다른 애들이 종이를 다 차지햇어요. 전 불병을 너무 많이 한 것 같네요. 허지만 선생님과 함께 지낸 것이 얼마나 행운인지 몰랐어요. 그 신경질적인 임시교사가 오기 전까지는요. 그 사람는 아무것도 모르면서 그냥 가르치려고 하더라구요.

짜증 났었던 미겔 라이오스

선생님이 다시 가르치신다면 전 〈히어로와 린더〉처럼 헤엄을 쳐 해협을 건너가겠습니다. 그건 '신화'가 아니라 진실입니다. '메리 크리스마스'와 '사랑'처럼요.

찰스 H. 로빈스

(이제야 저는 따음표를 남발하지 않고도 글을 쓸 수 있고, '원자폭탄'에 대해 생각하지 않으려고 애를 쓰고 있습니다. 이 글을 보고 병원

에서 선생님의 기분이 더 나아지기를 바랍니다.)

1. 선생님이 나를 어떻게 도왔는가.
    A. 인생의 감상
        1. 선택한 길
            a.(선택)
        2. 줄리어스 시이서
            a.(브루투스는 옳았을까?)
        3. 철자법(99점으로 향상)
        4. 브라우닝(높은 곳에 도달하려는 사람)
        5. 알파벳을 합쳐 만든 글자가 문학이 됨.
    B. 난 종종 이런 문제들을 생각한다.
2. 메리 크리스마스!

'십 대'라고 알려졌던 리키 로치

선생님은 다른 선생님에 비해 한층 더 훌륭한 지식으로
도와주셨기에 존경합니다. 선생님은 저에게 도서간 대출증
을 만들게 하셨고, 독서에서 더 많은 의미를 얻을 기회를 만
들어 주었습니다. 선생님은 제가 누구보다 사랑하는 저의
어머니만큼 훌륭하십니다. 제가 어머니를 사랑하는 것만큼

선생님도 사랑합니다. 선생님은 이 학교에서 가장 뛰어난
분이에요.

행복한 크리스마스가 되기를 바라며 사랑을 담아서
호세 로드리게스

제가 예의가 없다고 생각하지 마세요. 전 선생님을 친구
처럼 생각하거든요. 선생님은 제가 셰익스까지 이해할 수
있도록 만드셨어요. 전 이제 옷을 더 단정하개 입고, 데이트
할 때만 속눈썹을 붙여요.

이건 제가 참견알 일이 아닐지도 모르지만, 선생님은 아
직 젊으니까 가르치는 일을 직업으로 삼지 않았으면 좋겠습
니다. 전 선생님이 곧 결혼해서 남편과 아이들을 챙겼으면
좋겠는데 교사 일은 선생님의 삶에서 모든 것을 빼앗아 갈
거예요. 만약 선생님이 집에 있으면서 가정을 꾸린다면, 선
생님은 매우 행복할 거고 남편도 자주 볼 수 있을 거예요.

린다 로젠

병원은 선생님에게 좋은 가르침을 줄 거예요. 다만 유색
인종에게는 최악이죠. 오늘처럼 크리스마스가 얼마 남지 않

은 날에도 전 지각이라며 걸렸어요. 그게 공정한 일이에요? 무슨 일을 하던 저는 항상 마지막이고, 이 종이에 서명하는 것도 끝에서 두 번째라고요.

에드워드 윌리엄스 올림

만약 선생님이 이걸 읽으시면, 다 보시고 제가 선생님을 얼마나 좋아하는지 아셨으면 좋겠습니다. 혹시 제가 그런 마음과 반대되는 행동을 했다면 죄송합니다. 전 항상 조용하게 지내며 의견함에 쪽지를 넣은 적도 없어서 놀랄즈도 모르겠지만, 제가 만난 사람 중 선생님이 가장 아름다운 분이라고 생각한다는 걸 아셨으면 해서 이걸 씁니다. 전 다음 학기에 직장을 구하기 위해 학교를 떠나야 하지만, 선생님이 사는 곳을 알아보니 우리 집과 그리 멀지가 않더군요. 혹시 선생님을 볼 수 있을지도 모르겠네요.

캐서린 월조

활동을 위한 답변

엘렌에게

크리스마스이브인데 난 발에 깁스를 한 채 여전히 병원 침대에 있어. 교직원위원회에서 보낸 장례식용 꽃다발과 산처럼 쌓인 서류에 방해를 받으며 누워 있는 거지. 교육위원회(아직도 내가 누군지 제대로 모르는)에서 보낸 서류와 윌로우 데일, 동료들, 핀치, 맥헤이브 등이 사고 관련 보고서, 결근으로 인한 환급 신청서, 작성을 기다리는 온갖 학기 말 서류, 서명해야 할 서류, 체크해야 할 서류, 공증해야 할 서류, 부쳐야 할 서류, 정리해야 할 서류 등이 바로 그것이야.

차라리 지금은 마음이 편해.

병원은 특실에 입원한 환자에게는 하루 두 명의 방문객을 허락하고 있어. 베아는 자주 찾아왔었지. 맥헤이브는 의리상 잠깐 들렀는데, 그는 계속 시계를 보며 면회가 끝나는 시간을 기다렸던 것 같아. 폴은 에즈라 파운드[36]의 시 '캔토스'를 재치 있게 패러디한 시를 지어 왔어. 그는 새로운 소설을 쓰기 시작했는데, 캄차카반도에 고립된 핵물리학자를 주인공으로 한 이야기라고 해. 배경은 러시아였던 것 같아. 아니 아시아였나. 우리 반 아이 한 명이 대표로 나를 문병하러 왔어.

우리 반 아이들은 나에게 감사 인사와 고백을 담은 롤링 페이퍼를 보내왔어. 모든 글마다 '매'라고 서명했던 아이는 작고 겁이 많은 듯하지만 열정이 넘치는 소년이었어. 나의 '적'이라고 서명했던 아이는 이제 '친구'가 되었지. 이것은 내가 304호 교실에서 무시당하지 않았다는 증거야.

영어 5반은 사랑과 마음, 그리고 돈을 모아서 내게 선물을 해주었어. 반짝이는 크롬 재떨이와 포도 모양의 크리스털 소재의 사탕 그릇이었는데, 아주 촌스러운데도 그것을 보고 있자니 눈물이 날 뻔했어.

또 영어 33-SS반(특히 뒤처지는, 성취도가 낮은 아이들)에서는 나를 위해 발라드를 짓고 있다고 하는데, 특수한 두루마리

---

36 에즈라 파운드(Ezra Pound)는 미국의 시인으로, 20세기 초 모더니스트 시 운동의 중심에 서서 현대 시의 큰 흐름을 주도하다가 2차 세계대전 중에 반역죄로 기소되어 죽음의 고비를 넘기고 정신병원에 감금되는 등 굴곡 많은 삶을 살았다.

에 먹물로 써서 줄 거래. 아직 받지는 못했는데, 곧 보낸다
고 하더라고.

페론에게서는 아직 아무런 소식이 없어.

너의 진심이 담긴 편지도 잘 받았어. 너의 말이 맞기를 바
라지만, 내 한계점과 개인적인 실패를 깨달은 것 같아. 내가
사랑했던 건 오로지 가르치는 일뿐이었고, 내가 아는 유일
한 것은 학생에 대한 어설픈 이론뿐이었던 거야.

난 그들에게 진심으로 귀를 기울이지 않았어. 심지어 학
부모 총회 때 아이들의 부모님이 나에게 말하려고 했을 때
도, 아이들이 종이에 쓴 것 말고 더 많은 말을 직접 하려고
했을 때도 말이야. 한 소년과 정면으로 마주치기 전까지는
제대로 들은 것이 없어.

베아는 나와는 달라. 그녀는 자신의 감정에 귀 기울이기
에 그 일이 어렵지 않아. 그레이슨도 마찬가지지. 하지만 내
게 점수를 준다면 과연 몇 점을 줄 수 있을까? 노력한 부분
에만큼은 'A' 학점을 줘도 될까?

"인간은 자신의 능력을 초월해야 한다."고 아이들에게 가
르친 적이 있어. 이 말은 좌절은 필연이라는 뜻을 내포하고
있지. 이것을 실천하기 위해서 나는 목표를 낮추지 않고, 도
전을 받아들이고, 타협하지 않은 채 계속 싸워야만 하는 거
야. 만일 그렇게 했는데도 실패한다면 그건 목표가 너무 높

앗던 것이고…. 하지만 실패하더라도 얻는 것이 있었으면 좋겠어. 물론, 윌로우데일의 가죽 의자를 포기하지 않은 채.

너무 무리한 요구지.

"누가 구할 수 있을까."라고 폴이 말했어.

노크 소리가 들리네.

나중에 또 쓸게.

베아가 방금 떠났어. 최근 제정된 법안에 대한 소식을 가져왔어. 이제 교사들의 공연은 불법으로 취급하겠대. 정문을 제외한 학교의 다른 출입구는 '사용할 때를 제외하고' 잠가두어야 하고. 순찰의 필요성은 더욱 강조될 거야. 학교에 온 모든 방문객은 몸수색을 받아야 한다는 주장도 있었지만 거부당했대. 강당은 이제 조회시간에만 사용하게 되었어. 탑은 폐기되었고.

나는 아이들에 대해서도 물어보았어. 다른 몇 명과 마찬가지로 에디 윌리엄스는 확실히 자퇴할 것 같애. 호세 로드리게스는 남을 거고. 비비안 페인도 마찬가지야. 그 애는 영어 선생님이 되고 싶어 해. 영어 교사에게 고등학교 졸업장은 필수니까. 베아는 러스티나 페론에 대해서는 모른다고 했어.

나도 페론의 소식은 몰라. 그 애는 아마 나의 가장 큰 실패 사례일 수도 있고, 나의 유일한 성공 사례일 수도 있지. 만약 그가 자퇴한다면 난 그의 소식을 전혀 알 수 없게 될지도 몰라.

"학교에서 또 무슨 일이 있었죠?" 내가 물었어.

"거기선 삶이 이어지고 있어. 그곳은 삶이 있는 곳이니까." 그녀가 대답했어. 그건 노골적인 권유였어. 여전히 내가 떠나는 것을 만류하려던 거야.

공평하지 않아. 상반되는 감정이 있다는 걸 인정해. 아이들의 글을 다시 읽고, 촌스러운 재떨이와 사탕 그릇을 볼 때, 그들의 얼굴을 생각할 때면 마음이 흔들리기도 해.

난 내가 얼마나 나약한지를 깨달았어.

하지만 현실적으로 미래를 보아야 해. 아마 난 캘빈 쿨리지에서 바라는 수준에 미치지 못할지도 몰라. 노력하지 않게 되면 더 그렇겠지. 언젠가 무심하게 출근카드를 찍으며 안도할 수도 있고, 루미스처럼 까칠해지거나 메리처럼 불쌍해질 수도 있고, 그냥 정맥류 걱정이나 하게 될지도 몰라.

윌로우데일에는 온전히 '나만을 위한' 일을 할 기회가 있어.

만약 내가 캘빈 쿨리지에 남는 것을 선택한다면 클라크는 학기 말 보고서에 날 '괴짜'라고 쓰겠지!

아무튼, 지금 윌로우데일에서는 교육위원회에서 보내줄 내 사직 처리서와(형식에 지나지 않지만), 클라크 박사가 보낼 편지를 기다리고 있어. 정해진 서식대로 '사직 처리가 되었습니다.'라고 쓰인 편지를 기다리는 거야. 안타까움이나 고마움도 없이 그저 '사직 처리가 되었습니다.'가 쓰여 있을 뿐인데, 내가 알기로는 교육위원회에선 보통 이런 식으로 보낸대.

너의 편지도 물론 기다리고 있어. 난 병원에 한두 주 더 있을 예정이야. 그다음엔 집에서 학기가 끝날 때까지 다친 발을 끌면서 쉬고 있겠지.

파티를 즐기며 날 기억해줘. 그리고 마지막으로 학생의 말을 인용하겠는데, 새해 복 많이 받아!

12월 24일

사랑을 담아, 실

추신. 뉴욕에 있는 학교에서 매년 약 1천 명 정도의 교사들이 퇴직하는 거 알아?

발라드

선생님이 우리를 가르치는 동안
우리는 즐겁게 공부했고,
선생님이 우리에게 가르침을 주자
우리는 떠들지 않고 배웠네.

우리가 책을 읽고 철자를 배우면
시간은 너무나 빨리 지나갔고,
영어 수업 시간이 끝나면
우리는 항상 종소리에 탄식했네.

하지만, 사고가 일어났고
그것은 비극으로 이어져
선생님은 몸이 아파
우리를 떠나갔네.

돌아와요, 돌아와요, 배릿 선생님!

돌아와요, 돌아와요, 돌아와요,
선생님이 없으면 너무 지루해요.
이 말은 진실입니다.

메리 크리스마스 앤 해피 뉴 이어
선생님의 영어 33 SS반 일동

친애하는 선생님

친애하는 선생님

사직에 관한 선생님의 요청에 답변 드립니다. 선생님이
작성해주신 사직서는 양식에 맞지 않습니다.

선생님은 임기 및 임명 사무실에서 적절한 양식을 받아오
시기 바랍니다.

뉴욕시 교육위원회 보냄

배릿 선생님께

월로우데일은 2월 학기부터 선생님과 함께하기를 기대하
고 있습니다. 알다시피 선생님의 고용은 교육위원회에서 사

직 처리가 이루어진 후 진행되고, 현재 재직하고 계신 학교의 교장의 서신 또한 필요합니다. 우리는 아직 어느 쪽으로부터도 연락을 받지 못하였습니다. 지연되는 이유가 무엇인지 알려주시겠습니까?

영어 및 비교문학과

로버트 S. 코빈

추신. 영어를 전공하는 8명의 학생을 대상으로 한 초서 세미나가 열릴 가능성은 충분히 있습니다.

배릿 선생님

교사 복지에 관한 공지 No. 42와 No. 43을 병원으로 보내드립니다. 사고 보고서 A와 B, 그리고 핀치 선생님이 별도로 보낼 양식을 채워 사고 목격자와 함께 우편으로 보내주시기 바랍니다.

제임스 J. 맥헤이브 고감

우리는 모두 선생님이 보고 싶습니다.

1월 5일

실에게

절뚝거리긴 하지만, 일어나서 곧 퇴원할 수 있다니 기쁘네요. 지난주에 만났을 땐 피로도 풀린 듯해 보이고 여유로움마저 느껴져서 좋았어요. 그동안 너무 고생이 많았죠.

학교는 연휴가 끝난 뒤라 어수선해요. 사람이란 잠시 떨어져 있으면 사소한 일이나 흥분, 조바심 같은 걸 잊어버리는 법이죠. 그리고 하루 이틀이 지나면 금세 다시 한 명씩 되돌아가는 거예요. 도서관은 다시 아이들에게 개방되지 않았고, 우리는 PRC에 구멍을 내고 긁어봐요.

다음 학기에 선생님이 여기 없을 수도 있다는 게 믿기지 않아요. 선생님을 설득하기 위해 우리가 무엇을 할 수 있을까요? 정오에 점심을 먹을 수 있게 하면 될까요? 한 반에 35명 이하만 있는 수업은요? 선생님이 쓸 빨간 색연필을 준비할까요? 여분의 칠판지우개? 깨진 창문을 고쳐야 할까요? 순찰 업무에서 제외할까요? 우등생 반을 맡을래요? 떠돌지 않고 한 교실에서만 수업하면 될까요?

아니면 교육위원회가 지난 7년 동안 약속해온 새 건물이라면 마음이 끌릴까요? 2년마다 저희에게 제안하는 계획서를 보면 교실 주위에는 뜰이 있어서 '나무 사이에서 식사하고 공부할 수 있는 시간'이 포함되어 있고, 완벽한 냉방 시스템, 수업이 끝나는 시간을 알려주는 부엉이 같은 전자 장치, 두 개의 체육관, 그리고 수영하는 학생들을 선생님이 관찰할 수 있게 한 실내 수영장까지 있어요!

여기서 가르치는 것도 그렇게 나쁘진 않아요. 아이들이 자꾸 단어를 헷갈리고, 틀린 문장을 말하기도 하고, 관리들은 '지독한 행동'이며 '인종적 배경' 같은 표현을 쓴다는 어쩔 수 없는 자연의 법칙을 받아들이기만 한다면요.

그리고 선생님은 대학생보다는 고등학생을 가르치는 쪽이 더 발전할 수 있을 거예요. 학업 성취도가 낮거나 높은 아이 어느 쪽이든 가르치면서 흥분하고 생각을 자극받는 재능을 지닌 분이잖아요. 선생님은 아이들이 눈을 뜨고 깜박이며 빛을 향해 나아가는 것을 보셨을 거예요. 갑자기 분명해진 시야로 그들을 보았을 때, 한숨을 쉬듯이 숨을 크게 내쉬는 소리를 들었을 거라고요! 그것이 바로 교육의 의미이고, 선생님은 교육할 수 있는 몇 안 되는 사람 중 한 명이죠.

돌아와요!

새 학기는 예전과 매우 비슷한 형태가 될 테고, 2월에는 보통 안식년이나 출산휴가를 받는 사람이 생기고, 신입생은 평소보다 더 많아질 거예요. 메리는 성적관리라는 추가 업무를 지원하라는 요청을 받았어요. 다른 업계에서 훨씬 더 많은 임금을 제시하며 이직(아이들이 없는 곳)을 제안받은 루미스는 겁을 먹고 학교 시스템 안에 머무르는 것을 선택했고요. 폴은 살짝 술 냄새를 풍기며 어슬렁거리며 학교로 들어왔어요. 그리고 헨리에타는 연휴 동안 희끗희끗한 머리를 밝은 적갈색으로 염색하고 왔고요.

아까는 잠깐 정신이 나갔나 봐요. 하지만 선생님 같은 사람이 우리에게서 떠난다면 정말 아쉬울 거예요.

베아

배릿 선생님

대리교사가 학생들의 PRC를 입력할 수 있도록 선생님 반 학생들의 학기 말 통지표를 동봉하오니 최종 성적을 기입하여 주시기 바랍니다.

또한, 선생님이 맡은 학생의 CC, 활동 기록 및 결석 횟수(결석 사유가 인정된 것 및 인정되지 않은 것), 지각 횟수(지각 사유가 인정된 것 및 인정되지 않은 것)를 보내주십시오.

그리고 책을 반납하지 않은 학생들의 블랙리스트, 클라리온의 구독 갱신과 학생회 여행을 위해 모은 돈도 보내주십시오.

잘 지내시기를 바랍니다.

고무실장 새디 핀치

친애하는 선생님
1. 35년간 근무하여 경력을 인정받은 경우
2. 나이가 55세 이상인 교사가 30년간 근무한 요건을 충족했고, 연금 55–30 보장을 선택한 경우
3. 교사가 55세 이하이거나 혹은 30년간 근무한 후에 연금 55–30 보장을 선택하지 않은 경우(연금이 상당히 축소됨)
위 3가지의 경우 은퇴할 자격이 주어집니다.

뉴욕시 교육위원회 보냄

배릿 선생님
부득이한 사정으로 윌로우데일 대학에 보내 달라고 한 선생님의 편지가 고의는 아니었으나 잘못 전달되었습니다. 만약 우수한 평가를 담은 추천서를 원한다면 기꺼이 써드리겠지만, 저는 진심으로 선생님께서 우리 학교에서 계속 근무하시기를 바랍니다.

맥스웰 E. 클라크 교장

실비아에게

회복되어 간다니 기뻐요. 혹시 여분의 화장실 열쇠 갖고 있나요? 있으면 보내줄 수 있나요?

헨리에타

친애하는 선생님께

양식이 잘못 보내졌습니다. 선생님이 받으신 그 양식은 은퇴 신청서입니다. 사직용 양식은 별도로 있습니다.

뉴욕시 교육위원회 보냄

실비아에게

교직원위원회(그들은 저에게 이 일도 떠넘겼어요!)에서 선생님이 만약 떠난다면 이별의 선물과 다과회를 준비하기 위해 모금을 할 계획이라 언제쯤일지 알고 싶다고 하거든요.

직접 만나러 가고 싶은데 일이 너무 많이 쌓여서 날마다 집으로 일감을 가져가야 할 정도예요. 선생님처럼 어디 누워 있고 싶네요!

메리

친애하는 선생님께

은퇴 신청서를 위한 선생님의 요청에 따라 새로운 은퇴 신청서 대신 기존의 은퇴 신청서를 보내드렸습니다.

뉴욕시 교육위원회 보냄

배릿 선생님

3시까지 제출하세요. 동봉한 공지 No. 134의 모든 항목을 체크한 후 제출해야 합니다. 또한, 추가 공지도 확인하시기 바랍니다.

교육위원회에서 잘못된 서류를 받았다니 유감이네요. 임명·기록국에 정확한 서류를 신청하셔야 해요.

고무실장 새디 핀치

배릿 선생님

프로스트의 '가지 않은 길'을 가르치시던 수업 시간에 선생님이 '선택'에 관해 아이들이 토론할 수 있게 했던 것이 생각나는군요. 선생님 또한 올바른 선택을 했기를 바랍니다. 선생님 자신이 지적했듯이 어느 쪽을 선택해도 후회하겠지만요.

쾌유를 빕니다.

새뮤얼 베스터

배릿 선생님

점수를 아무리 합쳐 봐도 평균이 61점입니다! 어떡하죠! 추가 점수를 받아서 65점까지 올라갈 수 있으면 좋겠습니다! 전 이제 책을 읽지 않지만, 낙제를 면할 수 있다면 더 읽도록 노력할게요!

오디세우스

오디세우스는 2백만 명의 사람을 죽이고 트로이로 떠났다. 그는 자신의 부하들과 함께 집으로 가고 있었다. 하지만 어느 섬에 살던 거인이 오디세우스의 부하들을 잡아 산산조각 부숴버렸다! 그 후 그들은 폴리페모스를 만났으나 차례로 잡아먹히다가 오디세우스가 눈에 무언가를 꽂아 폴리페모스는 앞을 볼 수 없게 되었다. 그 후 그들은 사람을 돼지로 만드는 키르케에게 갔지만, 오디세우스가 다시 구해주었다! 마지막으로 그들은 태양의 섬으로 가서 태양의 소떼를 다 잡아먹고 말았다. 그러자 제우스는 그들을 다 죽였지만, 오디세우스는 영웅이라 살려주었다. 이제 모두 죽었다! 오디세우스는 칼립소에 7년 동안 머물렀다. 그 이후 마침내 그는 20년 만에 고향으로 돌아갔다.

제가 점수를 얻지 못하더라도 선생님이 돌아오면 좋겠어요! 선생님은 우리 없이 잘 지낼 수 없다는 걸 알아요, 하하!

(전 많이 웃지만 대부분의 경우 아무 의미 없어요.)

루 마틴

12장

얘들아, 안녕!

여기가 304호니?

앗, 그 선생님이 돌아왔어!

퇴원하셨어요?

만세, 배릿 선생님이 우리 반이다!

발은 어때요?

박수 한번 쳐 드리자!

손뼉 쳐줘서 고맙지만 이제 괜찮아. 그만하면 됐어, 고마워요. 다시 만나니 기쁘구나. 그러면 내가 출석을 부를 동안 너희는 델라니 카드를 작성하고—.

오늘 며칠이지?

2월 1일이잖아, 멍청이야!

자리가 모자라요!

우리 반에 새로 온 애가 많은데!

전 지각 아니에요, 종이 일찍 친 거라고요.

선생님이 또 우리 영어 수업을 맡는 건가요?

여기 루 마틴 있니? 아, 거기 있구나.

누구, 저요? 전 아무 짓도 안 했어요! 진심으로 맹세코—.

그만, 루. 나도 네 말이 맞는다는 걸 아니까. 네 말이 맞아.

너 감기 걸렸어?

누구 펜 빌려줄 사람?

내 휴지 쓸래?

밀지 마!

전 델라니가 필요 없어요. 자퇴할 거니까.

방과 후에 자세히 얘기해보자.

저 통행증 좀 주실래요? 진단서를 가지러 가야 하거든요. 진짜예요!

어, 여기 창문이 깨졌어요!

야, 조용히 해, 선생님이 출석 부르잖아!

피오레 아세베도?

네.

루스 애덤슨?

네.

얘들아, 조용히 해. 대답이 잘 안 들리잖니, 의자 내려놔!
재닛 앰더?

네.

안녕, 러스티. 왜 늦었니?

안 늦었어요. 다른 수업에서 바꾼 거예요. 선생님 수업
을 듣고 싶어서요.

그래, 반가워. 그럼… 서 있을 곳을 찾아보렴. 레온 액슬로
드? 아니요, 출석을 다 부르기 전까지 공지는 확인하지 않겠
어요. 레온 액슬로드? 결석이니?

개요? 걘 맨날 결석해요!

걔가 여기 없는 게 나을 거예요!

진짜 말썽만 부리거든요!

자리가 너무 좁아요!

책상에 온통 구멍이 뚫렸어요!

쌤, 안녕하세요!

그래, 안녕! …라모스 벨가도?

후기

(편집자 주: 다음은 1991년에 본 작품이 페이퍼백으로 재출간되었을 때 저자가 쓴 글을 그대로 옮겨온 것이다.)

나는 어떠한 소설도 쓸 마음이 없었고, 이 책이 베스트셀러나 '교육을 소재로 한 고전'이 될 줄도 몰랐다. 사실 나는 스스로를 전문 작가라고 생각한 적이 없다. 이 책이 성공하지 않았다면 고등학교 영어 교사로 일하며 가끔 잡지에 단편을 싣거나 행정 업무를 처리하며 근근이 먹고살았을 것이다.

하지만, 이 책은 성공했고 나는 많이 놀랐다. 덕분에 내 소설에서는 허용하지 않았을 극적인 반전이 내 인생에 일어났다. 나는 교사 자격증을 거부한 것으로 주목받게 되었을 뿐더러 교육위원회에서 치른 구술시험을 통과하지는 못했지만 전문적인 연설가로 활동하게 되었다. 가난과 외로움으로 고생하던 나는 명성, 부 그리고 많은 지지를 얻기 시작했다.

사실 이 소설의 바탕이 된 단편소설은 여러 곳에서 거절당했다. 이 소설은 대도시에 있는 고등학교 교실의 쓰레기통에서 발견된 종이 쪼가리들로 구성되어 있다. 아이러니하게도 이 쪽지는 혼돈, 혼란, 도와달라는 외침, 그리고 한 젊은이의 삶을 변화시키려는 교사의 노력을 말해준다. 그러나 출판 편집자들은 '구성이 이상해 보이고', 소설이라기에는 '스타일이 너무 괴상하다'라고 말하며 출간을 거절하고는 했다.

나는 쉽게 포기하는 편이지만 왠지 이 이야기는 버릴 수가 없었다. 1962년 11월 17일, 마침내 '선생님의 쓰레기통에서'라는 제목으로 〈토요 문학 비평(The Saturday Review of Literature)〉에 부족하고 부적절한 교사의 급여 문제를 다룬 진지한 기사 다음에 실린 것이다. 사실 나는 이 이야기를 1961년에 썼는데, 30년이 지나 재출간한 지금에 오히려 적절한 내용인 것 같다.

당시 나는 상당한 액수였던 200달러의 원고료를 받았지만, 잡지사가 삽입한 우스꽝스러운 낙서 같은 그림 때문에 독자들이 가볍게 여길 것 같아 실망스러웠다. 하지만 내가 틀렸다.

잡지가 가판대에서 팔려나갔고, 프렌티스 홀의 진취적인 젊은 편집자 글래디스 저스틴 커(현재 하퍼콜린스의 부사장 겸 편집장)가 이 잡지를 보고 나에게 연락해 소설로 이야기를 확장하자고 제안을 했다. 그러나 나는 절대 안 된다고 대답했다. 나는 세 페이지 반 안에 내가 하고 싶은 말을 다 했다고 생각했다. 그러나 그녀가 나에게는 매우 필요했던 선금을 제시했기에 받아들일 수밖에 없었다. 그래서 나는 소설을 쓰게 되었다.

나는 우연히 잡지에 실린 단편에 주목한 기민한 편집자 덕분에 소설가가 될 기회를 얻었다. 교사가 된 것 역시 우연한 일이었다. 가장 친한 친구가 헌터 칼리지에 다니고 있었기에 나도 그곳에서 교육 과정을 밟았다. 이 과정의 필수요건 중 하나가 교생 실습을 나가는 것이었다. 교실 앞에 서서 나를 바라보는 학생들의 눈을 본 순간, 나는 이것이 나를 위한 일임을 깨달았다.

그러나 곧 뉴욕시의 고등학교에서 영어를 가르칠 자격증을 따는 것이 어렵다는 것을 알게 되었다. 나는 열두 살에 러시아에서 이 나라로 왔고, 영어는 모국어가 아니었기 때문이다. 그때 나는 일곱 살짜리 아이들과 함께 1학년부터 시작해야 했다. 작고, 말랐던 데다 겁까지 먹어서 나는 아무것도 보지 못했다. 내가 수업 중에 처음으로 감히 말할 수 있었던 것은 순전히 필요에 의해서였다. 나는 오로지 "으으으음?"하고 중얼거릴 뿐이었고, 나중에서야 "제가 교실에서 나가도 될까요?"라는 말을 배웠다.

나는 조금씩 영어를 배워나갔다. 그러나 몇 년 후, 구술시험을 보러 갔을 때 심사위원들은 발표를 망칠까 봐 두려워한 나머지 지나치게 조심하며 발음하는 내 모습을 보았다. 그들은 나에게 '지원해주신 응시자님께'로 시작하는, 탈락을 알리는 상투적인 편지를 보냈다. 열심히 추가 회화 과정을 수강했지만 그렇게 매년 '지원해주신 응시자님께'라고 쓰인 똑같은 편지를 받았다. 그렇게 나의 청춘을 구술시험에서 떨어지며 보냈다.

공립학교에 교사 자리는 적고, 지원자는 많던 대공황 시절의 일이다. 나는 대학 교수직을 제안받았지만 내가 삶에 더 많은 변화를 줄 수 있는 청소년들과 함께하고 싶었다. 정규 교사 자격증을 따기 전까지 나는 이 직종에서 '영구적인 대용품'이나 마찬가지인 존재였다. 나는 정규 교사와 같은 양의 수업을 했으나 월급은 적었고, 고용은 보장되지 않았으며, 수업과 상관없는 일까지 해야 했다. 난 뉴욕시에 있는 최고의 고등학교와 최악의 고등학교를 전전하며 다녔는데 훗날 그 학교들이 이 책의 배경이 되었다. 내가 화장실을 순찰하여야 했던 학교에서도 나의 책이 '필독서'가 되었다.

아무튼, 당시에 '일일 보조'로 잠시 일하기도 했다. 하루만 일하는 사람은 아무런 권한도 없이 수업만 하며 그저 아이들을 45분 동안 데리고 있으라고 요구했다. 한번은 체육을 가르친 적이 있었는데, "선생님이 할 일은 호루라기를 부는 것 뿐."이라고 했고, 난 그 말에 따라 호루라기를 크게 불었다.

한 학교에서는 내 교실 밖에서 한 남자가 문고리를 잡고 서 있는 것을 목격했다. 안에서는 비명이 들리고, 유리가 깨지는 소리가 났다. "대리로 온 선생님입니까?" 그 남자가 물었다. "선생님이 올 때까지 제가 이 교실을 맡고 있었습니다." 그러고는 그가 가버렸다.

나는 심호흡을 하고 문을 열었다. 처음 몇 초 만에 학생들을 사로잡지 않으면 걷잡을 수가 없다는 사실을 눈치챘다. 난 들어가서 러시아어로 "왜 이렇게 시끄러워! 무슨 짓이야?"라고 외쳤고, 학생들은 무슨 말인지 모르니 어리둥절해야 하며 입을 다물었다. 이 이상한 사람은 누구지? 뭐라고 하는 거지? 난 러시아어로 말했지만, 적어도 그들의 관심을 받았다. 어쩌면 내가 그들에게 무언가를 가르쳐줄 수 있을지도 모르겠다는 생각이 들었다. 수업이 끝날 즈음 한 남학생이 와서 말했다. "선생님은 괜찮네요. 내일 또 와도 좋아요. 어제 왔던 남자 선생님은 그저 그래서 우리가 울렸거든요!"

이것은 내가 교사로 일한 지 얼마 되지 않았을 때의 일이다. 그러나 그 '좋은 시절'에 겪은 몇몇 학교들은 오늘날과 크게 다르지 않았다. 한 고등학교에서는 남학생들을 위한 별관의 복도를 걸을 때 두 명의 키가 큰 남학생이 나의 경호

원을 맡아주어야 했다. 한 명은 앞에서 걷고, 한 명은 뒤에서 걸었다. 어느 날 아침에는 한 남학생이 3개월 만에 등교했기에 농담이랍시고 "어서 와! 무슨 일 있었니? 은행이라도 털고 온 거야?"라고 내가 묻자, "슈퍼였는데요."라는 대답이 돌아왔다. 그리고 영어 수업을 하며 내가 맥베스 부인의 대사를 낭독하고 있는데 교실로 경찰이 들어온 적도 있다. "이 학생을 데려가야겠습니다."라고 말하고는 그 학생의 손목에 수갑을 채워 데리고 나갔다.

하지만 좋은 학교에서 가르치기도 했다. 열정적인 학생, 진지한 토론 수업, 아이들의 감동적인 작문, 교실에 울리던 웃음소리가 기억난다. 나의 한 가지 바람은 그런 학교에서 정규 교사가 되는 것이었다.

나는 마침내 교육위원회가 '치찰음'을 특히 주목하던 해에 심사를 통과했다. 나를 통과시킨 문장은 "He sstill inssisstss he ssezz the ghosstss."였는데, 난 자격증을 따기 위해 과도하게 쉬쉬 소리를 내며 말했고, 고등학교 담장 안에서 더 많은 시간을 보내게 되었다.

나는 1991년 1월, 나를 그렇게 힘들게 했던 뉴욕시의 시험관들이 해고되었다는 사실을 알고 기뻤다. 지금은 그 자리에 ORPAL(Office of Recruitment Personnel Assessment and Licensing)이 있다. 그것은 채용, 인사, 평가, 자격증 사무소를 의미하며 나에게는 그 이름이 더욱 위협적으로 들린다. 전에 교육위원회 인사과에서 '지나치게 무례하고 관료주의적인 문제'에 불만을 표하는 교사들에 관한 신문 기사를 읽고 데자뷔를 느꼈다. 내가 직접 경험했을 뿐만 아니라 나의 책에 나온 등장인물들도 경험했기 때문이다.

이 책을 쓸 기회는 나의 인생이 가장 암담하던 시기에 찾아왔다. 그때는 아주 적은 돈과 미래에 대한 희망에 기대어 작은 아파트에 혼자 살고 있었다. 나의 아이들은 자라서 독립한 상태였고, 어머니는 심각한 병을 앓고 있었다. 내가 재미있게 쓴 몇 장면은 사실 눈물 때문에 종이가 찢어져 다시 타이핑을 해야만 했다.

출판사에서 선금을 주었고, 나는 작품에만 매진할 시간과 에너지를 더 많이 확보하기 위해 학교를 사직했다. 대신 일주일에 세 번 지역 전문대학에서 가르치는 일을 찾았고, 아직 제작되지 않은 뮤지컬을 위한 가사를 쓰기로 했다. 이러한 일은 고등학교에서 매일 수업하는 것보다는 덜 힘들었다.

내가 아는 것은 소설이 '쌤, 안녕하세요!'로 시작해서 '얘들아, 안녕!'으로 끝난다는 것과 첫 장은 종이에 '쓰는 것'이 아닌, 소리를 내서 말해야 한다는 것뿐이었다. 처음에는 교실에서 목소리가 마구 뒤섞이고, 혼란스러운 쪽지들이 눈에 띄어 좌절감이 들었으며, 책의 다른 쪽에서는 종이 쪼가리들이 휘날리고 우는 소리가 들리기도 했다.

배경으로는 가상의 학교를 선택했다. 내가 가르쳤던 학교의 이름을 모두 합친 캘빈 쿨리지라는 이름은 그리 인상 깊지 않은 대통령의 이름에서 따왔다. 원작 단편소설에서는 등장인물들을 그저 머리글자로만 표현했다. 나는 소설로 다시 쓰면서 이러한 머리글자로 표기한 등장인물을 사람의 이름으로 고쳐갔다. 젊고 경험이 적지만 이상주의적인 교사 실비아 배릿을 평균적인 고등학교의 큰 혼란 속에 빠뜨린 뒤 이야기 속에 흩어진 몇 가지 단서를 따라가도록 했는데, 서류를 세 부씩 복사하느라 번거로운 와중에 더 큰 인간적인 문제를 처리하는 동안 학교 시스템 속에서 모욕적이며 좌절감을 주는 일에도 대처해야 했다. 나는 소통의 부재를 끝까지 보여주면서 제대로 표현하지 못하는 언사를 통해 학교 밖에서 아이들이 어떻게 사는지 잠깐이나마 엿볼 수 있도록 하고 싶었다.

이야기에 나온 아이들에게 초점을 맞춰보자. 교실의 분위기메이커, 자리에만 관심이 있는 아이, 성적으로 조숙한 아이, 단정하지 못한 흑인, 자아를 발견한 푸에르토리코 아이, 조용한 아이. 그들은 저마다 이렇게 소리치는 것 같았다. "난 여기 있어! 나를 바라봐줘!"라고. "애 엄마는 올 수가 없습니다. 죄송합니다."라는 편지로 어떤 것이 정말 중요한지, 그리고 가슴 아픈지, 무엇을 간절히 바라는지를 말해야 한다는 것을 조금씩 깨달았다.

기억은 짧다. 이 책이 재미있었기 때문에 나는 뒤늦게 쓰는 것이 재미있다고 느끼기 시작했다. 그제야 괴로움이 사라지고 '결석으로 인한 지각'과 '소아마비 동의서'와 같은 모순되는 합성어를 만들어내며 깔깔 웃었던 기억이 난다. 어느 날 아침 웃으면서 일어났던 것도 기억난다. 〈오디세이아〉에 관해 한 남학생이 말하는 것을 떠올렸기 때문이다.

"개한테도 읽으라고 주지 않을 겁니다."

1965년에 나는 작업 과정을 담은 커다란 상자 두 개를 기증했던 뉴욕 공립도서관에 가기 전까지 얼마나 많은 작업이 그 속에 들어있는지 알지 못했다. 경비원이 조심스럽게 지켜보는 가운데 나는 잠긴 문 뒤에 있는 희귀 서적과 사본을 보관하는 곳에서 나의 과거를 파헤쳤다. 그 상자 속에는 수많은 지저분한 원고, 수백 페이지의 개요, 인물 목록, 정확한 교실 위치와 불규칙한 종소리 시간을 담은 가상의 학교를 구상한 표 등이 들어있었다. 또한, 잉크나 눈물로 얼룩지거나 찢어져서 스카치테이프로 붙인 종이도 발견되었다. 나는 내가 얼마나 끈기 있게 소설을 쓰기 위한 재료를 갈고 닦았는지 확인하였다. 인종적 편견이 담긴 내용은 문장이 되고, 문단이 되었다. 한 아이가 쓴 글이다. "제 손글씨를 보고, 제가 백인인지 아닌지 말할 수 있나요?"

내가 가장 쓰기 힘들었던 부분은 실비아와 문제아 조 페론이 부딪히는 장면이었다. 그는 내 마음속에서 생생하게 살아 움직였다. 가죽 재킷, 이쑤시개, 오만함. 하지만 그 장면을 쓰는 데 몇 번이고 문장을 고쳐야 했다. 게다가 조는 내가 기껏 쓴 개요대로 움직이는 것도 거부했다.

아이들이 자기만의 말로 말할 수 있게 하려고 자신의 의견에 재미있는 그림이나 가명으로 서명하는 의견함을 만들어냈다. 아이들에 적합한 독특한 맞춤법 오류, 독특한 스타일의 글쓰기와 함께 필명과 실명 목록을 만들었다. 책을 교정하던 편집자가 아이들의 오타를 계속 수정해서 보내는 바람에 나 역시 계속 돌려보내어 결국 의도한 대로 나가게 되었다.

어떤 평론가들은 나를 극찬하면서도 내가 그저 책에 있는 자료를 모아서 정리했다고 생각했다. 그러나 소설 속의 모든 것은 내가 신빙성을 위해 좀 더 다듬어야 했던 교육위원회의 몇 가지 지시사항을 제외하고는 모두가 다 창작한 것이다. 나는 보고서, 메모, 공책, 기록, 서식, 발표, 보건교사와 상담교사의 기밀 파일, 수업 시간, 수업 계획서, 행정 공지, 그리고 아이들의 의견을 구상했다. 이 모든 것이 너무 사실적으로 보였기에 나는 전에 근무하던 학교의 교감이 교사들에게 지시를 내리며 주의하라고 경고하였다고 한다. "이 내용을 벨 카우프먼에게 보여주지 마십시오."

제목 후보도 여러 가지였는데, 난 큰 소리로 읽어 보았다. 검은 종이에 대문자로 써보기도 하고, 책 표지에 그려보기도 했다. 친구들에게 보여준 적도 있다. 한 친구가 제안했다. "학생들을 확인할 때까지 쏘지 마시오." 결국 내가 선택한 제목은 책 내용에서 나왔다. 즉, 교감이 쓴 무의미한 쪽지, "내려가는 계단을 거슬러 올라가는 버릇없는 학생."에서 따온 것이다. 그 당시에는 학교 계단 옆에 이동이 편리하도록 위아래로 방향을 가리키는 표지판이 있었다. '아래로 내려가는 계단'이란 행정의 편협함을 상징하며, '내려가는 계단을 올라가는 일'은 시스템에 저항하는 것을 비유한다. 난이 말이 너무 어색하고 이해하기 힘들지도 모른다며 걱정했다. 누가 그것을 기억하고 있단 말인가?

내가 걱정하지 않은 것은 내용의 도덕성이었다. 따라서 나는 제안을 받고 보낸 출판사에서 완성된 원고를 두고 문제가 된다며 회의를 했다는 것에 놀랐다. 문제가 되었다고? 내가? 회의실에 앉은 편집자 몇 명과 나는 문밖에 있는 타자원에게 들리지 않도록 나직한 목소리로 원고의 사본을 들고 말했다.

"카우프먼 씨, 선생님을 향해 '씨발'이라는 말을 쓴 것을 보십시오. 저희는 교육 분야를 주로 다루는 출판사로서 많은 학교와 대학에 책을 판매하고 있습니다. '에이 씨'로 표현할 수는 없습니까?"

"이 아이들은 가난한 학생이고, 맞춤법도 형편없으며 마음에 상처를 받은 상태라고요!" 내가 말했다.

우리는 타협했다. 너무 심한 표현은 약간 수정을 가했다.

이어서 강당의 의자 뒤에 페니스라는 단어를 새긴 페이지로 시선을 옮겼다.

"카우프먼 씨, 저희도 교육 분야를 주로 다루는 출판사로서 많은 학교와 대학에 책을 판매하고 있습니다. 최소한 '쥐새끼' 정도로 하면 안 되겠습니까?"

나는 단호하게 거절했다. 쥐는 굳이 나무에 새길 말은 아니다. 내가 이겼다.

다음 페이지, 한 소녀가 정치적 야심을 지닌 학생에 관해 쪽지로 말하는 장면이다. "해리 케이건은 완전 재수없는데."

"카우프먼 씨, 저희도 교육 분야를 주로 다루는 출판사로서 많은 학교와 대학에 책을 판매하고 있습니다. 혹시 '그닥 호감이 가지 않아.'라고 말할 순 없을까요?"

"아니요." 나는 또 거부했다. "그 애는 그런 말을 한 적이 없어요. 그리고 책을 주의 깊게 읽었다면 해리가 재수없는 애라는 건 아실 텐데요."

그래도 그들은 웃기는 했다. 그런데도 우리는 책에서 괴

팍하다는 말 대신 재수없다고 바꾸었다. 나는 회의를 마치고 "다음에 책을 쓸 때는 좀 더 점잔 빼지 않는 출판사에 줄 거야!"라고 말했다.

편집자와 나는 양장본으로 책을 내는 데 뜻을 같이했고, 판매가는 4.95달러로 결정했다(1964년의 일!). 학교 소재의 책을 사는 데 독자들이 그렇게 많은 돈을 낼지 의구심이 들었다. 아마 몇몇 선생님은 책의 내용에 대해 공감하는 미소를 지을지도 모르고, 몇몇 독자는 단순히 웃기는 책이라고 생각할 것이다. 많은 사람이 관심을 둘지가 몹시 궁금한 시기였다.

출판하기 전 관례대로 잡지 중 한 곳에 먼저 연재권을 팔려고 했다. 그러나 세 곳에서 거절당했다. 역시나 책의 스타일이 문제였다. "아마 우리 독자들이 냉정하게 연재 중단을 요청할 겁니다." 한 편집자가 말했다. "너무 '특별한' 것 아닙니까?" 한 작가가 말했다. "원고를 돌려드립니다만, 앞으로 어떻게 될지 관심 있게 지켜보겠습니다."

책이 출판되었을 때, 나는 지역 전문대학에서 새로 구한 교수직에서 해고될지도 모른다는 생각에 두려워했다. 학교의 관료주의적인 행정가들을 풍자한 소설을 썼다고 동료들에게 털어놓으며 직장을 잃을까를 같이 걱정하기도 했다. 그러자 한 친구가 말했다. "잊어버려. 누가 그걸 꼼꼼하게 검토하겠어. 네가 쓴 걸 누가 알겠냐고?"

책이 출간되자마자 친구, 모르는 사람, 선생님들로부터 편지가 쇄도했다. 나는 단순히 '한 도시'에 있는 '한 학교'에 대해 썼다고 생각했다. 나의 책이 많은 도시에 있는 많은 학교의 공통적인 문제를 다뤘을 것이라고는 생각하지 못했다. 여러 선생님이 자신들도 학교에서 하루를 보내고 기운이 남았다면 이런 책을 썼을 것이라고 말해주었다. "어떻게 이렇게 잘 아시는 거죠?" 선생님들이 입을 모아 말했다. "우리 반 아이들과 제 문제를 쓰셨잖아요."

교육위원회로부터도 편지가 왔다. "지나치게 관료적인 표현을 삭제하는 것을 포함하여, 우리 시험관들에게도 많은 변화가 있다는 것을 알면 기뻐하실 듯합니다."

한 교장은 이렇게 썼다. "어떤 계단이든 원하는 대로 이용하게 할 겁니다." 그리고 예전에 가르쳤던 베트남 출신의 군인은 텐트에서 나의 책을 발견했다고 썼다. 그는 나에게 '친애하는 선생님'이라고 시작하여 '선생님을 사랑하는 제자'라고 서명했다.

암으로 병상에 누워 있는 어머니에게도 책 한 권을 가져다드렸다. 어머니는 책을 베개 밑에 넣은 채 다음 날 아침에 돌아가시는 바람에 딸의 성공을 보지 못했다.

어느 날 아침에 일어나 보니 유명해져 있었다. 나는 모든 것에서 곧 권위자가 되었다. 마치 자신이 세계 최고의 코미디 권위자임을 자처한 어윈 코리[37]처럼. 늘 해오던 말을 한 것뿐인데 사람들이 귀를 기울여주게 된 것이다.

나는 교육 관련 컨벤션에서 강연하며 새로운 직업을 얻었다. 내 말을 들으러 온 선생님들은 동의하며 웃었고, 자신의 직업을 긍정적으로 받아들였다. 몇 년 동안 고립되고 버림받았다고 느꼈던 그들은 자신들에 대해 잘 알고, 잘 말해주는 사람을 처음으로 발견한 것이다. 동시에 일반 대중들은 교사들이 항상 알고 있던 것을 알게 되었다.

나는 '그 작가'라는 정체성을 얻었다. "그 책을 쓴 사람이라고요?" 메이크업 담당자가 토크쇼를 위해 저글링 묘기를 하는 사람과 크로스 드레싱을 한 사람 사이에 앉은 나에게 물었다. 나는 명판과 두루마리, 표창장을 받았다. 내가 받은 것 중 가장 좋아하는 것은 서재에 걸려 있는 여러 가지 색의 크레용으로 쓴 "비노그라드 선생님 반에서 깔깔 웃음상을 수여합니다."라는 내용이 적힌 것이다. 1990년 10월에는 생각지도 못한 영예를 얻어 켄터키 대령[38]이 되었다.

나는 제목이 보이도록 책을 들고 전국의 계단에서 사진을

---

37 어윈 코리(Irwin Corey, 1914년 7월 29일~2017년 2월 6일)는 미국의 배우이자 권투선수이다. 브루클린에서 태어나 맨해튼에서 사망함.

38 켄터키주에서 주는 명예 칭호.

찍었다. 십자낱말풀이에도 내 이름이 등장하게 되었다. 나는 내 책을 시각 장애인 재단에서 녹음하였고, 시각 장애인 독자에게 팬레터를 받기도 했다. "제가 들어본 책 중 가장 좋은 책이에요." 나의 소설은 대통령 도서관에서 선정한 책에도 들어갔으나, 테네시주의 녹스빌에서는 금지되었다. 열두 명의 학부모가 책 속에 '천박한 말'이 들어갔다는 이유로 녹스빌 시립학교의 도서목록에서 이 책을 삭제한 것이다. 나중에 이 책이 다시 허락된 뒤 녹스빌에서 열린 테네시 교육협회의 연례회의에서 기조연설을 한 것은 특히 기쁜 일이었다.

나는 지역 전문대학에서 실직한 대신 조교수로 승진했다. 전에 편집자들을 긴장하게 했던 이 책의 스타일은 작문 수업에서 다루는 연구 주제가 되었다. 내가 걱정했던 제목은 몇 년 동안 만화와 신문의 헤드라인으로 등장하며 논쟁거리가 되었다. 1987년 10월, 주식시장이 폭락했을 때에는 〈뉴욕데일리뉴스〉의 1면 기사로 "내려가는 계단을 올라가라!"라고 실렸다. 그것은 심지어 러시아 신문에도 실렸다; "글라스노스트 계단을 올라가라."

이 책은 '블록버스터'가 될 수밖에 없었다. 이 작품은 당시 알려지지 않은 무명작가가 쓴 첫 소설에 가장 큰 판권료를 지급한 작품이다. 판권은 20세기폭스와 워너브러더스가 모두 원했는데, 워너브러더스가 더 높은 금액의 판권료를 지급하겠다고 했다.

이 업계의 모든 사람에게서 존경을 받은 전설적인 영화 에이전트인 애니 로리 윌리엄스는 몇 분마다 나에게 전화를 걸어 계속해서 올라가는 금액을 알려주었다. 그녀는 마침내 워너브러더스로 결정했다. "앨런 퍼큘러가 제작하고 로버트 멀리건이 감독하기를 원한다고 해요. 그들이 좋아하고 잘하는 일이죠. 승낙할까요?" 우리는 그렇다고 말했다.

몇 분 후 애니 로리가 다시 전화를 걸었다. 20세기폭스가 상당히 많은 돈을 제안했지만, 워너브러더스에게 방금 한 약속을 지키겠다고 나는 말했다. 그때 나는 그들이 말한 숫자에 너무 당황했다. 그렇게 많은 액수는 현실적이지 않았다. 진짜 현실적인 것은 다음 날 내가 사러 갔던 파티 초대장의 가격이었다. 어떤 것은 각각 5센트씩 하고, 더 예쁜 것은 10센트였다. 너무 큰 금액이었다.

이 영화는 당시 뉴욕시의 하렌 고등학교가 여름방학을 맞아 비어있는 사이 촬영되었다. '기술 컨설턴트'로서 빈둥거리면서 촬영을 보는 것이 허락되었다. 배우, 전기기사, 카메라맨, 작가, 감독, 제작자, 조수, 메이크업 담당자, 무대장치 디자이너, 학교에서 뽑은 아이들, 세트로 만든 집, 오토매틱 나이프를 갖고 있다 압수당한 몇몇 사람까지 내가 백지를 타자기에 넣어 입력한 사람들이 모두 그곳에 있었다는 것을 깨달으니 너무나 흥분되었다.

영화는 실제 아이들과 함께 실제 고등학교에서 촬영되었기 때문에, 나는 내가 발명한 선생님들의 이름이 학교 우편함에 인쇄된 것이 마치 그들이 진짜 살아 있는 것처럼 보여 신기했다. 그리고 8월의 가장 더운 어느 날, 버스를 타고 지나가던 뉴욕 시민들이 길거리에서 배우들이 겨울 외투와 귀마개로 무장하고 메이크업 담당자들이 화장한 얼굴에 흐르는 땀을 닦는 것을 보고 믿기지 않는 듯 창밖을 응시하는 것을 보는 것은 이상한 기분이었다.

다만 아쉬운 것은 이 영화에 출연해 감동을 준 젊은이 중 누구도 연기 경력을 이어가지 못했다는 점이다. 그들은 스크린에서 단 한 번의 짧은 순간을 보냈다. 나는 종종 그들이 어떻게 되었는지 궁금하다.

〈룩 매거진〉에서는 이 영화에 관한 이야기를 다루었고 우리는 학교를 자퇴한 푸에르토리코 소년의 집으로 갔다. 그는 호세 로드리게스를 연기했다. 그의 어머니는 나를 끌어안으며, "카우프먼 씨, 제발 우리 아들이 그 안에 들어갈 수 있도록 빨리 다른 책을 써주세요."

나도 그 영화에 카메오로 출연했다. 몇 초 동안이지만 나는 실비아 배럿을 연기한 샌디 데니스와 함께 출근카드를 찍는 교사 중 한 명으로 등장했다. 벨과 실이 나란히 있었다.

촬영이 끝날 무렵 출연진과 제작진을 위한 파티에서 나는 다른 사람들과 함께 눈시울을 붉히고 교가였던 '보랏빛과 금빛'을 부르기도 했다. "이 바보야!" 나는 혼잣말을 했다. "왜 우는 거야? 노래도 만들고 학교도 만들었으면서…."

이 영화는 뉴욕의 라디오 시티 뮤직홀에서 개봉되었고, 1967년 모스크바 영화제에 미국을 대표하는 작품으로 출품되었다. 그곳에서 이 영화는 거대한 크렘린 궁전에 모인 약 5천 명의 열광적인 청중들 앞에서 상영되었다.

〈아래로 이어지는 계단을 올라라〉라고 불리는 이 책의 러시아어 번역은 너무나 생동감이 있어 마치 내가 그 언어로 쓴 것처럼 읽을 수 있었다. 흥미를 끄는 다른 제목도 많았지만, 내가 본 다른 번역들을 너무 길게 말하기는 힘들 것 같으므로 몇 가지만 소개하겠다.

스웨덴어: 안녕, 선생님!

체코어: 위로 아래로 by 벨 카우프먼

이탈리아어: 내려가는 길 위로

에스토니아어: 내려가는 계단에서

일본어: 내려가는 계단을 올라라

나는 핀란드어로 "쌤, 안녕하세요!"가 "Terev, ope!"이고,
체코어로 "Cau, Pancelko!"이고, 스페인어로 "Hola, 'profe'
야!"라고 배웠다. 관능적인 프랑스인들은 이 책을 "Escalier
interdit(금지된 계단)"로 바꾸었다. 또한, 정식 출간이 아닌 해
적판이라고 들었다. 따라서 책이 어떤지는 알 수가 없다. 〈거
꾸로 된 계단에서〉라고도 불렀다.

1968년 저작권료로 받은 루블화를 쓰기 위해 러시아로 갔
던 나는 내 책이 그곳에서 널리 인기를 끌었다는 것을 발견
했다. 아마도 관료주의가 그 나라에서 알려지지 않았고 러
시아인들이 이 책에 강한 애정을 느끼고 있기 때문일 것이
다. 러시아 교사들은 특히 열성적이었다. "여기와 똑같아
요!" 그들 중 한 명이 말했다. 행복한 가정은 모두 서로 닮아
있다고 톨스토이가 썼듯(〈안나 카레니나〉의 첫 문장) 좋은 교사
들이 서로 유사하다는 점을 제외하곤 당연히 똑같지 않았을
것이다. 내가 만난 러시아의 십 대들은 그 책과 동일시하거나
그러고 싶어 하는 것 같았다. 그리고 나는 최근에야 미국판 〈
내려가는 계단을 올라가며〉가 러시아에서 현대 영어를 가르
치기 위해 일부 학교에서 사용된다는 것을 알게 되었다.

나는 그 이후 여러 차례 러시아를 방문했고, 언제나 두 팔
을 벌려 환영을 받았다. 내 소설에 바탕을 둔 러시아 연극도
보았는데 어떤 연극에는 음악과 가사가 있었다. 내가 쓴 교

육 관련 기사를 6권이나 수록하여 새롭게 출간한 러시아판도 읽어 보았다. 러시아 작가들의 원탁 토론회에도 참석했다. 나는 모스크바와 워싱턴에서 열린 환영회에서 고르바초프를 만날 수 있도록 초청받았다.

이 모든 것이 작품의 인기 덕분이었다. 1990년 10월, 모스크바에서 뉴욕으로 가는 비행기에서 나는 타슈켄트에 있는 고등학교에서 나의 연극에 출연해서 얼마나 기뻤는지 러시아어로 말해준 16세의 러시아인 소녀를 만났다. "누구였는데요?" 내가 물었다. "섹시한 애요." 그녀가 영어로 대답했다.

〈내려가는 계단을 올라가며〉가 미국에서 아마추어 공연을 위해 극화되었을 때, 그 연극에 출연한 젊은이들이 나에게 편지를 보냈다.

"전 이제 영화배우고, 이 작품을 앞으로도 쭉 좋아할 겁니다."

"작가님이 아니었다면 전 결코 커튼콜을 받지 못했을 거예요."

"첫날밤 공연에서 제가 창문 밖으로 뛰어내려 자살하려고 할 때 관객들은 웃었지만, 그건 작가님 잘못이 아니에요."

내 책이 아이들도 살 만한 저렴한 페이퍼백 에디션으로

출간되었을 때, 나는 그들로부터 '배릿 선생님께'라는 편지
를 받기 시작했다.

"배릿 선생님, 저희는 배수관으로 내려가고 있어요. 답장
해주세요."

"학교를 이겨내는 데 도움을 주셨어요."

"이건 제가 처음으로 산 책이에요. 돈 때문에요."

"저는 열일곱 살이고 선생님의 책을 막 읽었는데, 제가 결
혼하면 태어날 아이들도 읽을 수 있도록 속옷 서랍에 넣어두
었어요."

"어렸을 때는 고민이 많지 않았는데 내일은 더욱 심각해
질 것 같네요."

오늘이 바로 그러한 내일이고, 상대는 더 심각해졌다. 오
만한 소년이 계단을 잘못 오르는 것보다 훨씬 더 심각하고
안 좋아진 것이다. 이 나라의 교육은 위기에 처해 있다. 만
약 실비아 배릿이 책에서 나온다면, 그녀는 세상에 극적인
변화를 줄 방안을 발견할 것이고, 즉시 자신이 가야 할 학교
를 알아볼 것이다.

더 많이 변할수록 더 많은 것이 그대로 유지된다. 오늘날
의 학교는 반세기 전이나 지금이나 정확히 똑같다. 내 소설

에 묘사된 모든 것은 오늘날의 현실이고 오직 컴퓨터와 콘돔만이 새로워졌다.

교사들은 여전히 많은 일을 처리하고 있다. 교육과는 상관없는 모욕적인 잡일, 도움이 되지 않는 관료주의, 끝없는 행정 업무, 불충분한 시설과 어려운 수업에 대한 대처 같은 일. '시간 부족 때문에 미뤄두고' 관심을 두지 않고 무시해 왔던 똑같은 문제들이 그대로 남아 확산되고 만성적인 문제가 되었다. 조회시간에 웅성거리고, 수업 중에 껌을 씹고, 화장실에서 담배를 피우는 사소한 비행은 폭행, 공공기물 파손, 방화, 강도 등 큰 범죄로 번졌다. 〈내려가는 계단을 올라가며〉에서 아이들이 쓴 '주입식 공부와 벼락치기'는 더욱 빈번해졌다. 오늘날 교사들은 안쪽에서 문을 잠근다. 그들은 여전히 가르치려고 노력하지만 많은 사람에게 문을 잠그는 것은 생존의 문제가 되었다.

학생 수가 지나치게 많은 몇몇 학교에서는 아이들이 내 책에서처럼 라디오를 켜놓고 앉아 있다. 심지어 '묵념'에 대한 오래된 논쟁조차도 신이 금하고 있을지도 모른다는 두려움 때문에 명상보다도 기도하는 시간으로 바뀌었고, 어떤 주에서는 아직도 해결되지 않았다. 더는 '고개를 숙이고 주눅이 들지' 않은 교사들은 스스로 나서 말하기 시작했지만, 그 목소리는 좀처럼 들리지 않는다.

이 책에서 언급된 "자퇴에 관한 놀라운 통계"는 여전히 충격적이다. 오늘날 실질적으로 문맹인 소수민족 아이들은 우리 학교에서 수없이 자퇴하여 쏟아져 나와 자멸하고 있다. 마약 밀매자는 더욱 문제가 된다. 환각제는 이제 코카인 덩어리를 가리킨다. 내 책을 다시 읽으면서, 나는 "분필을 훔치는 일이 잦아지고 있다."라는 문장이 얼마나 순수하게 보이는지 깨달았다. 오늘날에는 칼부림이 일어난다. 어른에게 감히 "꺼져!"라고 말하던 계단의 그 건방진 소년은 이제 더욱 심한 말을 쓸 것이다. 임신한 소녀들은 학교 복도에서 편안하게 걸어 다니고, 다른 이들은 그들의 아기를 학교 어린이집에 데려간다. 이 책에서 아스피린을 주거나 상처를 건드릴 수 없던 보건교사는 콘돔 배분으로 논란이 될 것이다.

그때처럼 학교 시스템은 그들만의 불필요한 관료주의로 교사와 학생의 목을 죈다. 그때처럼 학교는 경직되어 있고 공허한 미사여구에 사로잡혀 있다. 그때처럼 교사들은 업무는 과중하나 급여가 적으며, 인정받지 못하고 있다. 이제 아이들은 학교와 전쟁을 벌인다. 많은 사람이 수업에 참석할 이유가 없다고 생각한다. 한 소년은 나에게 말했다. "내 미래는 별거 아니에요!"

나는 최근에 내 전에 근무했던 학교의 선생님에게 내가 일하던 때에 비교하여 무엇이 바뀌었냐고 물었다. 그는 어깨를 으쓱하더니 말했다. "무단결석생은 이제 불참자라고 불러요!"

부조리함도 그대로 남아 있다. 전국의 선생님들은 다음과 같은 교장의 지시를 받고 있다며 나에게 계속 보내주고 있다.

건강 상태를 포함한 진단서를 제시하지 않은 한, 어떤 학생에게도 화장실 통행증을 발급하지 마십시오.
그리고.
오늘 이 카드들을 결석자를 포함하여 선생님의 수업을 듣는 모든 학생에게 배포하십시오.

현실은 소설의 전철을 밟는다. 〈내려가는 계단을 올라가며〉에서 내가 지어낸 구절인 '지하실로 이어지는 계단'이 현실이 되었다. 중서부의 한 선생님이 나에게 이것을 보냈다.

이제부터 '위'라고 표시된 모든 계단은 '아래'로 표시되고, '아래'로 표시된 계단은 모두 '위'라고 표시되며, 지하실로 통하는 계단은 모두 '내려가기만' 할 것입니다.

내 책의 또 다른 구절인 "다음 사항을 무시하시오."는 한 선생님이 최근 나에게 보낸 이 지시문에서 되풀이되었다.

다행히도 우리가 무시하라고 한 메시지는 보내지지 않았으며…

학 학교의 시계 위에서는 〈내려가는 계단을 올라가서〉에서 뒤어나왔을 법한 문구를 보았다.

시계가 고장 났습니다. 일단 때려서 고쳐봤습니다.

내 허구의 교실에서는 깨진 유리창이 거듭 나왔다. 오늘날 많은 공립학교는 캘빈 쿨리지 고등학교보다 더 심각한 피해를 보고 있다. 깨진 창문뿐만이 아니라 부서진 화장실이며 천장에 난 구멍이 방치되어 있다.

교육위원회가 규정한 제복을 입은 경비원은 내 책에서 조회를 방해한 사람들처럼 '불청객'을 막기 위해 학교 입구에 배치되어 있다. 일부 학교는 칼과 총을 찾아내기 위해 금속 탐지기를 설치하기도 했다. 내가 최근에 일일 보조교사로 뉴욕에서 가장 힘든 학교 중 한 곳으로 갔을 때, 나는 경비원에게 내 신분증을 보여주고 그곳에 있는 이유를 설명해야만 했다. 이 방법이 얼마나 효과적인지는 확신할 수 없다.

교육부 장관이 고등학교의 실태를 조사하며 한 학교를 방문한 이유에 '아동 성추행'이라고 썼지만, 그는 경비원에게 잡히지 않고 들어갈 수 있었다. 학교 안의 로비에는 경찰들이 서성거리고, 계단에서는 내기하고, 홀에서는 난장판이 벌어지는 것을 보았다. 교장실 문 뒤에 바리케이드를 친 교장은 나에게 말할 만큼만 고개를 내밀었다. "칼을 든 아이가 보이면 돈을 주고 얼른 떠나세요!"

〈내려가는 계단을 올라가며〉에서 아이들의 문제는 가난, 실업, 인종차별, 그리고 절망이라는 슬픈 땅에서 함께 생겨났다. 내 책에 있는 한 소년은 다음과 같이 썼다. "그들은 인종차별을 없애려고 했지만, 그렇게 하지 않았다." 그렇지 않다.

1961년으로 거슬러 올라가서 제임스 B. 코넌트 박사는 학교에서 '사회적 다이너마이트'가 설치되고 있는 것을 경고했다. 30년이 지난 지금, 그 다이너마이트들이 사방에서 폭발하고 있다. 1989년, 버지니아 대학에서 열린 역사적인 교육 회의에서 부시 대통령과 주지사들은 교실에서 발생하는 모든 사회적 병폐를 어떻게 해결할 수 있을지 궁금해했다. 교사들도 마찬가지였다. 애플컴퓨터(Apple Computer)의 최근 광고로 요약하겠다. "선생님들이 우리가 십 대 임신, 약물 남용, 그리고 가족의 실패를 다루기를 기대한다. 그리고 우리는 그들이 우리 아이들을 교육하기를 기대한다."

지난 몇 년 동안 '위험에 처한 국가!', '벼랑 끝에 몰린 고등학교!', '우리의 학교를 구하라'와 같은 제목의 책, 기사, 라디오 방송, 텔레비전 다큐멘터리가 쏟아져 나왔다. 국가 보고서에서는 공교육의 질을 비판하며 "국민의 성장을 저해한다."라고 했다. 이 보고서들은 우리에게 무엇을 말해주는가? 거의 30년 전에 쓰인 책에서 찾을 수 있는 모든 것들이 우리에게 다음과 같이 알려주고 있다.

"교사들은 권위 상실, 관료주의적 압력, 대중들이 느끼는 부정적인 이미지와 인식 부족으로 어려움을 겪고 있다."

"교사들은 기록 보관, 서류 업무, 보안 의무, 기타 잡일 등의 부담을 덜어야 한다."

"교사들은 절차에 따른 지시사항에 시달리면서 분필과 종이 클립을 찾아 헤맨다."

〈뉴욕 타임스〉의 최근 기사에서는 교사들의 '낮은 권위와 근무환경에 대한 정신적 좌절'에 대해 다루었다. 내 책은 오늘날 쓰였다고 해도 별다른 점이 없다. 아마도 그것이 지금까지 이 책이 읽히고 있는 이유일 것이다.

적어도 문제들이 인식되고 있기는 하다. 뉴욕 주지사는

최근 학교를 가리켜 '재앙'이라고 불렀다. 그리고 교육위원회의 한 위원은 "많은 말들이 있지만, 행동은 하지 않는다."라고 말했다. 나에게 편지를 쓴 한 젊은이가 더 잘 말한 것 같다. "누구도 아무것도 하지 않는다. 당신의 진정한 독자가."

나의 근원은 항상 아이들이다. 나는 교실 밖에서 어슬렁거리는 한 소년을 발견하고 그에게 다가갔다. 그 아이는 의심스러운 듯이 나를 쳐다보았다. "내 이름을 적게요?" 아니다. 난 그저 그에게 요즘 학교의 문제를 어떻게 해야 하는지 물어보고 싶었을 뿐이다. 그의 대답은 직설적이고 핵심을 찔렀다. "그들을 불태워요."

〈내려가는 계단을 올라가며〉에서처럼 오늘날의 아이들은 지금도 자신의 의견을 쓰고 있다. 심지어 맞춤법도 똑같이 틀리곤 한다. 나는 그들이 몇 년 동안 나에게 보내준 모든 편지를 소중하게 간직해 왔다.

"저를 낙태하지 않은 건 어머니의 선택이면서 왜 저에게 불평하죠?"

"전 그 책에 나오는 비비안과 비슷하지만, 유전학자가 되고 싶어요."

"벨 선생님은 절 모르는 것 같지만 전 선생님의 책이 정말 좋아요. 앞으로도 몇 번이고 읽을 거예요. 절 기억해주셨으면 좋겠어요."

"제 선생님이 되어주셨으면 좋겠어요. 학교 식수대에 물이 잘 안 나오거든요."

"가끔 뛰어내리고 싶을 때가 있어요."

1964년에든 1991년에든 '좋은 교육'은 '좋은 교사'를 의미한다. 어떤 어려움에도 불구하고 전국 각지의 교사들은 교실에서 매일 기적적으로 일하고 있다. 나는 학생들을 위해 헌신하는 교사들을 주에서 연 컨벤션 행사에서 많이 보았고, 또 학교에서도 만났다.

그들은 보람 때문에 거기 있다. 외부인은 결코 이 보람이 무엇인지 알 수 없다. 그들은 어떤 명예로운 자리에도 이름이 올라있지 않다. 돈을 더 버는 것도 아니다. 하지만 아이의 얼굴이 밝아지며 "아, 알겠어! 이거구나!"하고 깨닫는 순간 교사들이 느끼는 보람은 측정할 수 없다. 이렇게 성인이 된 아이는 "예전에 어떤 선생님이 있었는데…."라고 말할 것이다. 아마 지금, 이 순간에도 누군가는 자신의 실비아 배릿에 대해 이렇게 말하고 있지 않을까. 그녀는 불멸의 존재이니 말이다.

좋은 교사들의 잠재력은 대단하다. 오늘날 우리 아이들은 그 어느 때보다도 그런 사람들을 필요로 한다.

새로운 세대가 이 책을 읽고 있을 것이다. 나에게 팬레터를 써주던 젊은이들이 낳은 아이들 또한, 이 책이 그들 자신에 관한 내용임을 알게 될 것이다.

한 어린 독자가 나에게 편지로 물어본 적이 있다. "선생님 책이 지어낸 내용인 건 아는데, 조 페론은 어떻게 되었나요?" 나도 궁금하다. 캘빈 쿨리지 고등학교의 모든 사람에게 무슨 일이 일어났는지 알고 싶다. 맥헤이브는 다른 이름으로 통하지만 그런 엄격한 사람은 여전히 주위에 있다. 선생님들과 학생들 모두 이름이 다르지만, 본질적인 부분은 같다.

실비아 배릿 역시 여전히 존재한다. 이 책의 내용 속에 있을 뿐만 아니라 아이들이 있는 곳이면 시골 학교든, 도시의 교실이든 어디든지. 그녀는 문으로 몰려든 신입생들의 출석을 부르면서 버티고 있다. "안녕하세요, 선생님!"

1991년 1월 뉴욕에서

UP THE DOWN STAIRCASE by Bel Kaufman
Copyright © 1964, 1988, 1991, 2012 by Bel Kaufman
Introduction copyright © 2019 by Diane Ravitch
Afterward copyright © 1991 by Bel Kaufman

내려가는 계단을 올라가며

지은이 | 벨 카우프먼
옮긴이 | 이진아

펴낸날 | 2023년 4월 21일 초판 1쇄

책임편집 | 이정
편   집 | 백지연, 이윤형

디자인 | 이가민

펴낸곳 | 데이원
출판등록 | 2017년 8월 31일 제2017-000009호
편집부 | 070-7566-7406, dayone@bookhb.com
영업부 | 070-8623-0620, bookhb@bookhb.com
팩   스 | 0303-3444-7406

내려가는 계단을 올라가며 ⓒ 벨 카우프먼, 2023

ISBN 979-11-6847-409-3 03840